新装版
大江健三郎同時代論集6

戦後文学者

新装版

大江健三郎同時代論集 6

戦後文学者

岩波書店

目次

I

戦後文学者

I

同時代としての戦後

われわれの時代そのものが戦後文学者という言葉をつくった

新しい「戦前」が、重く、制禦しがたく、苦しく、時代によって懐胎されていると告げる声がおこっている。しかし、よく「戦後」を記憶し、それをみずからの存在のなかに生かしつづけている者のみが、もっともよく新しい「戦前」を感知するであろう。そして、戦争を、また「軍国」を。被爆二世たちは、原爆経験について、あの朝、広島に核爆発の閃光がきらめく瞬間まで、そこは「平和」な市街だったのだ、とする思い出のかたちをうち崩すことを、かれらの運動の出発点のひとつとした。たしかに、よく現実と歴史にそくして、そこを見つめる者らの眼に、原爆直前の広島は、「軍国」の一地方都市であったのだ。その視点に立って、いわば、核爆弾をおとす、空中にある者と、それをおとされる、地上にある者とを、ともに撃つようにして、かれらは、ついには白血病をふくむ、すべての原爆症から、人間をとりかえす、すべての核兵器体制から、人間をとりかえすべき運動にむかっている。原爆症によって死んだ、被爆二世について報告する時、かれらは、自分たちがこの人間を白血病からとりかえせなかったのは、と強い憤りを自分たち自身にこそ向けながらいう。かれらは世界最終戦争であるかもしれぬ、新しい戦争にむかう「戦前」を、いまもっとも敏感に認識している者らであろう。かれらの血の遺伝子のなかには、「戦後」すらもなお、おとずれていないのであるが。

これから僕がめざすのは、自分をふくみこみ、とりかこむ新しい「戦前」のなかにあって、あらためて、より確実に「戦後」を認識することである。それはすなわち僕自身が、これが自分たちの時代なのだと、ひきうけざるをえない同時代の実体を、より正確に把握することである。

われわれの前には、戦後文学者と呼ばれた作家たちの、現にこの時代にかかわりつづけながらの活動がある。かれらに冠せられた戦後文学者という名は、およそ近代以来の、わが国の文学的造語のうち、もっとも充実した意味内容をもつ言葉であろう。それは、個人の恣意や、集団の政治がつくりだした言葉ではなかった。時代そのものが、この言葉をつくったのであった。

戦後文学者たちは、新しい時代にむけて、その仕事をはじめた。しかも、かれらはことごとく、ひとつの終末観的ヴィジョン・黙示録的認識を、その存在の核心においているように感じられる。それはいま、新しい「戦前」の凶々《まが》しいものをはらんだ微光に照して、その全体が、かならずしもくっきりと浮びあがるというのではないが、しかしそれがそこに実在することは、疑いようがないと思える。それらの存在の芯をつらぬくようにして、僕は、同時代としての「戦後」をとらえなおすことをしたい。われわれの時代を明日にむけて新しくとらえることをしたい。

野間宏・救済にいたる全体性

緑のマニラの街は
赤、白、黄、色とりどりに粧うて……
小さい黒い人々をのせ
銀の鋲ある勒をつけ
往き来する小馬馬車《カロマク》の軽い蹄の音の
わが心の内にふれてくる
ひとの天井高くさかしまに住まう宮守のような
このくにのさかさまの文明の悲しみの
ひとを殺したわが心の内にふれてくる

朝もののまださめないとき
ふと自分ばかりが目覚め
枕元の仏桑花《ぶっそうげ》の赤い花びらかぞえていると
ギターをもち、ひからびた裸足をして街角に踊りを
おどる
父を失った娘達の姿が浮んでくる。

この詩は、《バターンの戦闘をおえ、バターン半島の先端、鰓《えら》形のコレヒドール島が見える海岸で病気になり、トラックで後送され、リマイの野戦病院に一晩おかれ、マニラの陸軍病院に入れられた》、マラリアと東洋毛様繊虫病におかされている野間宏が、戦場に携行したノートに書いたものだ。いま『青年の環』を刊行し終えて、この大作についやした、まことに厖大な労力が、その肉体から捥《も》ぎとるようにして奪ったものを回復させようとしている作家が、あなたは終末観の世界を、黙示録的な世界を、戦争の終りに見たのではなかったでしょうか、という僕の、それこそ手さぐ

りするような、意味の限定の不十分な問いかけに答えて語りはじめたのは、敗戦に数年さきだつ、このバターン半島の戦闘の経験についてにほかならなかった。戦争の終り、敗戦、それについては予見していた、というより、あらかじめ知っていた、わかっていたから、と科学的なマルクス主義者である野間宏は、はじめに僕の問いかけを、より確実な論点にみちびくことから始めた。

僕がこれから、その同時代性をたしかめてゆきたいとねがう、戦後文学者たちはみな、野間宏の言葉にみちびかれつつ考える時、たしかに一九四五年夏の敗戦を、あらかじめ知りつくしていた人々と呼ぶべきではないであろうか？　大岡昇平は、ミンドロ島サンホセに駐屯した後、山中に敵軍を避けて、しかし俘虜となり、レイテ島の収容所において敗戦を見すえていた。武田泰淳、堀田善衛は上海で、敗戦を見つめていた。そしてかれらはみな、沈鬱な、よく見える眼と、よく認識する頭で、かれらをふくみ日本人みなをふくみこむ、巨大な嵐の新しい局面を測るような態度で、敗戦を、あらかじめ知っていた人々であった。

野間宏が、そのバターン半島における戦闘の経験について語ったところのことは、すべて、すでにかれが小説に書き、またエッセイに書いているところのことである。われわれは筑摩書房版『野間宏全集』の様ざまな箇所においてそれを発見する。

小説についていえば、それは『バターン白昼の戦』であり、『南十字星下の戦』であり、『砲車追撃』であり、『コレヒドールへ』である。エッセイはおよそ枚挙にいとまもない。右にあげた一連の小説を、野間宏は、一九五二年暮から、五八年にかけて断続的に発表しているが、それらの小説を書かぬまえから、書いたあとにかけて、まことに様ざまなエッセイのかたちで野間宏は、バターン半島での戦争の経験と、どのようにそれを小説のかたちにつくりあげるかを語っている。しかもすでにこれらの小説を発表したあと、野間宏は、《私はまだ戦場での日本軍隊、戦闘する日本軍隊を作品に書きあげていない。しかし、私はバターン半島のマリベレス山の細いけわしい山道を、歩兵砲の大きな重い鉄の防楯を背にして、ひょろひょろと歩きながら、地獄に似たものがそこにひらけていると考えていた。》と語っているのである。

それは、いったん右にあげた小説群を読みすすめてきたわれわれには、不思議な言葉である。それは野間宏が、実際に、これらの小説をまだ書いていない、一九四九年にのべている、《戦争を主題にした小説を僕はまだ書いていない。》という言葉とまっすぐつらねながら語るかのようであるからだ。

しかしそれは野間宏にとって、バターン半島での経験をいったん小説に書きあげたあとも、それがなおかれの意識の正面にとどまって、かれの肉体と魂とに沸騰的な関係をもちつづけていることこそを、意味しているのではないであろうか。僕は、原爆についての文字によって示された、また映像によってあらわされた、いかなる作品についても、絶対に例外なく、広島の被爆者たちの中心的な反応が、いや原爆はあのようなものではなかった、あれよりいくだんも恐しくすさまじい経験であった、という批判であることを知っている。野間宏の戦闘の経験と、それはすっかりおなじものではない。しかしいま僕は、野間宏の場合をつうじて、被爆者の場合にも、原爆の経験がいまなお現在の時制において生きているのであり、それとの肉体と魂の沸騰的な関係が、あのような言葉を発せしめる力のひとつをなしていると、考えることができるように思う。かれらはその経験から、ぬけだすことができない。つねにその経験はかれらの頭上につりさがっている。
もっともひとりの作家のなかで、かれをつねにとらえている経験が、どのような手つづきをとり、どのような時を経過して、小説となってあらわれるか、ということは、独特なおもしろさをはらんだ、決して単純には一般化できぬ複雑な要素の、ある総体である。さきにあげた一九四九年の文章において、野間宏が語っているところを、このような、奇妙ですらある事情のいったんをあらわすものとして、あわせ引用しておこう。

《僕は戦争中は、ずっと、戦争小説を書かなければならない、殊に軍隊批判を目的とした小説を書きたいと考えていた。そして、兵役に服していたとき、除隊したら、きっと書いてやるぞと、上等兵や班長に宣言してやったことがある。私的制裁を受けるたびに烈しい怒りが僕のなかにもえていて、僕は軍隊の正体をあばかずしては、絶対に死ねないと自分に言いきかせていた。そしてバターン、コレヒドールの戦闘を終えて、マラリヤでマニラの野戦病院に入院していたとき、ノートに戦闘の推移や種々の兵隊のスケッチなどを覚え書き風にかきこみ、それをその後も持ち歩いていたことがある。しかし敗戦後は、どういうものか、余り戦争を書こうという気がしなくなってきた。が、これは、自分の立場が、まだ、はっきりしたところに出ていなかったがために、そのような気持が内に動かなかったのだと思う。もちろん僕はやはり、三年半の兵隊生活を経、はげしい戦闘にも加わったものとして、戦争小説をぜひ書きたいとは考えていた。殊に僕は、陸軍病院生活、軍法会議なども体験し、さらに、内地の防空隊生活もしているので、一応兵隊の生活のほとんどすべての面を知っていると言ってよく、そうした点からも、自分を戦争小説をかく適任者の一人と考えていたのである。そして僕は実際、ときどき、戦争を主題とした小説を書こうと思って机に向ったことがある。(フィリッピンのガボット台の砲撃戦を書こうと考えて、分解搬送の場面を書きかけたことがあるが)どうしてもこれを書きつらぬく烈しい意欲も湧き上ってはこなかった。しかしこのような状態は、今後僕が新しい地点にぬけでることによって、打開されると思う。》そして実際、野間宏は、かれの新しい地点にぬけだし、その局面を打開して、あれらの小説を書いたのであった。その現実に具体化された行動の軌跡を知っている、われわれの眼に、この野間宏の決意の言葉は美しい。野間宏は、ほとんどつねにその言葉の、決意としての美しさを、永い時間をかけたねばり強い行動によって、現実化してきた散文家である。

野間宏がマニラの病院で書きつけ、それを持ちあるきつづけた紙片、ノートに、さきにあげた詩もふくまれるのであるが、そこにはまた、《次のような歌の形をしたもの》も、ふくまれていたという。

戦友みな病めりわれもそのなかに
　身体ならべやせ行く
いかにして憤り収めんこの南の戦の地に
　ありてこの身の底の憤り
夜は蚊ぜめの地獄昼は蠅ぜめの地獄
　地獄　地獄　地獄
いきどおろしいかにせんこの身体この魂
　なお執着あるか

野間宏は、ここに歌うようにきざみこまれた絶望感、憤り、地獄の観照とでもよぶべきものを、その小説にむけて散文化しながら、ほとんどゆったりしたという印象をあたえるほどの基調のリズムを、文体に採用している。しかもそこには大きい手ごたえのある、即物的なユーモアも実在している。そして、小説の全体をなしているのは、むしろひとりの兵隊、あるいはひとりの人間の、絶望感、憤りの表現というより、いわば、綜合された、具体的な、地獄の眺めである。

僕はかつて、地獄草紙、餓鬼草紙のたぐいの描きだす世界ににじみでている、ある余裕の感覚、鬼、餓鬼と亡者との奇妙な共生感に、不思議な印象をいだいたことがあった。それはおよそ仏教における救い、救済とは、また別のものであるはずだった。僕は、自分の経験にたって、ある時期ごとに、それについて、おもに自分自身のみにむけての説明をこころみてきたが、それは原理にたっての解析ではなかったから、これからもなお、僕が生きつづけてゆくにしたがって、新しいイメージがあらわれては、僕とそれらの地獄草紙、餓鬼草紙との関係を更新するだろう。そしてそれをより確実に、自分のものとして掘りさげ、ついに核心にいたるためには、僕はほかならぬ仏教について学ばねばならぬだろう。

野間宏の戦争の経験、《迫撃砲をうけて倒れた兵隊は、山かげの広場をうめつくした。そのほとんどが、両足をもぎとられ、腹わたをだらりと砂の上に出して、口を開いている。僕はその横を、とおって下流へ水を汲みに行く。とその帰りには、すでに死体がよりわけられ、それは日当りのなかに放り出される。》というようななかでの経験、《私は水筒に水を一ぱい持っていましたが、初年兵だから飲む時間がないんです。私は馬の世話をしていて、小休止のときには馬の汗を拭いたりするので飲む時間がないのです。ところが非常に暑いのでどうしても参って来るわけです。それで私は水を飲もうと思って水筒を口に当てたとたんに古い兵隊がそれをひったくって全部飲んでしまった。僕は全然飲まないで、古い兵隊たちに全部のまれてしまったのです。僕はどういう水を飲んでいたかというと、泥水をするという言葉があるけれども、本当に道にたまっている泥水に顔を突っ込んで飲むわけです。古い兵隊は清水を飲んでいるけれども私たちは道の水たまりに顔を突っ込んで飲むわけです。飲めば必ず下痢する。けれども飲まずにいられないのです。私はその水を飲み過ぎて下痢しましたが、私だけじゃなくついにはすべてのものが腹をこわしておとろえて行きました。》というような名状しがたい経験。

　このような経験にたちながら、ここに引用したエッセイにおいてよりも、なお詳細に周到に、ほかならぬ地獄の実在を描きだしてゆくところの小説において、野間宏が実現する、まぎれもない、ゆったりしたユーモラスな余裕の感覚。それはかれの小説を読みかえすたびに新しく感銘をあたえられるものなのであるが、同時にいかにも不思議な印象を、僕にのこさずにはいない。いったいそれはどのような事情に由来するのであろうか？

　僕はさきに地獄草紙、餓鬼草紙の例をあげて、それが僕にもたらす、同じような不思議さの思いについてのべた。しかしいま、それを野間宏の戦場の地獄と短絡させて、なにごとかをあきらかにしようとするような、思いつきの手さぐりは止めようと思う。なぜなら、野間宏において仏教は、いかにも射程の長く巨大な問題であり、それにむかって僕は、これから永い時をかけて、追いすがって行こうとしているのではあるが、いまのところそれは、はっきり僕の射程距離の外に屹《きつ》立《りつ》している課題であるからである。そして僕は、自分がともに生きる現実をわけもつ、同時代としての戦後をあとづけようとする、この一連の文章において、自分に切実な経験として、はっきり把握できている、と感じられる側面のみを書きしるしたいのであるからである。僕を超えてまっすぐ野間宏と仏教の課題にむかうことを望む者たちには、かれが『歎異抄』をめぐって語っている一冊の本が、もっとも端的な手がかりであろう。それは、おなじく宗教的な、あるいは肉体と魂のすべてをこめて宗教にむかってゆく野間宏の様ざまな思考をあらわすエッセイ群とともに、全集第二十二巻におさめられている。

さて、それでは僕がとくに仏教の命題とはなれて、野間宏の戦場の地獄の眺めのなかに、ひとつのはっきりした、人間的な救済の微光すらをも発する、ゆったりした、ユーモラスなものが、具体的に実在することの、その理由としてあげようとするものは、なにか？ それを僕は、はじめ唐突に奇妙に響くことではあろうが、野間宏の小説論、あるいは想像力論のなかに見出すものなのである。それも具体的な小説を書く手つづきの、野間宏独自のすすめかたのなかに、あらわれてくる、かれの小説、想像力についての考えかたのうちに見出す、ということをあきらかにしたいのである。

この機会に、あらためて野間宏を本郷の永年この作家が住みついた、それこそ民衆のなかの家にたずねた時、かれは机のみならず椅子、棚のみならず床にと、いちめんに多様な書物が積みかさねられている部屋に、直前まで、健康をそこねている、その肉体を横たえていたのであろう長椅子に、坐りなおして、あの、野間宏を語る文章にいくたびあらわれたかしれぬ、特徴的なゆったりした、しかしせんさいな話しぶりで、その戦場での経験を語った。思いおこせば僕は、野間宏にひきいられて一九六〇年夏、新しい中国を旅行した人間である。僕は、この重厚な首長にひきいられる一群のなかの、もっとも軽薄で、ものごとを知らず、ただ新しい経験に浮足だっている、まったく度しがたい若僧であった。それから、日をかさね、年をかさね、中国について考えることをいくらかなりとつづけてくるにつれて、僕の、中国への旅の思い出は、苦渋にそまってくる。そしてそれはかれ自身の内部に鬱屈するものをもちながら、外にむけては終始じつに寛大であった野間宏にたいしての、まことに身を焼くような、自分を恥じる心へもつながってくる。しかもなお、あの旅こそは、僕が、自分の生涯において、もっとも重い意味をもち、またもっとも美しく魂を昂揚させる側面をもなお、それを染める苦渋と矛盾することなくもつものとして、いつまでも回想しつづける旅である。それを思う時、僕はほとんど粛然として言葉をうしなう。あれから十年以上たって、あらためて思い出の北京の夏の光のなかの野間宏とひきくらべるようにして見る、現在の野間宏には、肉体のおとろえが傷ましくもくっきりとあとづけられるように思われた。

野間宏は、この十年のあいだになにをなしとげたのであったか、それはいうまでもなく、あの巨大な『青年の環』の完成である。まことに端的に、作りあげられる『青年の環』こそが、野間宏の肉体を、そのように激しく揺さぶったのである。しかし作家の肉体がそのようなかたちで回復しがたくおとろえるとして、それ以上に、作家という人間の、まともな、一箇の肉体としての生きようが、ほかにありうるだろうか。野間宏は、乾したアンズのような色のセーターに、北京の夏にくらべれば、まったくひとまわり小さくなった肉体を包んでいた。野間宏の顔は、いま、すみずみまで耕作された畠のような、いかにも穏和な印象になごみ、その声は優しい。その話しぶりには、ある分量の文章を書いてゆき、その大部分を消しゴムで消し、あらためて言葉を補充し、それからいったんつくりあげられた確かな文章の積み上げに立って、しだいにそのつづきを展開してゆく、という構造があった。いったん十全に、その構造のうちにはいりこむことができた聴き手にとっては、野間宏の語り口は、およそ実りおおいものである。僕は、自分と同年輩の、小廻りがきいて、ダッシュする速度もある、軽乗用車のような精神をそなえた批評家が、野間宏と話しながら、じつは野間宏の語り口の構造に、いっこうにはいりこみえない、というたぐいの場面に、いくたびも出くわしたものだ。しかしいったん野間宏の語り口の構造のうち側にはいりこみえた者は、むしろ自分の軽乗用車じみた資質を恥じないではいられないはずなのである。

僕は野間宏の、消しゴムと書きこみ、そしていったん積みたてたものの上に立っての展開、というような独自の特質をみなぎらせての話ぶりのうちに、やはりその肉体と魂との、戦場での経験が、いまなお沸騰的な関係をもって、実在しつづけていることを感じとった。それはあらためて野間宏のエッセイ群を読みかえすと、あの野間宏がみずから、独自の語り口で語ったことどもが、事実においても、また、それへの批評においても、まったく正確にそのとおりに、数かずのエッセイにおいて追体験されるものであることに、あらためておどろきをいだくほどのことなのであった。そして、たとえば、

このくにのさかさまの文明の悲しみの
ひとを殺したわが心の内にふれてくる

というような詩句が、まだ決して終りきっていず、現在も肉体と魂とにたいして開かれた関係を主張しつつ、現在の野間宏のうちに実現しているのだ、ということがあらためて感じとられたのである。

その上で、しかもなお野間宏の、戦場での経験を描く小説における、あのゆったりした余裕、ユーモラスな感覚は、どこに胚胎し、どのように育ち、結実したものなのか、と僕は考え、それが、ほかならぬ野間宏の小説論、想像力論に由来する、という論点にまで、自分をすすめてきたのであった。そして、僕の把握していると信じる、野間宏の小説論、想像力論は、ほかならぬ『青年の環』をつうじて、僕にはもっとも明瞭となった。僕はその野間宏的特質を、全体性をめざし、現にそれをひとりの人間、という限られた条件(それは、人間の一般的状況、ということにまで、ひろげることのできる条件であるが)において可能なかぎり、もっとも多様なものにまで実現した、あえてそのような言葉をもちいるならば、全体小説としての小説論、想像力論とみなしている。そして、その全体性をめざし、それを実現する、という肉体と魂の手つづきのうちにこそ、ほかならぬ、地獄のただなかの、自己欺瞞なしの救済の感覚がかもしだされるのを、現に、野間宏の小説において繰りかえし見てきたと考えるものなのである。

全体小説という言葉は、おもに外国文学者、とくにフランス文学の研究者たちによって、わが国にもたらされた。そしてそれは繰りかえし論じられたが、具体的には、いったいどういう作品をさすのかが一向に明瞭でなかった。それは、むしろわが国の、私小説的な小説観の典型的に代表している、小説の狭さ、個人のなかにはいりこんでの歪み、というものを批判するために、架空に設定された、ある攻撃専用の概念にすぎなかったのであるかもしれない。すくなくとも僕は、現実のわが国の新しい小説において、いわゆる全体小説の実体とめぐりあうことはなかったし、そこに立って考えるかぎり、しだいに、この全体小説という概念そのものも、精彩を欠いてゆくかと思われた。

そこへ野間宏が、かれ自身の全体小説を、理論として提示し、かつ、より圧倒的な説得性をもって、『青年の環』という実作を、あきらかにしたのである。わが国の、全体小説論議は、ここではじめて実体を獲得した、といいうるであろう。しかも『青年の環』は、これまでの、幻か霧のような全体小説論をたちまちふきとばして、そのあとを比類なく充実させる効果を果たしたのであった。

僕が『青年の環』に発見するところの、それをほかならぬ全体小説にまでたかめていった、方法的な契機は、僕が「綜合された読者の視点」と呼ぶものである。ひとりの個人にすぎぬ作家の想像力を、いかにして全体化するか、それが永遠の課題であることは明瞭だ。私小説を、そもそものはじめから、その想像力の全体化をあきらめたもの、むしろそれを拒否するもの、と考えれば、全体小説のがわから、私小説こそがまず否定されねばならないことは当然ということになろう。

しかし、全体小説をこころざす作家も、私小説の作家も、おしなべて「個」の手枷《かせ》・足枷にからみつかれていることが、いなみえぬ実状であるとすれば、かれはそのような個人の限界をこえるために有効な想像力の核《コア》の導入にこそつとめねばならない。そのために「神」の視点をみちびきいれる、あるいは無意識のようにそうして、およそ「神」を信じぬ者たちからの批判をこうむる作家たちがあった。サルトルに批判されたモウリヤックの例は、その一典型ということになろう。もっとも、僕は、「神」がある民族の集団的想像力に根ざすとすれば、「神」の視点を手がかりにして、自分の「個」を超え、集団的想像力とのあいだの通路をきりひらき、自分の想像力を全体化しようとする作家にたいしては、まともな関心をうしなうことがない。

しかも僕が、自分の「神」を信じない以上、いかなる作家たちの「神」も相対的である。かれらの「神」をとおしての、想像力の全体化の努力は、それが小説となって結実する時、「神」の参加なしの文学にくらべて、とくに非難されるべきであるとは思われない。

それと逆に機械じかけの《デウス・エクス・マキナ》「神」、とでもいうか、カメラ・アイの視点まで「個」を機械化して、想像力の全体化をはかる基盤とする、という試みもしばしばおこなわれた。しかし結果からみれば、作家たちのカメラ・アイは、むしろ、かれらが意識による選択の意志をあきらかにしている時より、もっと端的に、その作家の「個」の歪みに忠実であることがしばしばであった。想像力の全体化には、機械にたよるよりもまえに、まず「個」の想像力の実質そのものを、作家が仔細に検討することが必要なのではないか、という反省が、カメラ・アイ的模索のもたらした、最良の結実ではなかったであろうか。むしろ、カメラ・アイの技術をとぎすまして、ただひたすら、逆方向にそのカメラ・アイの持主の内部のみを探るという、およそ想像力の全体化にたいする「反動」の試みすらが、アンチ・ロマンの作家たちによっておこなわれたのは、なお記憶に新しいところである。

野間宏の、想像力の全体化の努力は、いかなる「神」も、機械じかけの《デウス・エクス・マキナ》「神」すらも、援用しない、いかにも実際的な方法にもとづいている。かれはまずひとりの人間の、ある側面をかたる散文を書きしるす。そして、自分が言葉を書きしるしている紙を、机のむこうから注視しているところの他者を、おそるべき公平さ、ほとんど自己否定的な公平さで喚起する。その他者の声が、いま書かれたばかりの散文にむかって発する批判が、野間宏の想像力を、すくなくとも二重構造にする。そこであらためて新しい散文が書きしるされる。

その時、あらたに喚起されて、机のむこうにあらわれる他者は、今度はその二重構造にたいして批判の声を発し、それがあらためて散文にとりこまれると、野間宏の想像力は、当然に三重構造に、あるいは二の二乗の構造になる。単純な構造ではあるが、実現にあたっては科学的に複雑になる、このシステムによって、野間宏の想像力は、かぎりなく多様化され、ついには全体化していったのである。

いま書きあげられた『青年の環』の想像力の世界に、読者として参加しようとすると、そのつねに机のむこう側から、野間宏にたいして声を発しつづけてきた他者とは、ほかならぬわれわれをもふくむ、読者の視点であることに気がつかざるをえない。しかし、幾重にもかさねられた、その読者の視点とは、いうまでもなくわれわれの「個」を超えている。それは「綜合された読者の視点」であり、その綜合的な多様性のきわみの他者を、繰りかえし自分の想像力に喚起することによって、野間宏は、かれ自身を全体化し、かれの小説を、党を追われた実践家であるかれがなお全力をあげて認識する、この世界全体に拮抗するほどにも全体化したのである。

そのように、世界全体にみあうほどにも全体化された様相をもつ、小説のなかにわれわれがはいりこむ時、たとえそれが、地獄のような世界全体、を表現しているにしても、われわれは、その小説の内部で、出口なしの絶望よりほかのものを、選択しうる自由を発見する。絶望すらをもまた、自由に選択しうる人間たる自分を発見する。

もっともわれわれが野間宏の、おおいに地獄の実相に根ざした、全体的な想像力の世界に、自由に選択しうる人間としてあることが、希望とまではいわぬにしても、一種の肯定的なものの感覚と、あいかさなる事実は、それを全体小説一般に普遍化してしまうことのできぬ、特別な事情にもとづくのであるかもしれない。

なぜなら、野間宏はおよそ教条的な人間ではないが、未来を信じ社会の積極的な変革を企画するところの、マルクス主義者であるからである。しかし僕は、このようにも全体化された想像力の持主が、戦場の地獄を生き延びてきて、しかもなおかれの肉体と魂のまわりに、肯定的なるものの微光をただよわせている以上、われわれ自身をふくめて、およそマルクス主義者でないところの者も、たやすく絶望してしまうわけにはまいるまい、と考えるのである。すくなくとも、自分もまた想像力を全体化して、世界を見廻しうる時のいたるまでは、いかなる野間宏の同時代者にも、ひとり絶望をいう資格はあるまいと僕は信じるのである。

僕が野間宏の戦前、戦中、戦後の歩みを、かれと同時代を所有することをねがう人間として見つめつつ、つねに原点に立ちもどって考えるのは、そのことにほかならない。僕は、ひとりの作家としての、また現実世界を生きる人間としての、ほかならぬ自分のイメージ群が、しだいに終末観的なるもの、黙示録的なるものにそめあげられてくるのを、観測しないわけにはゆかない。むしろ僕は自分の内部に、終末観的な、黙示録的な想像力をこそ、もっとも鋭くとぎすましてゆくことを作家としての生き延び方と考えるものである。

しかし僕は、われわれの戦後の、もっとも重要な同時代者である野間宏の仕事の、全体につきつけるようにして自分自身を検討するとき、なによりもまず自分の終末観的な、黙示録的な想像力を、全体化する方向にひろげてゆかねばならぬことを自覚するのである。それなしに中途半端なところで叫び声をあげるようなことを恥じる心が強まるのである。

水。水こそは、バターン半島で戦闘を経験した野間宏にとって、きわめて特別の意味を持つものであった。兵士野間宏は、すでにのべたように路傍の泥水を飲まねばならず、そのために下痢に苦しみつつ進軍し、ついには東洋毛様繊虫におかされた。しかも、単に泥水を飲む、ということにおいてのみ、バターン半島の水が、かれに特別のものだったのではなかった。フィリッピンの水は、かれの肉体と魂とが、それを真の水として慣れしたしんでいたところの水とはことなる、まことに異質の水だった。マニラの陸軍病院における野間宏は、《日本の空がみたくなり、日本の水をのみたいと思いはじめた。フィリッピンの水は全く硬かった。それは口にさわった。》

もっとも、かれが激しく肉体と魂に念じた水は、それが日本の水ならば、どのような場所の、どのような水でもよい、というものではなかったであろう。それは、戦いのつづく日本に送還され、陸軍刑務所にいれられ、なおも執拗な軍法会議の追及をうけつつ、敗戦を見すえており、それを沈鬱にくぐりぬけ、ついに『暗い絵』の作家として活動をはじめた段階の野間宏にとっても、しばしば容易にめぐりあうことのできる、かれのまわりにふんだんにあふれ、みなぎっているところの水、というわけにはゆかなかったであろう。バターン半島での地獄の戦闘の経験が、かれの肉体と魂のなかで特別のものとした水、その真の水にふたたびめぐりあうためにこそ、野間宏は、かれの想像力をもっとも激しく集中しなければならなかったはずであろう。

僕は『青年の環』の、すさまじく高潮する、その終局のただなかに、ほかならぬ、そのような野間宏のはげしく強く念じた水が、くっきりとうかびあがるのを見るように思う。矢花正行に、最後の別れをつげに、大道出泉がたずねて行った、闘いのまさにはじまろうとする未解放部落は、ほかならぬ「炎の場所」なのであるが、そこで燃えあがるカンテキの火のようにも、われわれに鮮明な印象をあたえるのは、永い対決的な討論が終りの段階にはいろうとして、咽喉のかわきをうったえる出泉に、正行がくんできてやる水の実在感である。

《大道出泉は満たされた茶碗の水をごくごくと音をたてて飲み、「うまいな、じつにうまいな。これで、俺の咽喉元のつまりもとれて、俺も、一寸、生きかえったと言うべきやろうな。」と無邪気に声をあげるように言った。「もう、一ぱい。」と彼は言って、自分で茶碗をみたし、見る、見るそれも空け、さらに三ばい目の茶碗に水をみたしたが、それにはすぐに手をつけることはしなかった。彼の額、首筋のところにすでに汗が流れ出てきて、彼は膳の上においたハンカチをひろげて、それを拭うのに手間をかけねばならなかったのだ。……彼はそれを終えると、矢花正行に向かい直し、にっこりと笑った。それは如何なるものも、その笑いに笑いを返さないではいられないような笑いだった。そして矢花正行もまたそうしたのである。》

それからまた、もう一ぱいの水を大道出泉は矢花正行に所望する、《……もう一ぱい、水をくれないか。もう一ぱい、水を飲んで、それから、いよいよ、俺はその復讐の念に憑《つ》かれて、次々とどこででも、罪を重ねてとどまるところを知らない部落出身者について話すよ。》

大道出泉は、つづいてその田口吉喜が、矢花正行を官憲に売りわたそうとしていることを知った時(いうまでもなく、田口殺害を、この動機のみに限るとすれば、われわれは大道出泉の意味を矮小化してしまうことになるが、ともかく、それをひとつの契機として)

かれを殺し、かれ自身も自殺する。そのあいだにも矢花正行は「炎の場所」に未解放部落の人々の勝利を見きわめつつあって、この大きい小説は終る。

しかし、いったん『青年の環』を読みおわり、また現実の野間宏の生き方について、いくつかの結節点を知る者は、矢花正行がすぐさま召集されて軍隊に加わり、バターン半島を行進する光景にまで、自分の想像力がつきすすんで行く勢いを、おしとどめることができるであろうか? 兵士矢花正行は、路傍にひざまずいて泥水を、あの真の水とは似ても似つかぬ、異様に硬い水を飲む。しかしかれの肉体と魂の苦しみには、かれのまわりに、やはり泉に頭をつきだす獣のように水をもとめて集っている、他の兵士たちの苦しみとことなった、ある余裕のごときものがあわせもたれているであろう。なぜならかれは、あの最後の話し合いの時、大道出泉は、じつにうまい水を茶碗に二はいも、三ばいも飲んだな、と思いかえすことができるからだ。

まったく出口なしの状況において、自分の閉ざされた大きい苦しみを苦しみつつ、他人を殺害し、自殺するにいたる大道出泉の最後のイメージに、なお生きのびて戦いのさなかに突入し、そこで様ざまな経験をつんで戦後にいたる、矢花正行を見ずにはいられず、また矢花正行の刻々のイメージのうちに、大道出泉がいくたびもくっきりとよみがえるのを見るわれわれは、そこにもまた、野間宏の小説の全体性を、もうひとつことなった側面からさぐりあてているというべきであろう。野間宏は、つねに、時代のなかに深く沈みこんでいる。時代を超えた「神」のように、大道出泉を救済し、矢花正行を救済するようなことは、野間宏の、作家としての方法にまったく背反している。

しかしいったん『青年の環』の全体を読みおえたわれわれは、ある綜合された「人間」の実在に面とむかうのである。その「人間」は、われわれを死にみちびくよりは、生にむかってはげまし、われわれに絶望のタールをぬりたくるよりは、希望の微光を示すところの「人間」であった。そのように人物をひとりひとり、その全体性においてとらえて、まことに地獄のような状況を提示しつつ、なおそのなかの「人間」に、ほかならぬ救済の手がかりこそを、はっきりと握りしめさせている作家として、われわれはこの戦後をともに生きてきた野間宏をもっているのである。かれのつくりあげた、そしてなおつくりあげつづける「人間」の光は、仏教を信じぬ者のためにも、改革しうる社会を明るく想像しえぬ者のためにも、ひとしく有効である。しかも、まったく独自の方法をきずきつつ、野間宏は、仏教とマルクス主義のヴィジョンを、たくましく把握して決して離さぬ作家として、生き続けてきたのであった。

大岡昇平・死者の多面的な証言

水。水は、一九四四年初夏、フィリッピンにむかおうとする三十五歳の兵士、大岡昇平によっても、独自の意味づけとともに認識された。《私は先きで私を待っている死について考えた。岸に近く一つの岩がわずかに頭を水に出し、そこに波が戯れていた。その水を見ながら私は死んだ私の体は分解して、こんな水になってしまうであろうと思った。その時このいつまでも生きていたいらしい意識は無になっているであろうが、水はいつまでも宇宙に生き続け、この波のように動いているであろうと思った。その考えに私が慰められたのは、私の体から残ったものがまだ動き得るということであった。》

このような認識力の自由を、なおも保障されるべきスタンダール研究家が、かれの書斎と職場から根こそぎひきぬかれて、大規模な暴力の場へと、一兵士としてひきずってゆかれたのである。ほぼ半年の後、《私はつひに私が水を飲まずに死なねばならぬことを納得した。いづれ死ぬ私の生命は、あてもなくこの渇きとともに生きる苦しさに堪へて、それを延ばすにあたひしない。》という決意を選びとらねばならぬような戦場の経験の直後、大岡昇平はマラリアの熱と渇きに、肉体と意志のエネルギーをつかいはたした状態で俘虜となった。

『野火』が描いている、敗走する孤独な兵士の見る火は、俘虜となる偶然より、もっと大きい確率で、厖大な数のフィリッピンにおける戦闘の、死者のひとりとなったのであったかもしれぬ兵士、大岡昇平自身の見た火でもまたあっただろう。そしてその火はかれのうちに対応する、まさに次のような内部の火をも、喚起したのであったにちがいない。《私はその火を怖れた。私もまた私の心に、火を持つてゐたからである。

或る夜、火は野に動いた。萍草や禾本科植物がはびこつて、人の通るはずのない湿原を貫いて、提灯ほどの高さで、揺れながら近づいて来た。

私の方へ、どんどん迫つて来るやうに思はれた。私は身を固くした。すると火は突然横に逸れ、黒い丘の線をなぞつて、少しあがつてから消えた。

私は何も理解することが出来なかつた。ただ怖れ、そして怒つてゐた。》

大きい戦争のなかの、ひとりの兵士の怖れと怒り。戦争の全体を描きだそうとすること。それがいかに兇暴で悲惨で愚かしい狂気の所産であれ、戦争が、人間のおこなう、もっとも大規模な行動として、建国や革命にならぶものであるとすれば、様ざまな歴史家、作家、詩人たちが、この血と鉄と泥の匂いのする大叙事詩をつくりだすことを望んで、不自然ではない。もっとも叙事詩は、統一的な強靱な主題、あるいは根本的な情動のかたまりを内蔵しなければならないであろう。しかし現代の戦争について、恣意的な主題を選択するなら、それは不謹慎ということになる。

　大岡昇平は巨大な戦争のなかに、死への大きい確率と、それが生への唯一の確率である、俘虜への小さい確率にはさみつけられるようにして、ミンドロ島サンホセの山中をマラリアになやみながら彷徨し、孤独なひとりの兵士としての怖れと怒りとを、体内に燃えあがらせた。そして俘虜収容所で九死に一生を得て帰国したかれが、自分の経験した戦争から、かれ自身の統一的な強靱な主題、あるいは根本的な情動のかたまりとして、あの戦争のなかの、意志と生命の自覚をそなえた微粒子たる自己の、決して解くことのできない、なまなましい怖れと怒りの結びめを、その魂のなかに確保したとして、それは悲惨なほどにも、自然であろう。

　「敗戦二十六年の夏」、大岡昇平が刊行した、現代の戦争の全体をおおいつくそうとする大叙事詩『レイテ戦記』の主題は、誰の眼にもあきらかである。《八、九日両日の戦いは、リモン峠の戦闘の中で、最も凄惨なものとなった。米兵も連日の戦いに気が立っていた。この日は是非主稜線に達しようとむきになっていた。自分たちに苛酷な戦いを強いる日本兵に対して腹を立てていた。

　なんのためにおれたちは戦わなければならないのか、数千マイル離れた祖国で、金持が一層金持になり、どこかの気障な奴に女房をやられるため、フィリピンに来ているのか、というような観念に取りつかれていた。ハロやタクロバンで幕僚や新聞記者がフィリピン娘とダンスしているのに、なぜおれたちだけ雨の中で命をかけて戦わねばならぬのか、と腹を立てていた。
日本兵もまた物量にものをいわせる米軍の戦闘を卑怯と感じ、腹を立てていた。三日間の戦いで多くの戦友が殺されたのを怒っていた。雨の中に憎悪と憤怒がせめぎ合う白兵戦になったのである。》

あらかじめ誤解をさけるためにいえば、『レイテ戦記』の主題が、直接怒りそのものによって、限定されるというのではない。このような憎悪と憤怒の戦闘に参加せしめられている一兵士が、およそ絶対に実現不可能である望みをいだくとしよう。自分もまた、現にこの生命をかけている戦闘の全体を展望することができるならば、という熱望。憎悪、憤怒、恐怖にうらうちされた熱望。もし自分が生命をかけている、この戦闘の全体について、自分がそれをすみずみまで知りつくすことができるならば、もちろんそれによってこの戦闘への自分のかかわりようを、すべて正当化できる、というのではないが(なぜなら自分は、抵抗も異議申立てもゆるされぬ状況で、ここにみちびかれたまま戦っているのであるから)、しかし、すくなくともいま自分がどのような筋みちにたって殺されようとしているのかを、理解することはできるだろう。それはいま、ここにまったく個としての意味づけを離れて、死なねばならぬ、大きい戦闘のなかの一兵士の最低の要求ではないか? しかしそれは一兵士の最高の要求でもある。現実には、かれは戦闘の全体の展望を一瞥することもかなわず、しかし確実にその戦闘の数多い歯車の役割を果たさしめられて死ぬ、あるいは俘虜となる。かれらの人間的な威厳は、戦争の巨大な腕の横なでによって、たちまち吹っとばされるだろう。

ところがレイテ島の戦闘は、いわば最後の土壇場でこの堅固に閉鎖した力関係に、ひとつの完璧な逆転をうみだしたのであった。ミンドロ島で同じ戦いを戦った兵士のひとりが俘虜となって生き残り、戦後二十六年たって、ついにレイテ戦の全体を展望し、時間の構造をくみたてなおし、すべての戦闘を綜合的に再現したから。しかも、旧兵士は戦闘の再現にあたって、あくまでも、戦闘のただなかに五里霧中でひたすら戦わねばならず、生命をかけねばならず、しかも戦闘の全体を把握することはできなくて、憎悪と憤怒と恐怖に歯がみしている、一兵士の熱望からついに離れることなしに、戦闘の全体を再現したのである。もし、絶対に不可能な状況に不思議な裂け目があらわれて、レイテ戦の銃弾と泥濘に生命をかけている戦闘中の一兵士が、同時に戦闘の全体を、しかも日本軍と米軍の両陣営にまでもあいわたって明瞭に見きわめることができたとすれば、すなわちレイテ戦は、このように認識されたであろう。そのような綜合性において、戦争はあらためて把握された。

『レイテ戦記』という大叙事詩の、統一的な強靱な主題、あるいは根本的な情動のかたまりとは、端的にそのような性格のものである。しかも、こうした純一な主題に発して、『レイテ戦記』は、多様な、綜合的、全体的な作品たりえている。それは二十六年をへだてて、いわば同一の戦闘を二度経験した兵士である、そして戦後文学の中核をになう作家のひとりである、大岡昇平の、この厖大な戦記をむすぶにあたっての言葉が、みずからあきらかにする事情にこそよるのであろう。《死者の証言は多面的である。レイテ島の土はその声を聞こうとする者には聞える声で、語り続けているのである。》

僕はかつて大岡昇平の評伝を書いたことがあった。その作業をすすめる上でいかにも鮮明な印象としてのこっているのは、ある一時期、一時期の作家の写真が、じつに端的に、その時代とのかかわりあいにおける、かれの肉体と精神あるいは魂のありようを示していることであった。あいまいに響くことを惧れるが、大岡昇平は、それらの写真のなかでつねに、ほとんど眼をそむけたくなるほどにも、その内部の深奥のものが、眼や皮膚や、姿勢からにじみでている映像として実在しているのであった。僕は次のようにその印象を書きあらわした。《大岡昇平が、入営当時、軍服を着て両掌を膝におき、しっかり上躰を支えて正面を見つめている写真は、それを見るものに一種異様な感銘をあたえる。埴輪のような眼をした三十五歳の兵士の肖像には、まことに多くのものを内部に遺恨のようにひそめながら、孤立無援なところでストイックにおのれを持している人間の印象がある。かれは不意に、根こそぎ引きぬかれて、無意味な、暴力的な場へ追放されたのである。しかし、同時に、かれは、それまでかれを束縛していたすべてのものから自由になった人間という印象を、全身にみなぎらせている。》

いま『レイテ戦記』によって、あらためて新しくフィリッピンの大岡昇平についてまなぶ時、僕がかつて書いた文章は、空疎な甘ったるいものに感じられる。しかし自己弁護すれば、われわれは、作家がみずから、真の時を得て語りはじめるまでは、ただ予感することしかできないのではあるまいか？　俘虜収容所から送還されて、まことに戦後の荒廃と復興、復興そのもののなかにもしのびこんでいる荒廃の印象きわだつ神戸の市街を、家族を背後にしながら、飛行服で歩いている作家の写真もあった。それはそもそも意味論の上で矛盾しているであろうが、家族とともにある単独者の、戦闘と俘虜とを経験し、つづいて戦後を赤裸に経験している人間の、異様な映像である。大岡昇平が、われわれはアウシュヴィッツを体験しなかったが、それを通過した時代としての、われわれの時代こそを共有しているのだ、と語ったことがある。それは、大岡昇平と時代のかかわりあいの性格を示すだろう。いちいちの写真の個人の顔に、あのようにも克明に滲みでる時代の顔の意味あいを、すなわちこの作家をうつすカメラの構造にあたえられる、被写体からの照りかえしのような影響のあとを、それはときあかす言葉であろう。僕はそれこそを、大岡昇平の独自な時代への想像力とよびたい。

しかもなお僕には、ここにあげたふたつの写真のあいだにおこったことの真の実体について、大岡昇平がそのあいだに経験した時代そのものの全体について、十分に推測することができなかったように思うのである。『俘虜記』と『野火』があった。しかしこの秀れた二作品をもってしても十分ではなかった。それらをつうじて僕は、いわば予感していたのだ。その予感していた全体を提示し、これまでのぼくの大岡昇平体験の穴ぼこ、欠落部分をうずめたのが、ほかならぬ『レイテ戦記』の完成である。作家はそのようにしてついにかれ自身を実現する。トマス・ジェファソンは、ジョン・アダムズにむけて《人間は互いに、自己を説明しきらないうちに死んではならない。》とのべたということだ。大岡昇平が「敗戦二十六年の夏」に、『レイテ戦記』を書きおえようとして、次のように記しているのは、じつに重く豊かな意味をもつ言葉であろう。

《レイテ島で死んだ九万の同胞と、ミンドロ島で死んだ西矢隊の戦友たちのことを考えながら、この本を書いた。著者が今日まで生き延びて、この本を完成することが出来たのには、みんなの加護と導きがあったような気がしている。》

僕が訪ねて話を聞いた日、スペイン風という表現は粗大にすぎて、ほとんどなんらの現実的イメージを喚起しないが、しかしやはりスペインか南仏風に、強い陽光をさけるために閉じている構造の家に、作家は深い色あいの紺絣を着て、北欧の旅のあとぶりかえした胃の痛みを養っており、いわば苦い静謐のなかにあった。厖大な戦記を書かねばならず、書きつづけねばならず、書きおえねばならなかった内部の嵐はすぎさって、なぎがおとずれているかのようであった。僕がもっぱら自分にひきつけるようにして読むことによって、『レイテ戦記』からひきだしていた「天皇」のモティーフは、作家自身の創作意図、創作にむかわしめる情動からは、はっきり別の場所のもの、むしろ僕自身の、読む意図、読む意欲をささえる情動にこそ由来することが、われわれの対話から確認された。僕が大岡昇平の経験し、経験しつづけている「同時代」に追いすがるようにして、自分もまたそれを経験しようとすれば、そこには「天皇」の命題があらわれぬわけにはゆかない。しかし兵士大岡昇平も、作家大岡昇平も、この命題に対しては、深く、おそらくは苦い独自の態度を、死んだ兵士たちともども、かたくたもっているのであって、僕はもっぱらすべての批判への責任を自分にひきうけるようにしてしか、『レイテ戦記』の「天皇」の命題について語るわけにゆかない。それは戦後派作家たちにたいして、あえて自分との「同時代」を主張する戦後育ちの人間の、まもるべき節度のひとつということでもまたあるであろう。

家畜のように死ぬ者のために、どんな弔いの鐘がある?
大砲の化物じみた怒りだけだ。
どもりのライフルの早口のお喋りだけが、おお急ぎでお祈りをとなえてくれるだろう。

大岡昇平は、第一次大戦で死んだ英国の詩人の一節をひいて、かれ自身のストイックな、そして結果としては豊かなものとなった決意をあきらかにすることから始めた。《私はこれからレイテ島上の戦闘について、私が事実と判断したものを、出来るだけ詳しく書くつもりである。七五ミリ野砲の砲声と三八銃の響きを再現したいと思っている。それが戦って死んだ者の霊を慰める唯一のものだと思っている。それが私に出来る唯一つのことだからである。》

記録する大岡昇平の眼は、戦場にあって同一の軍服を着こみ単一な運命にむけて生きているが、その内部はまことに多様な兵士たちのいちいちを見つめている。《作戦とか忍者とかとは縁のない体質を持った》、しかし生命をかけて実際の戦闘をおこなうのはかれらに他ならぬ、兵士たちを見つめている。兵隊とはなにか、という省察は、それを注意深くひろげれば、日本人とはなにか、という論点にまでみちびきえるものであろう。《兵隊の中には神経の鈍い、犯罪的傾向を持った者がいた。石のように冷たい神経と破壊欲が、あくまでも機関銃の狙いを狂わせないこともあった。与えられた務めを果たさないと気持の悪い律義なたちの人間も頑強であった。普段はおとなしい奴と思われ、大きな声でものをいわない人間が、不意に大きな声を出して、僚友をはげましたりした。》かれらの「勇敢と頑強」が、作戦も補給もまともでないレイテ戦を二ヵ月持ちこたえさせたのである。

このような短い文章のうちにも大岡昇平の、実際にかれもまた兵士として同じ戦闘を戦った者としての、兵士にたいする切実な評価は、おのずからあきらかである。重要なひとつの主題として、それは幾たびも繰りかえされてゆく。それと同時に、兵士たちの戦場の行動を見つめる大岡昇平の眼には、そのフランス文学者としての本質にもまた、深いところでかかわっているのであろう、モラリストの力がはたらいているように思われるのである。

《日本兵の白旗による欺瞞はニューギニア戦線でもよく見られた行動である。二〇対一、五〇対一の状況になった時、敵を斃《たお》すためには手段を選ばずという考え方は、太平洋戦線の将兵に浸透していた。しかし白旗は戦闘放棄の意思表示であり、これは戦争以前の問題である。こうでもしなければ反撃の機会が得られない状態に追いつめられた日本兵の心事を想えば胸がつまる。射ったところでどうせ生きる見込みはない。殺されるまでに一矢を報いようという闘志は尊重すべきである。しかしどんな事態になっても、人間にはしてはならないことがなければならない。

……………………

太平洋戦線で戦った日本兵は、米軍の物量を「卑怯」と感じた。なにをしてもかまわないという観念もこの感情から生れたと思われる。しかし相手もわれわれと同じく徴募された市民である。同じ市民同士の間には、戦争以前の、人間としての良心の問題があると私は考える。》

「神風特攻」に『レイテ戦記』の著者のあたえる意味づけは次のようだ。《……特攻という手段が、操縦士に与える精神的苦痛はわれわれの想像を絶している。自分の命を捧げれば、祖国を救うことが出来ると信じられればまだしもだが、沖縄戦の段階では、それが信じられなくなっていた。そして実際特攻士は正しかったのである。

口では必勝の信念を唱えながら、この段階では、日本の勝利を信じている職業軍人は一人もいなかった。ただ一勝を博してから、和平交渉に入るという、戦略の仮面をかぶった面子《めんつ》の意識に動かされていただけであった。しかも悠久の大義の美名の下に、若者に無益な死を強いたところに、神風特攻の最も醜悪な部分があると思われる。
しかしこれらの障害にも拘らず、出撃数フィリピンで四〇〇以上、沖縄一、九〇〇以上の中で、命中フィリピンで一一一、沖縄で一三三、ほかにほぼ同数の至近突入があったことは、われわれの誇りでなければならない。
想像を絶する精神的苦痛と動揺を乗り越えて目標に達した人間が、われわれの中にいたのである。これは当時の指導者の愚劣と腐敗とはなんの関係もないことである。今日では全く消滅してしまった強い意志が、あの荒廃の中から生れる余地があったことが、われわれの希望でなければならない。》
ここに引用したところからもすでに、大岡昇平がレイテ島での厖大な規模の戦闘パノラマのうち、現実のどこに自分の位置をおきつつ、「事実」と信ずるもののみを記録しつづけていったかはあきらかであろう。かれは《寒い雨の山中の生活を堪えながら、強固な米砲兵陣地に斬り込まねばならぬ前線の辛さ》を、死んだ斬込隊員の体温とともに感じとるところに立っている。俘虜収容所の柵外の休息所で、入所手続きをとるために待っているあいだに《コーンビーフ、煮豆など食糧を不意に貪り食うため》に死に、《日本人の収容所長が手続きがすむまで、食糧を与えない方針をきめると、炊事へ盗みに入った。そして死んで行った》、病み疲れた俘虜とともに立っている。《食糧入手の見込みがない、あるいは一番大事な脚の負傷が癒らない、あるいは下痢が癒らない、というような単純な理由で、病兵は突然群から離れて手榴弾(がもし残っていれば)を抱いて自爆した。あるいはバンドを木の枝にかけて、縊死してしまった。しかし自殺する気力もなく、叢林中に横たわって、息をしている状態で俘虜となった者が多かった。》そのように自殺した病兵、ほとんど死に瀕していた俘虜とともに立っている。

そして死んだ兵士、病む俘虜とともに立つ大岡昇平と、まったく対極をなす側になにがあるか？《空想的な机上作戦を推進して、無益な犠牲を重ねた》大本営の無責任体系がある。《兵をして飢えしめないのは、無論軍の責任である。ところが大本営が太平洋戦線一帯で取った遷延作戦では、その責任を放棄していた。「永久抗戦し悠久の皇運を扶翼し奉り、従容として、皇国の人柱たれ」と山下大将は訓示した。これは大本営陸軍部の本土決戦のために時間を稼ぐ、作戦上の必要からである。硫黄島も沖縄もこの方針に従って、兵士に苦しい抵抗を課し、沖縄島民に集団自決を強いた。》

大本営の無責任体系、というとき、すでに僕には「天皇」が見えてくるように思われる。ただ大岡昇平は、直接それについて語ることはしない。ひとつの文章が引用され、ひとつの聞き書きがおこなわれる。それはわれわれが自分の考え方を自由に引きだすことを許すだろう。第一は『大東亜戦争全史』からの総理大臣の言葉である。《退ろうとすると、陛下が『小磯、統帥部はレイテ決戦を止めて、ルソンで決戦することに変更した』とこういわれるんです。『何か報告はあると思いますけれども、総理の知らない間にこう言うようなことが起っては、なかなか努めにくうございます』と言うことで、その場はすみましたが……》

第二は投降した一現役兵の、すなわち首相とは、その無責任体系の、あいことなる両端にわかれた底辺にある、日本人の感慨である。《彼は京都西陣の小さな下請織屋の息子で、幼時父を失い母親に姉二人と共に育てられた長男であった。戦争が激しくなるにつれて下請の仕事はなくなり、生活が苦しくなった。こんな世の中にする軍人たちを憎んでいた。

あげくの果てに、地の果てのようなところへ連れて来られ、負けるにきまっている戦いに、命を賭けさせられるのは馬鹿馬鹿しく、いやであった。命が惜しかった。

天皇陛下なんてものが上にいて、意味もなく命を捧げさせられる国に生れたことがうらめしかった。》

しかし、死んだ兵士、病む俘虜の側にはっきり立つことのあきらかな大岡昇平には、その無責任体系のよってきたるところについて「天皇」にむけてこだわりつづけるより、わが国の近代化以来の経済的な歪みを指摘することのほうが、たしかな手ごたえのある意味をもつのであろう。かれは寡黙に、しかし力をこめて、

《……これら奴隷的条件にも拘らず、軍の強制する忠誠とは別なところに戦う理由を発見して、よく戦った兵士を私は尊敬する》というのみである。

《太平洋戦争はアメリカの極東政策と日本の資本家の資源確保の必要との衝突として捉えるのが適切であるなら、二つの軍事技術が、哀れなフィリピン人の犠牲において、群島中の一つの農業島の攻防戦に尖端的な表現を見出したのが、レイテ島をめぐる日米陸海軍の決闘であったといえよう。

国家と資本家の利益のために、無益な国民の血がそこで流された。日本国民は強いられた戦いにおいて、その民族的な国家観念と、動物的な自衛本能によって、困難に耐え、苛酷な死を選んだ。軍隊が敗北という事態に直面する時、司令官から一兵卒に到るまで、人間を捲き込む悪徳と矛盾にも拘らず、よく戦ったのである。》

作家の強靭で底深く複雑なストイシズムは、軽率か

つ事大主義的に、直接政治的であることを拒否している。しかし、われわれは《戦後二五年経てば、アメリカの極東政策に迎合して、国民を無益な死に駆り立てる政府とイデオローグが再生産されるという、退屈極まる事態が生じた》ことにたいして、『レイテ戦記』ほどにも説得的な異議申し立てを、他に多く見出すことができるであろうか？　しかも、作家は決して部外の政治分析家の口調を採用することなく、レイテ島で、またミンドロ島で死んだ兵士たちの、まことに多面的な証言を、銃声すらもよみがえって聞えるようにそのままつたえ、われわれに、きみの耳にも熱帯の島の土の声が聞えるかと、尋《ただ》すように語ったのである。

すべての秀れた作家が、それを生れながらの資質とも、様ざまな異物、他者との出会いによる教育の結果とも、意志による選択とも、さだかには見わけがたいところの、それぞれの独自のヴィジョンを持っている。大岡昇平のヴィジョンは、地理学、地形学の科学的な言葉によって、その骨格のおおもとがくみたてられているもののように思える。

《山は常に美しく、時として荘厳であり、観光道路上の自動車の窓から眺めれば、ほほえむように人を迎える。しかしもし人間が生活とか戦争とか登山の必要から、徒歩で山に入るならば、そのあらゆる起伏、気候、林相、そこに棲む諸動物によって、恐るべき障害となって現れる。》

大岡昇平は篤学な測量技師のように、新しい地形を科学的に把握し、しかもそこへ単独の歩行者としてはいりこんでゆく者のなまなましいイメージを加えることによって、独特のヴィジョンを完成する。あらためて《レイテ島を南北に走る脊梁山脈》に想像力の軍靴を踏みしめて入って行く、この単独行の兵士の背には、おのずから多面的ならざるをえない、それぞれの生命をかけた証言をおこないつづける、死んだ兵士たちの魂がつみかさなっている。かれはレイテ島の土の発しつづける声を、いちいち聴きとって、魂にきざみつつ歩いてゆく。われわれはすでに『野火』によって、人間にたいする恐るべき障害をそなえた地形のなかを、単独に彷徨する兵士を中心にすえての、大岡昇平のヴィジョンに接している。それはわれわれの記憶に、いかにもあざやかである。

　それに加えて、戦後文学の注意深い読者は、『武蔵野夫人』の復員青年が、いわば剝《む》きだしになった関東平野の地形のなかを、なお兵士の感覚をめざめさせたまま、歩きに歩く男であったことを記憶しているであろう。さきにあげた一葉の写真における、航空服を身にまとった復員直後の作家と、かれの作中人物とを同一視する気持は毛頭ないが、『武蔵野夫人』には、とくにそのような服装をしている男の内部をかたる、適切すぎるほどの解説がある。《彼は復員後手に入れた払下品の航空服を着ていた。……人中で随分目立つこの恰好は彼にとって二重の意味があった。第一、彼は人から復員者と見られるのを好んだ。それは彼が秘かに内に育ち、人にいってもわからないと信じている思想を隠すに便利な一般的分類であった。第二、彼はその思想が彼が前線で得たもの、つまりまさに復員者のそれであることを知っていた。だから彼はやはり自分が復員者と見られることに誇りを感じ、それを見せびらかしたかったのである。》

　そのような、戦場で包懐した重く暗いものをかかえて歩く『武蔵野夫人』のヒーローは、《見知らぬ土地の地形に興味を持つ》兵士の習慣をすてず、熱帯の山林に恐しい「自由」とともに彷徨した、かれ自身の思い出を異様なほどにもしばしば、よみがえらせる人間である。われわれは、この作家自身にむけても、戦後の日本のあらゆる場所の地形に、そこがあたかも「見知らぬ土地」であるかのように赤裸の興味を示した、ひとりの復員者を措定して非礼ではないであろう。いまや、かれが《前線で得たもの》、《秘かに内に育ち、人にいってもわからないと信じている思想》のうちに、多様な死者たちの無言の声がこめられていることを、推測する手がかりがわれわれにある。

僕はかつて、焼跡育ちのひとりの作家がヴィエトナムにおける戦争に「従軍」してかえったあと、その昂奮のさめやらぬままに現実の戦争の経験を独占しているように語って、野間宏の眼に憤りの炎を燃えあがらせるのを見たことがあった。おなじ作家が、大岡昇平をもまた激怒させる一瞬をもった、という噂を聞いたこともあった。それはじつのところ不幸な行きちがいにすぎなかった。この作家は、ほかならぬ野間宏、大岡昇平をともに敬愛することとあつい人間であることがあきらかなのであったから。ただ、こうした行きちがいのあらわす唯一のたしかな意味は、われわれ戦後に育った者には、眼の前でおだやかに微笑している年長者が、激しい戦闘のうちに「前線の辛さ」をかみしめた生き残りだと実感する想像力を、みずみずしくたもつには、日々の努力が必要だということにほかならない。

そのような年代のひとりたる僕が、フィリッピンで戦闘をおこない、病む俘虜として収容され、九死に一生を得て送還されて、あらためて自由になるかれ自身の時代を生きはじめた、大岡昇平の「戦後」を、あえてわれわれとともに同時代として経験しうる「戦後」として受けとめたいというのは、どのような意味をもつか？

それは僕の信ずるかぎり、かれらと共有する同時代としての戦後を、深く認識することがなければ、ほかならぬ今日と明日の、われわれの時代を十全に経験しようとする、われわれ自身の生の試みに、埋めがたい欠落が生じるということにほかならない。そして、戦争と戦後の激動期を、その全身を荒波につきあてるようにして経験してきた人々のうち、とくに僕が作家たちこそを重要だとみなすのは、まさに大岡昇平がレイテ戦の死者たちについていうように、かれら戦後文学者たちの証言と想像力が多面的だからである。

大岡昇平のいちいち掘りおこし秩序だてる、戦場に根ざした証言が、重く深い意味をもつのが、「反戦文学」として有効だからだ、というようなことでないのは当然である。『レイテ戦記』からは「反戦文学」というような概念化ではもともとおおいきれない、じつに多様な声がもりあがるように響いてきて、戦争を、全体的、綜合的につたえる。それは人間を、全体的、綜合的に表現するといってもまたよいであろう。野間宏が、戦闘をつづけながらの長い行軍のさなかに、ついに生還を断念する時をもったが、しかしはじめに戦場に出発するにあたっては、自分はなんとしても戦争を見きわめねばならぬ、という積極的な意志に支えられていたと語ったことを思い出す。大岡昇平はその意志を無視され、むりやり根こそぎひきぬかれるように戦場につれだされて、生死のさかいめをさまよったが、そのあいだにも戦争を見きわめる眼をやすませはしなかった。そしてかれの眼が戦争を見るということ、かれの意識が戦争を経験するということは、概念化によって対象を痩せさせる作業ではなかった。作家は、かつての歩哨としてのかれのものの見かた、ものを見ているかれの在りかた、について正確な表現をあたえている。

《眼はしばしば一つの対象に固定したまま動かなく

なる。私は湿原の中ほどに横ざまに倒れた一本の木を憶《おぼ》えている。雨に洗われて白く光ったその根を、一本一本数えたものだ。今も絵に描くこともできるほど、その苦しみ悶えるようなその不吉な形を憶えているのである。

何かを考えていたはずである。この内容は憶えていないが、一種の sentiment として、今も再現できるような気がする。contemplation は「観照」あるいは「瞑想」と訳されるようであるが、ある物を眺めるという状態には、必然的にある思考が随伴しているはずである。ただその内容は漠然として言葉とはなりがたい。》

やがて歩哨は戦闘のただなかにはいり、マラリアに病み疲れ、強大な敵の包囲の枠内を絶望的に彷徨しながら、黙示録的なものを見、終末観的なものを見る。黙示録的、終末観的なる状況のなかにあって contemplation の時がかれをとらえる。そしてその世界の終りの「観照」を言葉にするには、なおさらに戦後の永い時が必要である。そのような「戦後」は、深く喰いこんでいる戦争を、なおも躰内にかかえている戦後にほかならないが。そしてついに、その contemplation が言葉となる時、作家は、かれの戦争を、すなわちかれの経験した、黙示録的、終末観的な状況を、またそのなかにあった人間としてのかれ自身を、想像力の高潮によって、綜合的に、全体的に、あらためて経験しなおしているのである。しかもその第二の経験には、われわれもまた、綜合的、全体的なしかたで参加する道がひらかれている。そのようにして、大岡昇平の戦中・戦後は、われわれとの真の同時代となるであろう。

大岡昇平は、かれが戦場に出発するよりもはるか以前に死んだ、若い中原中也につきそうようにして、詩人が書き、行なったところのことの復元作業をこえて、いわば、詩人の生涯の contemplation のすべてを、戦後に育ったわれわれに、ともに経験させるための産婆のような仕事を、戦後長くつづけてきた。それは戦場で死んだ兵士たち、病んで俘虜となった、かれ自身をもふくむ兵士たち、それらみなの contemplation を、全体的、綜合的によみがえらせようとする努力と、いまとなってはそのままあいかさなるようにも見える。いったん戦場で、この世の地獄を見てきたタフな中年男が、ひとり内部の地獄にのみむかいあい奔命《ほんめい》して、ついに孤独な若い死をとげた、青春の友人の証言を、綜合的につたえつづけようとしてきたことは、すなわち人間の生死をかけての contemplation には、結局ひとつにつながるものがあると、ほかならぬその経験から、大岡昇平が主張していることこそを意味しないであろうか。作家はかつて『ファウスト』の望楼守の歌をひいいた。

お前たち、目よ、これを見きわめねばならぬのか！
おれはこんなに遠目がきかなくてはならぬのか。

大岡昇平がその証言の一部始終をつたえようとしつづけている、当の詩人は、まず第一になにもかもを見きわめる目をもち、遠目のきく目を持っている人間であった。夭折した詩人の contemplation は生きのこった者によって、あらためて繰りかえし経験されねばならぬ。それがなければ、人間が生きるということは、ついに夢のまた夢、幻のなかの幻にすぎないから。死んだ兵士たちの声を、かれらの血のしみこんだ外地の土から聞きとりうる耳をそなえた者が、いなくなる時もまたおなじである。

大岡昇平が、われわれの時代はアウシュヴィッツを通過したのだという時、それは切実な意味をあきらかにする。われわれの想像力はアウシュヴィッツを経験した。われわれはその地点から後戻りしてイノセントになるわけにはゆかぬ。人類は直立し道具をつかう者となった時、「進化」を完了したのではなかった。人類はふだんに「進化」して、ついには、ある亡びの、または全的な救済の、どちらにしても黙示録的な、終末観的なヴィジョンにむかって、いまもなお進みつづけているのであろう。アウシュヴィッツは、その永い道程をつねに通過しつづける人類の、あるもっとも決定的な関門の通過である。われわれの想像力は、もう決してアウシュヴィッツからもヒロシマ・ナガサキからも、その影響圏外にいるわけにはゆかない。ただ、それらの恐しい深淵から響いてくる、死者たちの多面的な証言の声を、なおも全体的、綜合的に経験しなおそうとする人間があり、そうでない人間があるのみである。そしてすべての人間が、いまやひとつの核《ニュークレア》の方舟に乗っている。やがてすべての人間の多様な終末のヴィジョンが、ただひとつに集中されて現前する のではないかと疑う者も、そうでない者も。

埴谷雄高・夢と思索的想像力

contemplation. 埴谷雄高の contemplation は、まことに独自なものだ。それはそれ自体で、戦後という一時代の全体を覆っている。その独自さについて観察しようと思う者は、ただちに、ふたつの側面から独自さへの通路を見出すだろう。ひとつは、その contemplation の質の独自さであり、さらに、そのような質をそなえた contemplation を、つねに全的に持続させつづけている人間の生き方の独自さである。

戦後に育った魂の様ざまなあらわれかたを考えようとすれば、戦後文学者たちを正統的につぐ嫡出子として自覚しながら、おおかたの戦後文学者よりさきに、癌を病んで死んだ高橋和巳の魂を忘れるわけにゆかない。埴谷雄高が、たまたまパリに投宿していた堀田善衛に、梅崎春生の死を告げる手紙を書いて、かれは《われわれのなかでの最初の出発者として先行して行った》という美しく真実にみちた、また永遠の奥行きのある暗闇の構造を、的確につかんだ言葉を書きおくった、ということを知った時、僕がいだいた感慨は、もし高橋和巳が、自分のまぢかな死をさとることがあったとして、かれの唯一のなぐさめは、自分もまた、ほかならぬ埴谷雄高の先行者としてひとり出発するのだ、とみずから励ますように決意することではなかったろうか、という想像であった。

高橋和巳は、まことに埴谷雄高の真の生徒であった。僕は青春を生き延びた人間として、いまあらためて『死霊』を読みかえしつつ、そこに描き出された、青年群像の、思想と感受性のみならず、ほとんど一挙手、一投足を、また表情の微妙なかげりやら眼の光までを、いかに生きいきと、現実の高橋和巳が模倣していたかに思いいたって、驚くのである。『死霊』の旧制高校生たちが集う運動場には、若者たちのひとりとしての高橋和巳がいる。かれは無邪気なまでに生きいきと自分を解放して『死霊』の世界に没頭している。かれは『死霊』の現場から後退し、いわばそれを書く人間の位置にまで、連れ出されるのすらをいやがる。『死霊』を書く人間は、穏やかなユーモアをたたえて、小説の世界を俯瞰《ふかん》しており、そのユーモアは、作家と同じ高みに立って眺めるわれわれには、そのまま明快につたわってくるが、高橋和巳は、そのような位置までひきさがって、客観的にユーモアを楽しむことなど、絶対にいやなのだ。かれは夢の思い出を更新する新しい夢を見るように、『死霊』の若者たちのなかにはいっていって、たとえ外側から傍観する者には、ユーモラスに見えるにしても、当の自分にはまったく生真面目な、いかにも『死霊』の若者らしい立居ふるまいをわけもつ。

> おお、蛙――あの四つの足で這いまわり、凝《じ》っと身構えると、眼をぐっと中空へ見上げる蛙ですよ。ふむ、貴方はどう思います？

おそらく高橋和巳は、このような一節に接してすら、微笑をうかべるかわりに、じっとみがまえて、眼をぐっと中空に見あげる動作を、みずからおこなってみたのではなかったかと思えるほどなのだ。癌にとりつかれる直前、またその進行期にかさねて、高橋和巳が経験した苦渋の濃密さ、重さは、多くの人間が目撃し、かれ自身また、それを書き遺しもした。しかし高橋和巳は、『死霊』の世界に躰ごとはいりこむことによって、なんと伸びやかな青春を豊かに生きたことだったろう。僕はいま青春をうしなった者として、むしろ深い羨望の嘆息をついて、それを理解する。高橋和巳の師匠《パトロン》、埴谷雄高は、いうまでもなく、その間の事情をもっともよく知る人間であったにちがいない。

そこで、片方で高橋和巳の魂を見おくるようにしながら、僕の近づいて行く、『死霊』の作家は、まず教育家としての埴谷雄高でなければならないであろう。そして僕は、この晦渋さの霧のなかの遠い峯のように伝説をたてられている作家・思想家を、戦後文学の世界の、最大の教育家と呼ぶことをためらわないのである。埴谷雄高は、街なかの路地の奥の、いかにも古びた家屋に、市井の外部に壁一重でさらされている哲人のように住んでいた。僕がたずねた冬曇りの、風のつめたい日、埴谷雄高の家は水が澄むように静まっていて、やはりそのなかに、この作家が生きていると想像することは、戦後育ちの人間の胸を熱くした。埴谷雄高は、渋い黒の手織紬《つむぎ》の着物に、きれいな裏地のついている、やはり黒の羽織を着て、冷蔵庫にじかに冷やしてあるらしい白葡萄酒をグラスに注いだ。硝子の表面には、微細な、つめたい水滴がこびりつくかのようだった。そして、やはり永年、病臥した人らしい、穏やかな苦みをたたえた風貌の作家は、じつに、りんりんたる声をあげて語り、語り倦むことがないのだ。それは、やはり教育家の資質をそなえた人間、というほかにない態度であったと思う。

僕は、しばしばひとりの理想的な教育家を、夢想したものだ。かれは生徒たちの眼に、かれの内部にある知識・思想・志のすべてが、くっきりと見てとれるようでなければならない。しかも、かれの知識・思想・志の全体は、およそかれがもの心ついてから、まっすぐに一貫しているのでなくてはならない。僕は、埴谷雄高の声に耳をかたむけながら（窓のすぐ向うの市井の騒音は、いったん作家が語りはじめると、もう注意をかきみだす力をもたなかった。時たま奥の方からのオカメインコの啼声がわけいってくるのみだ)、あの高橋和巳にとって、埴谷雄高は、まさにそのような理想の教師であっただろうと考えた。

まったく、埴谷雄高の語ったところは、おなじ話柄のくりかえし、という弛緩の感覚が、いっさいまぎれこまないにもかかわらず、すなわち、そのような思想の初出の文章の、鋭い想像力の緊張と、その緊張を土台にするゆえにこそ、くっきりとやわらかに把握されるユーモアとを、あわせそなえていたにもかかわらず、それらはことごとく、かつて僕が、埴谷雄高の著作においてめぐりあってきたところのことであり、またこれからの埴谷雄高の仕事をつらぬくであろうと思われることだったのである。

すでに幾たびか人々が語ったように、また埴谷雄高自身もまた、その数少なく、必要かつ十分なことしか書かぬが、重要なことはなにひとつこぼれおちさせはしない文章でのべているように、埴谷雄高が、その二十代はじめの一年半をすごした、豊多摩刑務所の未決囚の独房において、かれの思想は胚胎され、それは僕が、埴谷雄高のりんりんと響く声を聞いていた、四十年後にいたるまで、根底において変更されてはいないのである。僕は修辞の一環としてこのような表現をとりはしない。それは、あらためてひとまとめに『埴谷雄高著作集』を読み、また直接に、その肉体と声に接して、僕がおどろきの心において、あらたに実感したところである。

《灰色の壁に囲まれたなかに、ただひとりで眼を閉じて端坐していること、そのこと自体がもはや私に無限の問いかけを呼ぶ課題なのであつた。私が眼前に意識するものより私が意識すること自体が端的な課題なのであった。

私は、屢々、自身を滑稽に思う。青年の日にのしかかったこの最も端緒的な生と宇宙の謎が、その後成長につれて、益々私を巨大な混沌のなかへ沈みこませる愚かしさについて。だが、恐らく、そこにはひとつの遁れがたい性癖があるのであろう。もはや私はそのような私から遁れることが不可能であった。》

しかも埴谷雄高は、その独房での体験を、刑務所内の青年期の絶対性というふうに、固定化するのではない。台湾で幼年時に見た、ただ夢想にふける中国人たちへの、そのようにも理想的な生きかたがあろうか、という熱い嘆息のような思いにむけてそれをひろげ、また、いましがた、ひそかに啼くその声の聞えた、オカメインコが、真夜中に、真暗にとざされたなかで、ものそのもの、物質自体から自発する意志の作業のようにも、なにごとかをしゃべりはじめる、というような観察と思考にまでそれをちかづけて、自由な埴谷雄高は生きいきと語るのである。しかも、かれは、その著作の核心として、われわれに受けとめられている、鍛えあげられた思想のスタイルをくずすことなく語っているのである。

思想は、たえず生きて動いていなければならない。なぜなら、運動こそが人間の思想の本態だからだ。埴谷雄高は、かれのなかにたえず生きて動いて、心臓のおくりだす血のように、いちどたりとも同一のものの繰りかえしでなく、いったん停止すれば、すべての有機体が暗黒に沈むという、そのような思想を、現前させて生きている。そしてそれを、語りかける相手に共鳴震動をおこさせるに十分なだけ増幅された、りんりんたる声で話しつづける。それは実のところ聴き手としてみずから体験しつつ不思議なほどだ。

野間宏は、つねに重厚に持続しているが、かれのかっての作品を精密に読む者は、かれとその「過去の作品」について語りながら、作者自身よりも、自分が正確に、その細部について知っていることに気づく場合がしばしばあるだろう。野間宏にとって「過去の作品」は、なお野間宏そのものにちがいはないが、同時に、過ぎ去ったものだ。しかし現にいまそれを精読する者には、それは現在の全体となるのだから、そのような事態がおこって、むしろ自然であろう。

ところが、埴谷雄高においては、かつて書いた作品、やがて書かれるであろう作品、書かれるべきであるが書かれえぬかもしれぬ作品のすべてが、現在のかれ自身に体現されているかのようだ。それはかれの凝視する永遠の暗闇のまえに、かれの生の微光の照しだした、一連の時の流れなど、現在時の一点にもひとしいのではないかというような、すでにかれの影響のあらわなもの思いまでさそうほどである。

それがあの「自同律の不快」の、すなわち「俺は——俺である」と決していいきることなく、そのようにいいきることとの不快に耐えつづける思想家にたいして発すべき言葉かと、高橋和巳の亡霊に憫笑されることを考えながらも、あえて僕は、高橋和巳にとって、つねに眼の前にある埴谷雄高が、その全体であるような埴谷雄高を、師匠《パトロン》に持ったことの、いかに幸福な時をあじわえたことであろうかという感慨をいだかぬわけにはゆかぬのである。戦後に育ち、もっとも戦後的な魂のひとつを典型的にそなえた、それこそわれわれのなかからの最初の先行者が、その師匠《パトロン》の詩句によって鎮魂されるように!

死んでしまったものはもう何事も語らない。ついにやってこないものはその充たされない苦痛を私達に訴えない。

ただなし得なかつた悲痛な願望が、
私達に姿を見せることもない永劫の何物かが、
なにごとかに固執しつづけているひとりの精霊のように、
高い虚空の風の流れのなかで鳴つている。

僕がいま、自分が生きる同時代としての戦後を、「戦後派」たちの仕事と生きかたをつうじて、確かめてゆこうとしながら、自分の模索の手がかりにすえて出発したのは、かれらが、ことごとく、ひとつの終末観的ヴィジョン・黙示録的認識を、その存在の核心においていると感じられることであった。われわれは、すでに野間宏について、また、大岡昇平について、具体的にそれを見ることを得たように思う。

続いて埴谷雄高にいたって、僕はそれこそ虚空の高みの風のひとふきに裸の頭をさらしたようにも、自分の想像力がいったん更新させられるのを感じるのである。それは、出発点においたものの再認識のためにも有効である。遠望するかぎり埴谷雄高は、もっとも終末観的ヴィジョン・黙示録的認識に密着した思想家のように見える。しかし、かれに近づいてゆくにつれて、われわれは、かれの数千万年から数億年にいたる時の認識、物質の、また非存在の認識が、爽快な哄笑のようにも、近い将来の核戦争の未来図など吹きとばしてしまう、底知れぬ強さの楽天性をもあらわしていることに気がつかないではいないのである。

《私たちの生の推移は、二十億年前ひとつの単細胞を与えられた神の一実験にほかならぬ。》とする埴谷雄高の contemplation を透視して人類の歴史を俯瞰すれば、次のようなヴィジョンが現出するだろう。

《太古の闇と宇宙の涯から涯へ吹く風が触れあうところに、そいつはいた。そいつは石のように坐っていた。そいつが立ち上ると、山毛欅《ぶな》と樅の森から一群の鷓鴣《しやこ》が飛び立ち、暗い山山はざわめき、顫える木霊が谷から峰へまでうねり響いた。

何時からそいつは其処に坐つていただろう。重い氷河が岩角にきしむ時のはじめから、獣皮をまとつたそいつが其処にいたというものがあつた。年経た樹皮のように削られた苦悩の凹みがそいつに見られるともいわれた。虚空に針のような朔風がはためく夜、氷の光つた山の背を跨いでゆくそいつの巨大な影を見たものがあつたという。そいつは生きるために、この世界にせめひしぎあつているものの力を何処からかひつつかんで帰つてくると信ぜられた。

しかし、何時からかそいつは石のように坐つていた。そいつは朽ちた樹の下に坐つていた。そいつの胸のなかを、時折、漆黒の夜の空のような寂寥がかすめた。

……………………

山毛欅と樅の森はざわめきはじめた。朽ちた樹の倒れた跡は闊い空間となつて展いていた。そして、そいつの姿ももはや見えなかつた。そいつの蹲つた地点には一つの白い石が置かれていた。風と雨に敲たれたその石は砕けはじめていた。山毛欅と樅の森のざわめきにつれて、それは風化した。羽虫の飛びゆく唸りにつれて、砕けた石は乾いた砂粒に風化した。太古の静寂のなかで、その乾いた砂粒は音もなく崩れ落ち、微風につれて吹き散つた。

一つの白い石が消え失せたとき、そこに同じような白い痕がのこつた。其処には草も生えなかつた。羊歯《しだ》の捲き蔓は其処から斜めの方角へ延びた。そして、そこから一陣の風が舞い起ると、山毛欅と樅の森の暗いざわめきのなかを吹き通り、凍つた山々の峰を越え、深くうねつた谷をわたつて、その風は宇宙の涯から涯へまで絶え間もなく吹き抜けた。》

人間の世界のヴィジョンが、ついにこのようなものであるならば、つづいてわれわれは、それでは人間の想像力は、数十億年にまたがる人類の世界にたいして、いかなるものであるか、なにをなしうるか、を問わねばならぬ。われわれの世界はかくのごときだが、《けれども、これはまことに奇怪なことであるとはいえ、二十億年前与えられたひとつの単細胞を胚種とした神の一実験より、さて、白紙の上にひとつの胚種を置かれた私達の想像力のほうがより大きな幅と、それにともなうより大きな困難と、そしてまた、より大きな愉悦を負わされているといわねばならない。》

　そのようにして埴谷雄高のくりひろげてきた、夢と想像力の考察は、戦後文学の全シーンにおいて、もっとも整備された骨格と細部をそなえた、しかも個人の感受性の色彩がすみずみまでゆきわたった、いわば一つの小宇宙《ミクロコスム》である。僕は、宇宙の全体がそのまま縮小されたものとして人間《ミクロコスム》をとらえる、この言葉の構造に、もっとも埴谷雄高にふさわしいところを見出すものだ。

　僕はこの夢と想像力の小宇宙《ミクロコスム》のひとつの眺めに、自分をつきあわせるようなかたちで、埴谷雄高について contemplation をおこなう。そして把握する、ふたつの特徴的な性格を手がかりに、あらためてそれを考えることにしよう。もっとも、この小宇宙《ミクロコスム》は、そもそもその全体が特徴的なのであるし、僕は、漠然たる埴谷雄高についての通念と、自分がその著作をつうじてめぐりあい、具体的に確かめた埴谷雄高とのあいだの、単純なずれを足場にして、ひと跳びすることを試みるにほかならないのであるが……

　さて僕は、こう思うのだ。埴谷雄高の、哲学的な瞑想の、穏かにゆったりして、ほとんど静止しているような基調、という漠然たる、予断にまったく反して、いかに埴谷雄高の想像力が、すさまじいほどの速力を、その特性とし、肝要なモティーフとしていることか！　また、孤独に卓絶している思想家という漠然たる予断にまったく反して、いかに埴谷雄高が、かれをひとつの単一体《ユニット》とする全体、かれをひとつの線分とする、まことに長い連続の認識に徹底していることか！

激しい速度の偏愛ということにおいて、まさに埴谷雄高は時に、テレヴィ漫画のスーパー・マンや、ジェット・ファイターの面影を喚起する。かれにとって夢とはどのような精神の運動の謂であるか。《闇に横たわつた私達の暗い頭蓋の隅に仄かな輪郭が現われはじめると、謂わばこの現実世界の外側に向って開いている銃眼からひとつの弾丸が飛びゆくように、私達はひたすら果てもない未知へ向つて驀進する。》

かれは夢によって保証された、可能性の作家としての跳躍台を、どのように踏みしめて跳ぶ人間こそを、自分のタイプだとみなすか、それは《その確然たる保証のあいだになお見出される亀裂の深い闇から、夢本来の能力であるかのごとくに私達がこれまで屢〻考えきたつたところの未知への凄じい飛翔を敢えて試みようとするものである。》

驀進、凄じい飛翔こそが、埴谷雄高の想像力の様式である。しかしかれは、その高速度で動く、ひとつの想像力の契機が、夢のうちにおいてすら、かれ一個人の、閉じられた肉体と意識の枠のなかに発生し終滅する、孤独なアブクのごときものだとは、決してみなすことがないのである。かれはパスカルの《暗い脳細胞のあいだを輝やきゆく裸の観念のきびしい自己運動のかたち》を想うとき、ただちに寛闊にかれ自身の頭を、すべての人類の共有財産として解放する。まことに実際的ないさぎよさで、かれは、おそらくは人類《ミクロコスム》の全体によってになわれる、一条の大きな軌道の一節である、かれの頭脳を、激しく運動するものが通りすぎ、次の、次の、また次の、……∞の頭脳へと、水を切る平石のように跳びさってゆくのを、民主主義的ですらある公平さで見おくるのである。《それはさらに数百年離れた私の脳細胞を通過しながらまた存在と暗黒についで異なつた刻印を押し、異なつた微光をはなち、そして、さらになお停ることなく人類の記憶されざる夢のあいだを果てもなく飛翔してゆくのだろうといわねばならない。》

埴谷雄高の記述する夢、それは表現そのものの独自のかたちであって、夢すらも、夢の機能の本質を衰弱させぬまま、家畜のように訓練した、あるいは手兵のように鍛練した、埴谷雄高の実際家らしい剛毅な手並みに驚くほかにないが、それら十全に、生きたまま表現された夢のうち、僕がもっとも愛しているのは次の夢である。かれは《フランクリンの凧が切れて虚空を揺れのぼつて行つたらどうだろうという夢を試みた。》僕はさきに、民主主義的ですらある公平さの埴谷雄高といったが、いったいデモクリトスの原子と自己を、深く切実に同一視して経験できるほどの、恐るべき徹底ぶりのデモクラットを誰がほかに想像しえようか?

《凧でもあり私でもある私はうまい具合に中空をゆらゆらのぼつていた。そこは遠く離れた空間な筈であつたが、あたりは海底のような薄暗さを帯びており、ゆらゆらとのぼつている私を遮ぎるような何かが絶えず私の上方に動いている気配が感ぜられた。接触しかけては巧みに離れてゆくそれがついに不意と私に触れると、確かに私は感電した。私が虚空に揺れのぼつたのは、放電を自らのなかにつかんでみたかつたのだが、その瞬間に、私は存在のはしに来てしまつてそこから離脱しかけたために感電したのだという判断が閃めく電光のように私のなかを走つた。私は何時も、夢のなかにおける判断の電光のような速さと直接的な鋭さに感心していたが、この閃くようなとつさの判断と感電についての迫真的な感覚が総身を走るとともに、もはや爪ではなく私だけになつている私は、思いがけず、見る見る裡に縮小しはじめた。異常な夢を見たときは目覚めるのが通例であるのだけれども、そのとき何処まで縮小しつづけても覚めないので、しびれる不快な感覚のなかで私は忽ち考えることもできないほど微細な点になつてしまい、そして、この私の縮小につれて、あたりの薄暗さもこれまた考えることもできぬほど暗さを増しはじめ、広大な驚くべき暗黒の空間が見る見る裡に私の前に拡がつた。そして……恐らく、眠りのなかにはまた眠りがある。巨大な暗黒の空間のなかでしびれる不快感につつまれながらなお縮小しつづけている私は、すると、一種の失神状態に襲われて忽ち意識が消えはじめた。眠りのなかでさらに眠りこみながら、そのとき、私は、消失することもなく縮小しつづけるこの暗黒の空間のなかの感じは、これまでこの宇宙のなかですでに何物かが感じたものに違いないと感じた。すると、例の眠りの一瞬前に想念の小さな標的を素早く打ちたてるごとくに、ひとつの考えがさらに閃くような速さと迫真的な感覚をともなつて、すでに微粒のような私のなかを走つた。そうだ。無限の空間を落下する無限のデモクリトスの原子は、みな、この感覚を味わつたのだ、と。》

　僕は、このフランクリンの爪になった夢を見つつ、思惟を展開する、そのように不思議な性向の人間が、戦後の激動期を、戦後文学者たちの、すくなくとも『近代文学』に拠る人々の、中心を支える役割を果たしえたことについて、こう考えている。それは、埴谷雄高が、猛烈なスピードをさばくことにおいて独得の練達者であるゆえに、一時代の激動をやすやすとあつかいえたのだと。また、もっとも長い、数十億年にわたる長さの全体に、ひとつの感覚をそなえた原子のような自分を、投げいれることのできる、公平無私のデモクラットの覚悟が、組織とはいわぬまでも、それぞれに個性のきわだつ文学者たちのグループに対して、有能な纏《まと》め手としたのだと。綜合してそれはやはり、教育家としての資質のように思える。

埴谷雄高との対話、というより、ほんのわずかな誘い水を流す役割さえはたせば、大量の言葉がほとばしるようにかえってくる点において、野間宏とはまさに対照的な、埴谷雄高との対話を録音したテープを、繰りかえし聞きつつ、僕はそこにじつにしばしば混入する笑い声にひきつけられた。『死霊』の、いま現に書きすすめられている手稿に、ありとある革命のなかの革命のあとの、人間の生活、真のものの創造を可能とする生活を、啓示するところのものが、意識と存在とがほんとうにまぎれもなく融合しているようなものが、アンドロメダ星雲か、それよりもなお遠いところからやってくるという。作家は、そのイメージの核心を、すなわちかれ自身のすべての言葉、思索的想像力の核心を、いちいち明瞭に語りつづける。そしてその声は、いかにも規模の巨大な、もっとも真剣に人類の未来について想像力を飛翔させる、重い言葉が発せられるたびごとに、柔らかく優しく湿りをおびて、ついにはひとつの闊達な笑い声に高まるのである。それは緊張の弛緩をともなわず、いかなる不真面目さの微粒子もよせつけぬ笑いである。それを巨大なもの、永遠にわたるもの、暗黒の深淵にかかっているものにたいする、はにかみの笑いだといえば、筋はとおるだろう。しかし、あのよく笑う男は、実際、剛毅そのものの印象なのでもあった。

僕は、『死霊』の世界をおとずれる、時間と空間をつらぬいて、もっとも遠いものが、人間に告知することになる、その究極の思想を、埴谷雄高がすでに発表した文章のうちから、次のように選びたいのであるが、僕はこの言葉のいちいちが、笑い声を胚胎し、ついに開花させる、そのような声によって伝達されるものとして、音読されることを希望する。

《満たされぬ魂。それが事物の変化の原動力である。永劫の未動のなかで凝っと横たわっている暗黒もまた自らをもちきれずに、ついに自ら微光するのであって、自身から踏みでるその自身の苦痛のかたちこそ、つねに、自らを自らと思いこみたくてしかも思い得なかったところの存在の発動のかたちにほかならない。そうとすれば、恐らくは、満たされぬ魂を存在のなかに封じこめられた最初の始源以来いままでひきつづいてきた私達が未来に掲げるべき最初の言葉は、自らに満たされぬすべてはいまだなおはげしく変容す、となり、そして、最後の言葉は、自らかくあれと確然といえば、やがてはついに、この宇宙と存在の転変の果てにその不思議な自らのみあらむ、となるであろう。》

『死霊』を読みつつ、つねに様ざまな結晶面に照りかえす光のような喚起性をもつ、この小説に、いま僕が新たにもっともひかれる部分は、武田泰淳が『富士』において描くところと、ふたつの流星の交錯のように、一瞬、光を投げかけあう、瘋癲病院での出会いのシーンにほかならない。武田泰淳の想像力の世界にかかわっては、僕はつづいて自分の考えるところをあきらかにする。したがっていま僕が集中してゆくのは、交錯するふたつの、そのような力学的関係における流星のうちの、ただひとつの流星ということにならざるをえないが、しかしなんと蠱惑的な流星だろう。

作家埴谷雄高の、鬱蒼たる樹木への偏愛は、それにもまた共感を禁じえないが、『死霊』の瘋癲病院は、異様に繁茂した楡の群葉にとざされている。三輪与志は、この小説のすべての存在、非存在が、埴谷雄高の面影をつたえているとはいえ、これは昨日、このようにあの作家自身が語ったようだ、という感慨をいだかせる精神病医の部屋で、さきにひいた蛙の観察の主、首猛夫に会い、いまは失語症におちいっているが、しかし饒舌な首猛夫をアンプのようにして、かつての《この世が終る前に――物体が眼を見開く過程を、私は確かめてみたいんです。》という、今なお作家の内部で鳴りつづけている響きそのままの言葉が再生される、矢場徹吾にふたたびめぐりあう。そこに三輪与志の婚約者があらわれることも記憶にとどめられねばならないが、より鮮烈なイメージを僕にあたえるのは、表現派や、おとなしい夢想に幼児期の固着のみとめられる種類のシュールレアリストの絵画の、片隅にくっきりと描きこまれた、紙の風車や砂時計や枯花といった印象の、白痴の少女「神様」と、その保護者たる姉「ねんね」の肖像なのである。

ある情景を可能なかぎり簡略化して、必要とするもののみを表現しながら、やはりそれが、ひとつの場に根ざしている、という感覚をつたえる能力も、作家一般の資質のひとつである。逆に、ある情景の全体をすべて、かれの色彩、フォルムの嗜好に統一して、こまごまと書きこまないではいられぬ偏執狂的な熱情も、作家の資質のひとつにちがいない。埴谷雄高は、この瘋癲病院の一室の構造を、細大もらさず、かれの思索的想像力と、やはり美の意識と呼ぶべきであろうものに統一しつつ書きつらねてゆく。そして部屋の中央において、『死霊』独自の対話が轟々と進行するあいだも、適確な演出をえた脇役さながら、もっとも効果的に、それに立ち合いつづけるのは、「神様」と「ねんね」

ね」の姉妹にほかならない。

「神様」は、小動物のかたちをした厚紙を組合わせる学習を繰りかえしているが、またきれいな色のついた糸による綾取りの天才として、脇役のつとめを十全にはたしているが、彼女は「ねんね」ともども、単なる装飾品のようにそこにおかれているのではない。三輪与志すらもいまは交感できぬ、旧友矢場徹吾にたいして、「神様」は明瞭な、喜悦の反応をあらわし、その心の動きは「ねんね」にはっきりつたわるという、重要なシークエンスをにないもするのである。

僕は、ドニゼッティの『ランマムアのルチア』や『アンナ・ボレーナ』を聴くたびに、この老練のオペラ作家が、どうして狂気した女性を、その悲劇的、音楽的頂点にすえたがったのかに興味をよせてきた。そして再生装置の前の永い無為の時間のつみかさねのうちに、僕はつぎのような、いかにもあたりまえなことを考えるにいたった。すなわち、正気の女性は、音楽家がソプラノの声のうちに発見する、大きくかつ複雑な、情念の幅と構造とを、すべてみたしつくすには、あまりに小さく単調な自己表現しかしないものだと、ドニゼッティは信じていたのである。

埴谷雄高のつくりだした、白痴の「神様」と、それに見あうだけ逆方向に情念の幅の広い「ねんね」は、すぐれたオペラ的素材たりうるだろう。そしてオペラの頂点には、こまかな霧粒のまじった薄鼠色の夕闇のなかの、鉄橋が装置されなければならない。幼ない翳の残っている美しい少女の顔と、みごとに発育した肢体をそなえた「ねんね」は、「処女の淫売婦」として夕闇のなかにすばやく消え、瘠せて、肩が怒った、まだ若い精悍な男、隠れたる護衛兵が、風のように後を追う。この「筒袖の拳坊」を胚胎する作家の想像力の優しさ、酷たらしいまでの優しさ。《そう、あの男が属している虚無と暴力の世界を君が見知っているかどうか知らないが、その凄まじさは見ていて苦しいほどだよ。なんだか絶望的といって好いような苦しさがある。勿論、あの報われざる男の激烈な全能力がそのとき最後の一滴までその場へ奔しり出されるのだろうが……。それにしても、僕は何時も見ていて息苦しくなるんだ。》

僕は『死霊』を読みすすんでこの箇所にいたるたびに、ああ、これこそは自分がいつか作りだそうとしていた主題なのだという、悲しげな喜びの嘆息を発してしまうのを、自分の耳に聞くのである。それはまったく滑稽な、嘆息だ。僕は、そもそものはじめ、埴谷雄高から得たにちがいないところのものを、あたかも、自分の可能性の暗闇から、当の埴谷雄高が、うばいさっていったように逆怨みしているのだから。読者に、そのような情念の発動を経験させることにおいて、僕はあらためて、「先生」と呼ばれるたびに、いや自分はかつて教師であったことがいちどたりともないのだ、と訂正をもとめる埴谷雄高の、教育家としての資質ということを考えずにはいられぬのである。

埴谷雄高には、確かに戦後文学者たちの、他の作家たちとはことなったかたちで、ひとり戦前・戦中、戦後を生きぬいてきたというほかにない、すなわち、かつてかれにその呼称があたえられたという、未来人のように現代を生きている者の面影がある。しかし、すべての戦後文学者たちの想像力を糸のようにたどれば、糸の群は束ねられて、埴谷雄高の夢のただなかを、通過するように思われることにおいて、かれは戦後の原点をなしていよう。

また、かれの二十億年前の神の実験に挑戦し、ひとつの静止した玉も、数十万年たてば虚無の怨みのはてに、自動する力を微光のように発するかもしれぬのだと、はるかな未来にむけてまなざしを挙げる精神は、この地上の限られた時間など、まさに相対的な無の無にすぎぬように見えるであろう高みを、浮游しているようであるが、その精神の深く沈んだ錘《おも》りに、垂直の軌範をあおぐようにして、戦後の激動期を見きわめる時、高く浮游する者の声が、いかに実際的に有効であったかは、かれの政治論文を読む者に、明瞭にあとづけられることである。そして、敵について、権力について、憎悪について、死について、もっとも暗黒な苦渋にみちた分析をつづけ、それを現実の動きとつきあわせて間断することのなかった埴谷雄高が、しかもその政治的な文章の頂点に、次のような言葉をおくとき、僕はやはり、あるはるかな高みを浮游するがゆえの、地上を這いずる者への、徹底してデモクラットな激励を見出すように思うのである。

《嘗《かつ》ては人を殺すことが讃えらるべき勇者の業であつたが、いまそれは無理論と無能の証明になつた。何故なら、たとえ不可能と見えるほど困難にせよ、医師にとつてすべての患者がやがて癒さるべき相手であるごとく、私達にとつては内側と外側の古い制度にひきずられている誰もが、やがてともに歩むべき味方なはずだからである。敵は制度、味方はすべての人間、そして、認識力は味方のなかの味方、これが絶えざる死の顔の蔭に隠れて私達のあいだに、長く見つけられなかつた今日の標語である。》

埴谷雄高が、同時代者たちについて書いた、数多くの、美しくユーモラスな文章にしたしんだ者には、すでにいうまでもないことであろうが、より端的に僕は、もっとも明瞭である同時代者のきずなが、埴谷雄高を戦後文学者たちのうちにむすびつける確証をあげることもできる。野間宏も、大岡昇平も、戦場を彷徨しつつ幻に見るように、水をもとめた。その幻の水をもとめる声に呼応して、ついに戦場に出ることのなかったアンドロメダ星雲の瞑想家が、水をなによりもたいせつなものとして飲む時間は、しばしばあったであろうからである。好きな食物は？　と問われて、埴谷雄高は答えている、水。かれらをめぐるきずなに真につらなるべくつとめよう。

武田泰淳・滅亡にはじまる

デモクラット。まことに徹底したデモクラットとは、たとえ黙示録的な世界につきだされてすらも、審く者、審かれる者のすべてにたいして、デモクラットたる人間でなければならぬだろう。しかもかれは、ついに黙示録的な世界にいたれば、誰でもがデモクラットであるほかにないからそのようになったというのではなく、みずから意志して、デモクラットでありとおす者でなければならないはずである。武田泰淳は、まさにそのような、絶対に留保条件をつけぬ、究極のデモクラットをめざしてきた人間ではなかったであろうか？

　白鯨《モオビイ・ディック》を追う捕鯨船の一等航海士は、エイハブ船長の圧制を嘆く。《おれの魂は敗れ、狂人の奴隷になってしまった。正気のものがこんな立場で骨を折らねばならぬとは、堪えられぬ苦痛ではないか。だがあの人がおれの底まで刺しこんできて、この理性を吹き飛ばしてしまった。神を恐れぬ人の末期は手に取るように見えながら、その手伝いをせねばならぬという気に取り憑かれている。有無をいわせず、消し難い何ものかがわしを彼に縛りつけ、どんな剣でも切ることのできぬ綱で引張る。恐ろしい老人だ。「わしの上に何があるか?」とあの人はいった。――ああ、天上なるものに対してさえ民主主義者《デモクラット》なのだ。》

しかもエイハブ船長は、目下のものに対するかぎり、およそ高圧的な男である。心は逆らいつつも服従する部下は、憫《あわれ》みの情をまじえた憎悪こそを、かれにたいしていだいている。武田泰淳は、猛り立つ狂気によって、海上の鉄の路をまっすぐにつきすすむエイハブ船長よりも、かれを憫みつつ憎み、心は逆らいつつ服従するスターバックに似ているだろう。それにもかかわらず、天上なるものに対しても(そしてもとより地上のすべてに対して)、徹底したデモクラットたることを決意している人間ではないであろうか? 敗戦の現実に立ち、終末観的ヴィジョン・黙示録的認識を、その存在の核心におくようにして、仕事を始めた人々こそを戦後文学者と呼びたい、と僕はいった。武田泰淳において、そのような戦後文学者の面影は、もっとも明瞭に作家自身に意識化されて採用されたといいうるであろう。

武田泰淳は、ほかならぬ上海で敗戦を経験した。かれはいまや勝者となった「敵」の民衆のただなかに身をおいて、ひたすら滅亡について考える。《滅亡の真の意味は、それが全的滅亡であることにある。それは黙示録に示された如き、硫黄と火と煙と毒獣毒蛇による徹底的滅亡を本質とする。その大きな滅亡にくらべて現実の滅亡が小規模であること、そのことだけが被滅亡者のなぐさめなのである。日本の国土にアトム弾がただ二発だけしか落されなかったこと、そのために生き残っていること、それが日本人の出発の条件なのである。もし数十発であったとすれば、咏嘆も後悔も、民主化も不必要な、無言の土灰だけが残ったであろう。

「世界」の眼から見れば、日本のごく部分的な滅亡、したがってそれをまぬがれた残余の生存は、たとえば消化しきれないで残っている、筋の多い不愉快な食物にあたる物かもしれないのである。しかしこれだけの破滅だけでもそれは日本の歴史、日本人の滅亡に関する感覚の歴史にとって、全く新しい、従来と全く異った全的滅亡の相貌を、滅亡にあたえることに成功している。》

このように考えすすめる武田泰淳は、一九四五年夏の敗戦における、日本という一国家の政治体制の滅亡を、長大な歴史と、人間・世界・宇宙を物理学的につつみこむ認識のうちに相対化した。なにものにたいしても、ついに絶対的な価値をあたえぬ決意こそが、デモクラットの態度である以上、かれは現実の滅亡の体験に対してすらも、デモクラットであった。しかし、あえて究極のデモクラットでありつづけようとする人間のしたたかな眼くばりは、もっとも広く平坦な展望のうちに、当然あらゆる滅亡のなかの大滅亡への視点を、欠落させるわけにはゆかない。《第二次、第三次と度重なる近代戦争の性格が、滅亡をますます全的滅亡に近づけて行く傾きがある今日、科学はやがて、今までの部分的な、一豪族、一城廓の滅亡から推定される滅亡形式を時代おくれとなすにちがいない。そこにはもっと瞬間的な、突然変異に似た現象が起り得る可能性がある。かつて銃器を持たない部落の土人にとって、銃器を持った異人種による攻撃が、ほとんどその意味を理解するひまもあたえられぬほど、瞬間的な、突如たる滅亡として終ったように、これからの世界は、この部落より遙かに大きな地帯にわたって、目にもとまらぬ全的消滅を行い得るであろう。
そのとき、ヒューマニズムは如何なる陣容をもって、これと相対するであろうか。そして文学は、ヒューマニズムに常に新しい内容をあたえ得た文学は、どのような表情で、この滅亡を迎えるであろうか。ことに処女を失って青ざめた日本の文化人たちは、この見なれぬ「男性」の暴力を、どのようなやさしさ、はげしさ、どのような肉の戦慄をもって享受するであろうか。》
武田泰淳自身は、どのようにその大滅亡のまえに立つつもりであっただろうかと、いわゆる全共闘風な問いかけをするつもりは毛頭ないが(きわめて若い人々が、すぐさま自分の頭上におちかかるような糾弾をふくんだ問いかけを、倦まず臆せず行ないつづけることについては、僕はそれを了解しないわけにゆかない。まだ、ほかならぬ自分自身の肉体と魂が、具体的なかたち、実体をそなえていない間にも、みずから発した問いかけに、やわらかな自分がたちまち一撃される痛みはあり、傷はのこるのであるし、ともかくそのように問いかけでもしなければ、いつまでも自分はやわらかで未定型なままではないかという惧《おそ》れもつねにあるであろう)、武田泰淳は滅亡について語るその文章に、ふたつの、前に向ってひらくきっかけを示して終っている。ほかならぬ滅亡を考えることが、世界全体の大滅亡の規模の、《より大なるもの、より永きもの、より全体的なるものに思いを致させる作用がふくまれている》こと、南方伝来の仏典によると、仏が出現するための第一の予告は、紅衣をつけ、髪をふりみだし、涙にまみれた天人たちが、ローカーヴューハ(世界群集)に滅亡をとくことにはじまるのであって、すなわち

《大きな慧知の出現するための第一の予告が滅亡であることは、滅亡の持っている大きなはたらき、大きな契機を示している》こと。僕は、自分もまたそれらに近いものこそをひそかに、黙示録的・終末観的想像力、と呼んできたように思うのである。

このように戦後文学者たちのなかでも、もっとも端的に、黙示録的・終末観的想像力をあきらかに意識化している作家は、いかにも古い東京の樹木の生きのこりという印象の、しかしとくに年ふっているというのでもない不思議な樹木がへばりついている、鋭く切り崩した斜面によりそうように建っている、鉄筋住宅の一劃に、かつてこのようなことはなかったのだと作家自身のいう、悪い健康状態において、しかし、はっきりした回復期の上げ潮にのるようにして病後を養っていた。手織りの羊毛の上っぱりを、黒いトックリ・セーターの上に着て、雪焼けしたようにも、暗いカサカサの顔のまわりは、白毛のめだつ顎鬚が囲っている。そしてつねにうつむいたまま、暗く、暗く翳った声を発する作家は、すでにわれわれのうちに根づいている武田泰淳伝説のままであるが、その暗い声の支えている論理とイメージの、つよい明確さ、しなやかな抵抗力・弾性は、むしろ伝説を超えている。肥満して大きく美しい虎斑《とらふ》の猫の、伸びのびと徘徊する部屋で、するように麦酒を飲みつつ、暗い声に明るい言葉をのせて発しつづける作家に耳をかたむけていると、あらためてその黙示録的・終末観的な想像力の、太い心棒がくっきりと見えてくるようである。まことに滅亡の大きなはたらき、大きい契機をつねに見すえている人間こそは、滅亡のまえでもっともしぶとく踏みとどまり、なにごとか反・滅亡のあかしをつかみとってみせてくれる人間ではないかと、予期される……

えらそうな顔をするな。お前は、このおれの子供なんだ。神の子なんかじゃ、ありはしない。おれだけは、お前の出生の秘密を知ってるんだ。だって、おれはお前の父親、まごうかたなき生みの親なんだからな。

処刑の丘にむかう「わが子キリスト」にたいして声なく呼びかけるローマの男、ユダヤ進駐軍兵士は、いったん「わが子」の処刑がおこなわれてしまうと、今度はほかならぬかれ自身、復活したイエス・キリストを演じたうえで、しかも、数知れぬ幾千年にもわたる民衆の声を代表して、心の底からこのようにいう。《イエスよ。かくしてお前は復活した。そして神の子イエス・キリストとなられた。誰がそれを疑うことができようか。》戦争のさなかの精神病院で「宮様」となのった人間が、たとえかれの狂気めいた思いこみのためとはいえ、さかんに奮闘して殺されると、かれがイエス・キリストとして復活し、奇蹟をおこないはじめたとする、もうひとりの精神病院の住人はこういう。《宮様は、土着の一地方的存在。愚かなるアニミズム的象徴にすぎません。ところがイエス・キリスト様は、世界的な信仰の対象であり、人類の救い主であられるのよ。》

これから、武田泰淳のもっとも新しく、かつかれの全作品をつらぬいて根本的な仕事である『富士』を読みすすめようとして、僕があらかじめこの引用をおこなう理由は次のごとくである。もしキリスト教国において、右のような言葉を発する者があらわれれば、それこそ神を信ずる者にも、神を信じない者にも、異様なショックをあたえるだろう。またそのショックが、あの空中高くジェット機の発する衝撃波が、地上のわれわれの耳に達するようなかたちで、すぐさまわが国にたちもどるとすれば、「宮様」――天皇制の構造に、そのショックを短絡する者の頭に、ドカンというもの凄い音が響くことでもあるにちがいない。

しかし武田泰淳が「神」という特別の言葉を発する時、たまたまそこにキリスト教的な枠組が採用され、天皇制の構造もまたうちつけられるとはいえ、武田泰淳の「神」こそは、短絡されやすいそれらの枠組と構造をのり超えて、はるかな向うにある、独自の思想の血肉の謂《いい》なのだ。かれはいわば黙示録的な大滅亡の全光景の描き出される、人類のドンヅマリのテレヴィ実況スクリーンの前に立ちはだかる、徹底したデモクラットとして、「神」という言葉を発しているのである。キリスト教徒も、もっともファナティックな国粋主義者も、ひとり黙示録的な荒野のただなかに立って、「神」を呼ばうデモクラットにたいしては、ありふれた短絡的な攻撃をしかけるわけにゆくまい。すなわちこのような究極のデモクラットとは、あらゆる人類にたいして、無差別的に、その滅亡の光景をかいまみせるために骨身をおしまず、赤裸で立って奮闘しているのであるから。「神」——武田泰淳のつくりだした人物たちは、かれら自身もまた、徹底してデモクラットであることを熱望しており、そのようにして、おのおのかれ自身の「神」を手さぐりし、つかみとろうとする。たれひとり他人の、愛あるいは憎しみをこめての接近から、かれ自身とその「神」とを排他的権威をもって遠ざけるたぐいの、反・デモクラットではありえない。そしてかれらは、戦時とはいえ、そのように志しさえすれば、いかにも徹底してデモクラットたることを主張しうる場所と設定された精神病院に、そのように志して(あるいは、そのように志すほかにありようのない状態で)むれつどっている。

埴谷雄高の、繁茂した楡にとざされた瘋癲病院の、独自の魅惑についてはすでにのべた。武田泰淳の描きだす精神病院も、おなじくおそるべき魅力をたくわえているが、その魅力を根底において支える、たわめられたバネの役割をはたしているのは、『死霊』の瘋癲病院が、鬱蒼たる樹木によってのみならず、いかなる社会からも隔絶されているのにたいして、つねにこの精神病院にひたひたとせまっている外部社会、しかも大戦争を続行中の外部社会との、不断のダイナミズム関係である。

誰をも差別しないおとなしさの奥に、誰をも特別あつかいしないふてぶてしさを、そのまた奥に、より深いおとなしさを、そして更なるふてぶてしさを蔵している作家は、戦争にむけて方向づけられている社会の、ほかならぬ精神病院という、一挙にしてあらゆるものへの全否定の契機となりうる、危険きわまりない爆裂弾の設定をつくりだした。それは、まさに戦争続行中の外部社会を代表する憲兵軍曹をして、むなしく猛りたった、怒りの言葉を発せしむるに十分な場所である。《これは病院ではない。これは諸悪の根元だ。これは害虫を育成する温床だ。君らは、日本の国体を内部から腐蝕させる、獅子身中のムシだ。君らは、医師でもない看護人でもない、看護婦でもない。君らはそもそも病院職員の名にあたいしない、ムシつくりだ。いや、君たち自身が、ウジャウジャと害虫を繁殖させるムシ屋のかたまり、ムシそのものだ。日本国中どこを探したって、こんな虫だらけの悪質の場所は、どこにもありはせんぞ。》

確かにこの精神病院につどう者らは、患者も医師も独特だ。院長すらもこのように「神」を手さぐりしている。《神が、沈黙している。それは、あまりにも神が巨大なる何物かであるからなんだよ。こじつけを言うわけではないんだが。ねえ、大島君。患者たちによって代表される人間精神の異常性は、もしかしたら、その神、その巨大なる何物かであるかも知れないじゃないか。ぼくらは、もちろん聖職者でなんぞありはしないよ。患者すなわち神だなんて、ぼくは言いやしない。そんなこと言ってはいけないんだ。彼らは、『神』とはちがって、何やら悪魔的な匂いをプンプンさせて、ぼくらに迫ってくることがあるからね。しかし彼らは、決して悪魔じゃない。悪魔以外の要素を、無限に包みこんでいる。神が我々に不安を呼びおこすようにして、患者たちも、またぼくたちに不安を呼びおこすのだ。神は、思いもかけぬ啓示、暗示、しるしを我々にあたえる。患者たちがいきなり予告もなしに、我々にあたえるものも同じものなのだ。あまりにも動物的すぎる。あまりにも、人間の醜い半面だけを突きつけすぎる。君のさっきの悩みを解釈すれば、原因はそこにあるだろう。患者が患者であることは、たしかに一つの真理である。だが、それは悪魔が悪魔であるようにして、そうなのではないよ。患者が悪魔でないかぎり、それと密着したぼくたちも悪魔でありはしないのだ。患者がもし『神』にちかづいているのなら、ぼくたちだって同じ『神』にちかづいているのだ。》

患者は、その異常性によって、具体的にはどのように、もしかしたら「神」であるかもしれぬところの、なにものか巨大なあるものを示すのか？　「宮様」が、みずから、いかにも患者らしくあろうとつとめる誇張のしかたにおいて、赤裸に語っている。《彼女が咬みついてきたとき、ぼくはミ(あんまりミヤを濫用するのはおっくうなので、これからはヤぬきにする)の男根が、一般人民のそれとちがった象徴的存在でありつづけることの困難を、あらためて思い知らねばならなかった。ミの肉体、(ミがもし肉体を意味するなら、重複語になるけれども)、ミであると共にミカラダであるぼくは、万人のあがめたてまつるミの一部分を、中里里江にだけ占有させることは不公平だとは感じていた。誰かがミの御味方だとハッキリ決めてしまうと、その反対派はかならず、ミをおうらみ申しあげることは、足利尊氏、楠正成を持ち出さないでも、あきらかなことだ。わが男根は、ミセス・アシカガのものか、それともミス・クスノキのものなのか。「痛いッ」と、ぼくが叫ぶと、中里里江は満足げに、まるで猿のようにキッキッと笑って、暴力的に抱きついてくる。あまりにも愛したてまつるために、暴力行為に出ることを、五・一五事件、二・二六事件が、すでに立証ずみである。そのような痛い、血なまぐさい求愛行為の暴発にさいして、ミとしては『そこまで、やってくれなくていいよ。痛いッ。もう少ししずかにしてくれないかね』などと、言ってきかせるわけにはいかないのだ。なにしろ、相手は咬みついて放さないのだからね。しかも、咬みつきたがっているのは無数にいるのだから、民のカマドはにぎわいにけり、平等に分配する、カマドのすべてからケムリを噴き上げさせないわけにはいかないではないか。おまけに、ミは空腹を感じつつあった。やがては、さわがしき、国民投票が決定することであろう。ミが空腹であるとき、それでもなおミの男根がミそのものであるとき、それこそミであるとして、全員こぞって御味方したがることを。

農家の乙女は、たちまち昂奮し、たちまち絶頂に達し、そしてたちまち失神した。ああ、その性急、その熱心、その忠義こそ、あどけなき大和心そのものであった。……彼女こそ、夷狄のけがれを払う、カムながらの神道の巫女さまではないか。》

実際、「宮様」が、本物の宮様に直訴におよんだあげく殺されると、その死が機縁となって下賜された酒、食物による精神病院こぞっての大宴会がひらかれるのであるが、「宮様」の死体そのものを喰って酔っぱらうにひとしい「ワルプルギスの夜」において、この娘はあたかも「宮様」の亡霊にのりうつられたかのようにふるまって、「宮様」の「復活」を目撃する者たろうとする。《「あたしは見たのよ」と、神がかりの巫女のように目をすえて、彼女は言うのだった。「一条さんが、どんなにひどい目に遭ったか、あたしは見たのよ。殴られて殴られて、腕も脚も、腹もすっかり紫色になり、その紫色が黒くなって、そのあいだにドロップのような赤い粒々がまじって。あいつらは、一条さんの男根めがけて、殴ったり蹴りあげたりしやがったんだ。そうよ。あの貴重なダンコンを、貴重だからヤキモチ焼いて、めったやたらにやっつけようとしたのよ。その男根こそ、宮様の男根だったのよ。ああ、もしも世の中がこんなに乱れていなかったら、その男根から宮様なんか、いくらでも生み出せるはずだったんだわ。そうよ。スサノオノミコトの男根、神武天皇の男根、ヤマトタケルノミコトの男根と、万世一系でつながっている、誰にも恥ずかしくないミヤ男根だったのよ。あいつら臆病者どもは、それを認めるのがこわかったのよ。それを認めてしまったら、自分たちのお役目、自分たちの生活、それこそ命まで危くなるのがこわかったんだわ。勇気があったのは、一条さんだけよ。ほかの人には『ぼくは宮様だ』と言えないのよ。どう言えば、一条さんみたいに殺されちまうからさ。どうして、きまりきった一部の人間だけが、すました顔してミヤサマになっていて、ほかのみんなにはミヤサマになる権利がないんだい。男根があるじゃないか。キンタマがあるじゃないか。だったら、どうしておれは宮様だと名のれないの？　みんな、意気地なしなんだ。男と生れて、宮様にもなれずに、よくもヘイコラしていられるもんだ。去勢ということは、キンタマ抜かれることだそうじゃないか。キン抜きされて万歳バンザイ。ああ、だらしがない。あさましい。去勢されて万歳合唱することが、そんなにうれしいのかい。それでもオトコか！　……ミヤサマと聴くと、おそれかしこむ。あの態度がオトコの態度かよ。あいつらに男根があるのかないのか、ズボン脱がせて調べてみたいよ。忠臣だって？　愛国者だって？　何を言ってやがるんだい。みんな、おん身お大切に、ニセの宮様をあがめたてまつって、しばらく安全に生きているだけじゃないか。男というもの、日本の男というものは、まったく卑怯だなあ。その卑怯をごまかすために、あいつらは一条さんを殺しやがった。さあ。みなさん。みなさんは、あの卑怯みれんなあいつらに附くか。それとも純粋勇敢な一条さんに附くか。》

　武田泰淳はどちらに附くか？　もとより、「宮様」の亡霊にとりつかれた乙女の言葉は、作家の素顔のある位置から、一歩も二歩もはなした手つづきをへて発せられている。ただ、「復活」した「宮様」のあらわれであろう一羽の鳩が、病院の大煙突てっぺんの少年を救う「奇蹟」のシーンが、暗黒の嵐の繰りかえしおそう小説のうちに、純一な美しさへ澄み渡る一瞬の凪《なぎ》のようであるのまで、否定することはできぬだろう。それは《「人間、このいかがわしきもの」「人間、このいやらしきもの」という考えをすっかり棄ててしまって「人間、このけなげなるもの」という感慨》を喚起するところの、少年におこる「奇蹟」であった。「奇蹟」の出現こそは、真の滅亡を告知する者のあらわれと、あいかさなる。われわれのローカーヴューハ（世界群集）の代表として救助された少年の眼は、われわれになにが告知されるのを見ただろう？　沈黙が常態である、自閉症の少年の不意のことばは、日本列島の全面的な炎上を、もっとも端的にあらわすものであった。《富士が燃えているよ。》

この精神病院につどって、それぞれに「神」を手さぐりしている者らの、想像力と肉体をひとしくつらぬいているのは、人間の優しさと酷《むご》たらしさへの、決して中断することのない、無限運動にも似た問いかけである。優しさの実体をつきとめれば、その内臓に手を突っこむようにして酷たらしさをとりだし、しかもその酷たらしさの表皮を剝いて、優しさをあらためてひきずりだす。そのような執拗きわまりない、優しさ・酷たらしさの総体への、すなわち「神」と人間への、接近の仕方においてもまた、われわれは武田泰淳に、徹底したデモクラットの態度を見出すだろう。

医師が患者にたいして、全面的に優しくあるとはどういうことなのか？ 優しさ、差別を決してふくみこまぬ、ありうるかぎりの優しさをめざす医師が、不意に、危険きわまりない酷たらしさを発揮してしまうとすれば、それはどういうことか？ まったく逆に、もっとも酷たらしい、殺人、放火者の、精神病的素質をそなえた幼い人間が、自己犠牲の究極をきわめる優しさを発揮してしまうとすれば、それこそそれはどういうことなのか？ もし存在するとすれば「神」は、それらすべてをどのように見そなわしていられるのか？

優しさと酷たらしさの、幾重にもかさなりあった、ひとつのタテの構造は、院長と、その家庭内に働く準患者との、腕をくんで地雷原を歩きつづけるような関係にあらわされる。院長は、かつてその愛らしい男の子を、懐郷病の発作にかられた十四歳の子守女に、溺死せしめられた。自分の世話をしている子供さえいなくなれば故郷にかえれる、という思いこみが突然の犯罪に爆発する、あの懐郷病。《……ぼくはあくまで死んだ自分の子供の味方であり、決して子守女の味方でなんぞありはしなかった。私一家に同情してくれる他の誰もが彼女の味方でありっこなかったように、ぼくはその娘の味方になることを拒否していた。いやだ。許せない。ひどすぎる。そう思ってはいたよ。そのとき、ぼくが沈黙を守っていたのは、決して人道主義とかいった、まともな感情からじゃない。身よりのない貧しい農村の少女に対する知識人のヒューマニズムから、そうしたんじゃない。ただ、ぼくにはどうしても、『彼女が犯人だ』と口走ることができなかっただけなんだ。……その娘は、すぐさま故郷へ送りかえされた。彼女を歓迎してくれる者はありはしなかったし、彼女をいじめころがす者は、あいかわらず待ちかまえていた。そして、たった一ヵ月もたたないうちに、彼女は熱病のために死んでしまった。熱病だよ。なんと精神的なネツに焼かれて、彼女は死んだことだろうか。しかも、彼女の最期を見とどけてくれた、よそのうちのおばあさんに向って、彼女はハッキリと語ったそうだ。『あの子が死んだ。あたしも死ななくちゃならない』とね。》

しかもなお院長は、かつての子守女とまことに似かよった、みじめな少女を家庭にいれて幼児をたくしている。少女は懐郷病の発作によって、すでに院長の家を全焼させているのですらある。ところが、深夜、梅毒におかされた元印刷工が、院長一家みな殺しをたくらんでしのびこんだ時、それへ勇敢に立ちむかったのは、ほかならぬ《懐郷妄想による幼児殺害の嫌疑者》、愚鈍な十六歳の子守女であった。《彼女の腕力は、彼を圧倒した。彼の両手の自由は、彼女によって奪われていた。もしも「おキンちゃん、おやめ。あぶないよ、おやめ」と、甘野夫人が叫ばなかったら、犯人は逆襲を企てることができなかったであろう。少女が奥さまの命令で、犯人の両手から自分の両手をはなし、うしろをふり向いたとき、間宮ははじめて「コロス」男に変身したのだった。もう一度、犯人の方へ振りかえった少女の真正面から、あまり充分でない彼の腕の力をふりしぼって、彼は斬りおろした。少女の眼から鼻にかけて、手斧(少女の使いなれていた)の刃が切り裂いた。

それでもなお、彼女は男に向って突進し、彼に武者ぶりつき、彼を後むきにぶっ倒した。》

優しさと酷たらしさの、なおもほどきがたくもつれあいかさなりあった、もうひとつのタテの構造は、作家自身にちかい面影をあたえられているといっていいかもしれぬ、若い医師「私＝大島」の魂と肉体をつうじて展開される。かれは睡眠中に、懐中電燈の男根をつけた女性患者に襲われ、なんとか抵抗するうちに、《よくないこと、やってはならぬこと》をやってしまう。《相手を殺すつもりならともかく、相手を保護しなければならぬ立場にあるのに。保護? ああ、それがどうして、私にできなかったのだろうか。……私も彼女と全く同じやり方で、彼女が私のその部分をねらったようにして、彼女のその部分を、銃口を先にした空気銃で突いた、突き入ったのだった。それは何かしら、私の内部のいやらしきもののさせるわざだったのだろうか。それとも、単純な反射作用だったのだろうか。しかも、その突き方は(あとで反省すると)、どうしてそんな残酷なやり方ができるかと思うほど、ばかばかしく力をこめたものだったのだ。》

ところがこの本来は優しいはずのインテリ男の、危険きわまりない粗暴犯ほどにも酷たらしい行為は、思いがけずその女性患者に、奇怪な反応をよびおこしてしまい、それはあたかもかれの行為が、優しさのきわみの行為であったかと疑わせるにいたるほどなのだ。《ああ、あなたは、私の口から恥部の話など聴かされるのは、何よりもイヤ、何よりも恥ずかしいことでしょうね。許して下さい。でも、どうしても私は、あなたにそれを言わずにはいられないのです。あなたが、あの空気銃の銃口を私の恥部に突き刺しなさったとき、それはあなたの突発的行為であると言うよりは、むしろ、必然的な神の御はからいではなかったでしょうか。空気銃は、金属と木部からつくられています。そして、冷たく固い金属の部分が、オトコになりたがっている私、オンナの恥部に突き入れられたとき、それは、めったにない偶然と言うよりは、やがては全人類に予告せねばならぬ、神の御意志の尖端だったのではないでしょうか。愛とか恋愛とか愛情とかロマンスとか言われている、あの想いあがりのあいまいさ。あの自分勝手な傲慢さを打ちくだかれる、神の御手だったのではないでしょうか。……私と大島さんは、あの夜、神のみこころを実践し立証するために選ばれてしまったのではないでしょうか。》

しかし優しさと酷たらしさの、たびかさなる逆転、再逆転のダイナミズムはこれで完結するわけにはゆかない。精神病院全体の「ワルプルギスの夜」、優しい医師は、かれもまた進んで酔っぱらううちに、埴谷雄高の人物のようにも、プフイ、などと笑いはじめ、死んだ「宮様」の妃殿下を名のろうとする娘を突きとばし、空気銃を媒介に、イエス・キリストを処女懐胎したと信じている、女性患者をもまた突きとばすほどに荒れるのであるからである。たとえ転がった女たちの腹を蹴りつけるにはいたらぬ、優しさをのこした不徹底ぶりの酷たらしさではあるにしても。《私は私が、患者になりうる、患者になりつつあることの快感と恍惚を味わった。味わおうとした。患者であり得なかったことの不自由、屈辱、まわりくどさをすべて突破して、何かしらあからさまな自然そのものの光線の下で裸の手足をのさばらせることの歓喜が、私を襲い、私をつつみこみ、私を持ちあげようとしていた。》そしてかれはなおも《病院の秩序の破壊、患者の混乱の増大を望んでいる》状態に自分を追いあげつつ、「ワルプルギスの夜」のより深く、より混沌とした奥底へ入って行こうとするのである。

「ワルプルギスの夜」、この長篇小説の終結部にむかい、沸騰的に盛りあがって精神病院を覆う「ワルプルギスの夜」は、武田泰淳の小説世界の全体をみわたしても、もっとも充実した、高い達成であるのみならず、戦後文学者たちがみな、ひそかに心がけているように思われる、わが国の文学的伝統と現状にすっぽり欠落しているものを、なんとか補完しようとする試みの、成功したひとつである。僕はこの「ワルプルギスの夜」に、魂と肉体のすべてをあげてはいりこむようにして、武田泰淳の想像力の一極点を、なお深く経験しなおそうとする。「ワルプルギスの夜」の喧騒のなかから響いてくる声は、これもまた現実には、僕という一箇の受容者にのみ責任のあるところのことであるが、おまえがキリスト教会にたいして、また天皇制構造にたいして、すべてのファナティックな短絡から、この小説を擁護しようとしていじましくもうってきた布石は、いちいち、この「ワルプルギスの夜」の熱気によって融けてしまう、ちょっとした淡雪ほどのものではなかったのか？　と問いかける凶《まが》々しい声である。

あの暗いがうえに暗いが、しかし穏和なねばりのある声で、つねに眼を伏せつつ語るデモクラットは、ついにこの「ワルプルギスの夜」において、「私＝大島」のようにも、突然ありとある優しいものを酷たらしく突きとばし、大呪詛のラッパを吹きならす、最後の大逆襲に転じたのではないか？　「ミヤ男根」が日本的イエス・キリストとして「復活」する、という発想と小説におけるその現実化こそは、まさに日本人と、人類とを、いちいちその首根っ子でとらえ、しかも共に根こそぎ、全体において吹っとばしてしまうところの、およそそれ以上の酷たらしさは、想像もできないほどの、黙示録的大呪詛というべきではないのか？　この猛毒と大熱気にあたっては、日本的なるもの（とくに天皇体制を支え、またそれに支えられているタブー）はすべて立ち枯れてしまうし、人類的なるもの（とくにキリスト教体制を支え、またそれに支えられているタブー）も、こぞって炎上してしまうことになるのではないか？　また見しに、一つの鷲の中空を飛び、大なる声して言ふを聞けり、曰く、地に住める者どもは禍害《ワザハイ》なるかな、禍害なるかな、尚ほかに三人の御使の吹かんとするラッパの声あるに因りてなり。

あらためて黙示録的なるものに立って、この「ワルプルギスの夜」の奥行を見わたすようにしながら、僕は、またこの小説の冒頭にたちもどらねばならない。その時僕は、滅亡の認識をこえてはじめてあらわれるところの契機、すなわちまず滅亡にはじまる、開いた出口への契機にかかわる、作家の周到な布石に気づくのである。《――「絶滅」という日本語があって、やはりそれは重要な因子であるように思われる。ネズミを絶滅することは絶対不可能という予感があるため、絶滅とネズミが結びつくのであろうか。リスの方は、人間がそれを望まないでも、一族の子孫が絶えてしまうという予感がある。したがって、リスと絶滅はどうしても結びつかない。わざわざ結びつける必要が、もともとないのであるから。今のところ人類はまだまだ、ふえつづける予想が強いので、かえって「絶滅」が不吉な実感として迫ってくるのである。》

「絶滅」しうるからはじめて希望がある、という優しくも酷たらしい、最後の予告こそが、そこから響きつづけてはいないであろうか？

武田泰淳は、中国文学を学び、そしてほかならぬその中国への侵略戦争に、一兵士として戦わねばならなかった人間である。かれがひとまず戦場からかえり、なお巨大な戦争の続いている社会の底に逼塞して書いた『司馬遷』の、おそらく真の結語は、《忍び得ぬ悲しみ。忍び得ぬ悲しみをもって司馬遷は、匈奴問題を見守っていたのである。

彼が悲しみをもって見守っていたのは、この問題ばかりではない。世界全体である。》という、あからさまに悲哀の叫び声をあげているような一節であろう。

なお戦場におもむくまえの、若わかしい研究者である武田泰淳が、すでに『中国西南地方蕃人の文化』を書いて、辺境に住む野蛮人のありように関心を示していたことも、右の一節にあわせて記憶されねばならぬだろう。かれはその文章に、中国の研究者たちの呼びかけをいちはやく訳出している、《大地の上に群をなしてうごめきまわっていた四足獣のうちにもっとも賢い一個が突然として背骨をのばし前肢をもちあげた。そして彼らは自分らのもとの形を忘れ、他の動物と群なすをよろこばず、傲然として自ら『人類』と呼んだ。彼らはあたりの異類をうちしたがえ、やがて敵なきに到るやついに人類は人類と猛悪きわまる闘争を開始し、その悲劇は現在にいたるもいささかもとどまることをしらない。

輝やきわたる人類の文化、歴史の栄光をたたえる人々よ。諸君は人類の歴史が、全動物界の歴史のほんの僅少な部分をしめているのを忘れたか！　諸君が野蛮とあざける黒色人、紅色人は木石を手にして相戦うときは死傷百人にすぎざるに、かの文明な白人は一秒間にしてこれに数倍する人類を虐殺せるにあらずや。》

このような認識をわけもつ鋭敏な学徒が、かれの学問の対象の生きて動いている現場へ、銃をになって出かけねばならなかったのである。しかもかれは中国文化にたいして、ほかならぬ匈奴であり蕃人であることを、自覚していたはずであろう。しかも、かれ自身の内なる匈奴は、《彼らの文化はかけはなれている。しかし劣っていると言えるだろうか。彼らの生き方は、変っている。しかし正しくないと言えるだろうか?》というような反省にあたいする匈奴ではなかった。かれの内なる蕃人は、最悪の文明人の野蛮に武装した蕃人であった。そのような兵士として戦場にある青年が、かれ自身の優しさに酷たらしさをえぐりだし、そこからなお優しさの血がにじむとみるや、たちまちそれを酷たらしさの胆汁にかえねばやまぬ人間に鍛えられていったとして、それはむしろ歴史のなりゆきのごときものだっただろう。また戦場からかえったかれが、悲しみ、忍びえぬ悲しみについて書きつけざるをえなかったとして、それは優しくかつ酷たらしくも自然であろう。

しかしひとつ、その暗さのうちにこそある、明るい契機を見出すならば、いかに自己処罰しようとも、いやそれゆえにこそ自殺の契機を許容しない人間であれば、かれは優しさと酷たらしさのあいだの、永久運動するフリコのような日常のうちに、ついにユーモアの微光を発する自分を発見することがありうる、ということにほかならない。戦争終結に過熱する上海は、あえてそこに再びわたって行った武田泰淳に、黙示録の世界をあきらかにしたが、同時にまた、真のユーモアの教育をもおこなって、ひとりのまことに独自な作家を、戦後の日本におくりかえすべく、暗黒の、それゆえにこそ生産的な沸騰をくりかえしていたのであった。

堀田善衛・Yes, I do.

ユーモアの微光。戦争の終りにむけて、人間と反・人間のありとあるものが、暗黒に、血の色ともみまがう炉にかけられて沸騰する坩堝《るつぼ》、上海に、もうひとりの日本人青年が生きていた。不思議なことに、武田泰淳とおなじくかれもまた、その独特のユーモアの微光を、この坩堝からくみとってかえってきた模様なのだ。上海のかれが危機感をいだいていなかった、などというのではない。かれがやがて書く文章の、《要するに、黙示録は、一言で言ってキリスト教世界の危機感の表現なのだ。》という適確な言葉にそくしていえば、かれが自分のまわりに見ていた現実そのものが、きわめて黙示録的に、かれの危機感を表現しつくしている、そのような中国の民衆のなかの状況ですらあっただろう。実際、かれがその激しい切迫にかりたてられるようにして自己破壊することなく、生き延びて、日本の戦後にむかう帰還船に乗りこみえたのは、いわばありえぬほどの偶然に支えられた、僥倖であるかのようにふりかえられる。かれはじつにいくたびも、そこから生き延びてひきかえしえたことが、あるいはとおりぬけえたことが、かえって異様に思われるような状況へと、それもある種の無邪気さとともに、頭からとびこむように入りこんでゆく人間である。そのようなかれを、しかもユーモアの微光が優しくつつんでいて、時にそれはかれの背光のように見える。かれがやはり偶然において自然にとでもいうか、それらの状況の坩堝から生きて戻ってくることがなかったとしたら、かれを記憶する者らに、その背光はまさにくっきりと輝やいただろう。かれ堀田善衛は、いわば自分のかわりに、そのように状況と深くからみあう死をとげた若い友人たちのために、もっとも美しい記憶を文章にきざむ人間でもあった。

多くの友が死んだ——
花びらを見つめれば
花びらのひとつひとつは
亡友たちの面かげに
似てゐる……

と　ふと思つたので
一層よく見守らうとすると
ああしかしどういふ自然のいとなみか
あるひは友たちの息ぶきであるか
まざまざと　花びらが露を払ひのけその重なりを解かうとする——

若死にをした友たち
かれらの明るい言葉をつたへることが
これからの私らの仕事であらう

詩人の決意は、散文家の実行によって、持続的にうらうちされている。もし神というものがあるならば、若い堀田善衛は神によってどういう使命をあたえられたか？　そのようにいうのは、堀田善衛がすくなからぬページを「神」への言及にさいているからである。それは次のような、ユーモアの微光をたたえた神なのであるが。ガウディが四基の塔のみを完成して電車に轢かれて死んだ、その最後の寺院建築について語りながら、堀田善衛はこういうふうに神を登場させる。《神様は、ガウディ老を迎えて、しばらくは口をもぐもぐさせながら、

「ガウディよ、御苦労だった……、しかし、君……あれは……、あれは……、あれはどういうものなんだろう……?」

と、にこにこしながら、問う……。》さてその神が、花びらをつくったとともに、およそ人間の独力ではつぐないえぬ、酷たらしさをもつくりだしたところの、自分自身の手によって、酷たらしくも柔かな魂を、不幸に嚙みちぎられるようにして死ぬ若い人間のそばに、せめてひとりの使いを派遣したいと考え、しかもかれをたたえる宗教のおこなわれぬ土地柄であるゆえに、この無信仰の若者をおくったのではないかと疑われることがしばしばある。

若者は一九四五年三月二十四日、戦時の敵国の、しかも受けいれさきもはっきりしないままに、草ぼうぼうの羽田飛行場から海軍の徴用した飛行機に便乗して、戦争終結のせまっている、すなわち中国大陸を侵略している軍隊の敗北のせまっている上海へ、明日の敗軍の国家の人間としておもむいた。かれが上海の街なかを自分の足で歩きはじめてすぐに、どういうことを経験したか、むしろどういうことを経験すべく、頭から跳びこんで行ったかについて、僕はすでに自分の文章に幾たびか引用した文章ではあるが、次の一節をひいておきたい。どういう「出発点」から、かれが敗戦をはさむ上海の異様な坩堝のなかでの、自己発見にいたるかをそれは語っているし、同時にこのような性向というか資質というか、とにかく人間としてのスタイルを持った青年には、たとえ文字の上であれ、われわれがしばしばめぐりあうことはないのでもあるから。

《あるアパートメントから、洋装の、白いかぶりものに白いふぁーっとした例の花嫁衣装を着た中国人の花嫁が出て来て、見送りの人々と別れを惜しんでいた。自動車が待っていた。私は、それを通りの向い側から見ていた。すると、そのアパートの曲り角から、公用という腕章をつけた日本兵が三人やって来た。そのうちの一人が、つと、見送りの人々のなかに割って入って、この花嫁の、白いかぶりものをひんめくり、歯をむき出して何かを言いながら太い指で彼女の頰を二三度ついた。やがて彼のカーキ色の軍服をまとった腕は下方へさがって行って、胸と下腹部を……。私はすっと血の気がひいて行くのを感じ、よろよろと自分が通りを横断していると覚えた。腕力などというものがまったくないくせに、人一倍無謀な私は、その兵隊につっかかり、撲り倒され蹴りつけられ、頰骨をいやというほどコンクリートにうちつけられた。

私は元来のろくさい男だ。ものごとがわかるについても、ぱっとわかるという具合には行かない。のろのろとしかわからない。そのくせ、あるいは、だから、自分でわかったと思うことを過信する傾きもないではない。撲り倒され蹴りつけられて、やっと、あるいは次第次第に、〝皇軍〟の一部が現実に、この中国でどういうことをやっているかを私は現実に諒解して行った。倒されたまま私はなかなか起き上ることが出来なかった。上海に来る前に、私は肋膜を病み、その旧患部を——兵隊たちはゴム足袋をはいていたが——蹴られたこともあった。その場の中国人たちが花嫁ともどもに私を助け起してくれ、アパートの一室へつれ込んでくれた。

あのときの花嫁は、恐らく一生を通じて、あの晴れの門出のときに、かぶりものをまくりあげられ、頰をこづかれ、また乳と下腹部をまさぐられた経験を忘れないであろう。たとえあの兵隊自身にはそれほどの悪意はなかったにしても——というのが、私にとっての一つの出発点であった。》

上海へのほとんど無謀ともいうべき、また自棄にもちかい旅だちのまえに、堀田善衛にはなにがおこっていたか？　なにがかれをして上海に旅だたせたのであったか？　出発の二週間前、かれはあらゆる側面、ひろがりにおいて『方丈記』を経験しつくすようにして、一九四五年三月十日の東京大空襲のただなかに立っていた。堀田善衛は『方丈記』の著者の、人間的個性のひとつの側面を、まことに必要かつ十分に次のようにとらえている。

《……この鴨長明という人は、なんにしろ何かが起ると、その現場へ出掛けて行って自分でたしかめたいという、いわば一種の実証精神によって、あるいは内なる実証への、自分でも、徹底的には不可解、しかもたとえ現場へ行ってみたところでどうということもなく、全的に把握出来るわけでもないものを、とにもかくにも身を起して出掛けて行く、彼をして出掛けさせてしまうところの、そういう内的な衝迫をひめた人、として私に見えているのである。……たとえそれがどうということはないとわかっていても、なんにしても彼は行ってしまう。あるいは彼の足が自然にその現場へ歩き出して行ってしまうのである。現場というものには、如何なる文献や理論によっても推しがたく、また、さればこそ全的には把握しがたい人間の生まな全体が、いまだ表現されていない、表現かつかつのところまで行っている思想の萌芽というものがある、というようにこの男が思っている、と私は感じる。》

長明は、ようやく明らかな乱世のきざしを、しかも「末世」のきざしでありすらするものを、自分の足、自分の眼で見てまわり、大風の吹きすさぶ夜の都の大火を見つめる。空には灰を吹き立てたれば、火の光に映じて、あまねく紅なる中に、風に堪へず、吹き切られたる焔、飛ぶが如くして一二町を越えつつ移りゆく。その中の人、現《うつ》し心あらむや。或は煙に咽びて倒れ伏し、或は焰にまぐれてたちまちに死ぬ。

長明は大火を、辻風を、大飢饉、悪疫に横死する人々を見に行った。街に行き倒れて死ぬ者たちを悲しんで、その額に阿字《あじ》を書いていったが、その数四万二千三百余あったという、仁和寺の隆暁法印につきそうようにして、現実の悲惨を見つめた。そしてまたかれは、福原に都がうつるとただそれを見るためにのみ、そこへ出かけて行った。それは僕にほかならぬ堀田善衛自身の個性をこそ、色濃く思いうかべさせるのであるが、かれが長明の資質にかさねるようにして、みずから書き記しているところでもある。

《その時おのづから事の便りありて——たまたま用事のついでがあったので、摂津の国の「今の京」へ行った……。いったい二十六歳の長明、しかも失業者同然の長明に何の用が新都福原にあったものであろうか。……彼にさしたる用事はなかった。

では何をしに行ったか。

要するに、見に行ったのだ、と思う。「所のありさまを見るに、」……。

「その時おのづから事の便りありて、」とは、心理説明でもなく、まして弁解などでもない。足の方で歩いて行ってしまう行動人の含羞のようなものであろう。

ここで私自身の私事——私事以外のことを書いているわけではないのだが——を書くことを許して頂くとすれば、私自身、一九六八年秋の、ワルシャワ条約五ヵ国軍の占領下にあるチェコスロヴァキア国へ行き、その首都プラハの町に立ったとき、さしたる用事もないのにてくてくと福原へ出掛けて行った長明のことが思い出て来て、おのずと苦笑をせざるをえなかった。そうして、自らについて苦笑をすると同時に、あの当時のプラハでの状況そのものが、まことに人々の身に迫って「古京はすでに荒(れ)て、新都はいまだ成らず。

ありとしある人は皆浮雲の思ひをなせり。」という状態に、あまりにもそっくりそのままであることに、背の筋寒くなるような経験をもったものであった。》

さて長明が乱世、「末世」の都を歩き廻り、見て廻ったように、しかも長明の書きのこした言葉をつねに想像力のなかに、より具体的にいえば、耳の奥で鳴りつづけさせるようにして（僕はそれを音楽家の資質のように思うのであるが、長明が琵琶の名手であったように、われらの作家もピアノ、ギターの熟練者である）東京大空襲の惨禍を見て廻った青年は、友人の父親の家の一画のみが、そのあたりでただひとつ、奇妙に立体的な印象で焼け残っているのを見出した。

《その、へんに立体的に立った家々の一かたまりが明らかに眼に入り、ああ残っている、と確認した瞬間に、私は、よかった、と思うと同時に、なんと莫迦《ばか》げたこともあるものだ、と思ったことを記憶している。

この、よかった、も、なんと莫迦げたことも……、という双方の感情を、いまとなって腑分けすることはなかなかむずかしい。二十五年後の今日、またこの二十五年間の私自身の思想的な営為のおそらくはすべてがそこに干渉して来るであろうから。

しかしとにかく後者の、なんと莫迦げた云々に関して、それは一つの啓示のようにして私にやって来たものがあった。というのは、満州事変以来のすべての戦争運営の最高責任者としての天皇をはじめとして、その住居、事務所、機関などの全部が焼け落ちて、天皇をはじめとして全部が罹災者、つまりは難民になってしまえば、それで終りだ、終りだ、ということは、つまりはもう一つの始りだ、ということだ、ということが、なんと莫迦げた云々の内容として、一つの啓示のようにして私にやって来たのであった。上から下まで、軍から徴用工まで、天皇から二等兵まで全部が全部、

難民になってしまえば。……》
　青年はその啓示からのがれさることができない。
《日本中、兵営も宮城も政府も工場もみな燃えてしまって、すべて平べったい焼け跡となり、天皇をはじめ万民、死ぬ者は死に、生きて残った者はすべてこれ平べったく難民ということになったら、どういうことになるか、という妄想……
　いま私は、妄想、と書いたが、いまでこそ私もそういう見透しを妄想と書き、また書かざるをえないという一種異様な悲しみのようなものをさえ感じるものである。しかし、この妄想は、当時においては妄想ではなくて、無気味なほどの迫力、ポテンシアル・パワーを内にもった、必然性の高い現実であったのだ。少くとも三月十日において私はそう思っていた。勝手至極な話だが、自分自身が死ぬことさえ勘弁してもらえるなら、むしろそうなることを望む、望みかねないという心境に追い込まれていたものである。そうして、かくなった暁に、たとえば増鏡に出て来る老婆の呟く「これより日本国は衰へにけり。」、あるいは兼実の言う「言語ノ及ブ所ニアラズ、日本国ノ有無タダ今明春ニアルカ。」(玉葉)、さらには、たとえば米軍が上陸して、そうして米軍の上陸に伴って必然的に内戦もが起り、そこで西行の言った「しかも、世の中に武者おこりて、にしひんがし北南、いくさならぬところなし。打ち続き人の死ぬる数きく夥し。まこととも覚えぬほどなり。これは何事の争ひぞや。武者の限り群れて、死手の山こゆらん。」ということになった暁に、新たに、如何なる日本が出現するかという、その新たなる日本を、ぶすぶすけぶる焼け跡の土蔵や金庫のかげからはるかなる、いやつい近くの海を望み見るようにして翹望、いや望み見、翹望したりするなどという公然たることではなくて、胸中の戦慄とともに盗み見るよ

うにして翹望をした瞬間があったのである。》

しかし青年の翹望は、権力のがわというより、むしろ民衆のがわから、たちまちむなしくなる。これも青年の、つい足が出てしまう、なにものかに出会うべく歩き出してしまう、という資質に加えて、ここにまで神という名をもちだすつもりはないが、ともかくなにものかが、このような資質をもつ者には、できうるかぎりなにもかもを見せよう、という配慮をおこなうのでもあろうか。焼けあとで青年は、ほかならぬ天皇そのものにめぐりあってしまった！　信じられない、信じられない、と青年自身が茫然とつぶやきつづけるほどのことで、それはあるのだが、ピカピカ光る車に乗ってきた、ピカピカ光る長靴の天皇は、すっかり整理された焼け跡をミソナはし、民衆は土下座して、泣いてわびたのである。陛下、われわれの努力がたりませんでした、と。青年がその民衆たちに、およそ心底からの《臣民としての優情》を発見するのは、かれの目くばりの広さ、公平無私さとでもいうか、かれ自身の、ほかならぬ優情とすらもいうか、なんとも独自の印象をあたえるものだ。

《……そういう無限にやさしい、その優情というものは、いったいどこから出て来たものであるか。またその優情は、情として認められるものであるとしても、政治として果してそれをどう考えるべきものか。あるいは逆に、政治は人民のそういうやさしさに乗っかることは許されてしかるべきことかどうか？　政治は現実に、眼前の事実として、のうのうとこの人民の優情に乗っかっていたではないか。》

青年は東京大空襲の経験、それにすぐつらなる《御徒歩にて焦土を御覧はせ給ふ》相手にぶつかる経験のあと、二週間たって上海へ出発するまで、『方丈記』をあらためて読みつづけてすごした。かれは戦禍への日本人民の対しかたを考えるにあたって、この古典が根源的に資するものだと認めたのであったし、現実に経験した戦禍は、その文章のおそるべき的確さにまっすぐ面とむかわしめたのでもあった。それにくわえて、もっとも重要なのは、それが、《新たなる日本についての期待の感及びそのようなものは多分ありえないのではないかという絶望の感、そのような、いわば政治的、社会的転変についても示唆してくれるものがあるように思ったからでもあった。政治的、社会的転変についての示唆とは、つまりは一つの歴史感覚、歴史観ということである。》

　青年にとって新たなる日本とは、すなわち天皇なき日本ということであるが、そのような新たなる日本はついにありえぬのではないか？

《……私は、歴史、ということを持ち出した。また、末世、ということも持ち出した。そうして私にはじめて、歴史というものの実在、あるいは歴史というものがあるからこそ生じる、ある不安の感、というものを与えてくれた、あるいは教えてくれたものが、方丈記のこの部分であった。それは人間の生活、社会生活というものに、もし歴史がなかったならばありえない筈の、ある不安の感、であった。

　その、ある不安の感、とは、ではどんなものなのか、と問われれば、ここでも私はふたたびもみたびも、長明とともに、

　古京はすでに荒(れ)て、新都はいまだ成らず。ありとしある人は皆浮雲の思ひをなせり。

としか言えないのであるが、古京、すなわち戦時下の、あるいは明治以後の近代日本において、よくもあしくも、とにもかくにも必然として持続して来たもの

が、前途の、それも遠からざる前途のある日において、ついに必然でも自然でもなくなる、その断絶、亀裂が如何なるものであるか、しかもすでに、その必然は、日々に薄くなり、それは必然としての歴史推進力を失っている、とそう気付いたときの、ある不安の感は、私にとって、何かの輝光によって眼を冥《くら》まされたような、あるいはじっくりとした、鈍痛のような衝撃であった。》

このような経験による認識を、『方丈記』を読みかえしつつ深めてゆく二週間のあと、青年は、かえり道をたち切られるようなかたちの、片道飛行の危険をあえてひきうけつつ、上海にむかうのである。かれは、つい足がさきに進んで行く、眼が前にむかう、という資質の人ではあるが、そのかれを、このように深い根をもった絶望が、うちひしぐというのでなく、むしろ泡鳴のいわゆる「絶望的な蛮勇気」とでもいうダイナミズムにおいて、前にむけて支えたことを忘れてはなるまい。絶望的な蛮勇気の青年は、病後の身をもかまわず、中国人の花嫁を侮辱した憲兵に突っかかってゆき、うち倒される。僕は、このようにして中国における出発点をつかみ、それをにぎりしめたまま敗戦の経験にはいりこんで、ついに一箇の独自の戦後作家となる堀田善衛に、やはり感嘆の思いをいだかずにいられぬものだ。

しかし、われわれはまた想像してみるべきであろう。歴史感覚に根ざす深い絶望にかられた青年が、敗戦まぎわの上海におもむき、そこで憲兵に蹴りつけられて、路上に死ぬ光景こそを。むしろ堀田善衛が生き延びたことこそが、不思議であったのである。それを考えれば、路上に倒れはしたが辛うじて死ぬことのなかった青年のイメージもまた、異様な酷たらしさの影を、あらためてまといはじめるであろう。現にそれとおなじような内的、外的経験をした、堀田善衛の若い友人たちは、多く生き延びえなかったのである。

かつて火災に炎上した場所に、あらためて建てられた逗子の山上の、そこが海を見おろす山腹のひとけない吹きさらしの高台であった時分からの老樹であろう、巨きな桜のある家で、堀田善衛の仕事場は、おそらくフランスの作家が、農家の納屋を改造して書斎とするならば、このように光の豊かな美しいものになるであろうと思われたが、それにしても異様なほどに簡単明瞭、旅人の仮りの棲家のようであった。僕は、日本文学の領域から国際会議に、しかも世界にむけて風とおしのよい足場に立ってなにごとかをいう人間をおくるならば、最良の代表である、この作家とともに、ニューデリイからベンガル湾にむけて飛行したことがあった。作家は国際版の『ヘラルド・トリビューン』紙を読み、ソルジェニツィンについてのロストロポーヴィッチのソヴィエト作家協会への公開状を発見して、僕に示すと眠りこんだ。それから時がたちベナレス近くなると、眼ざめて窓の外を眺め、指で真下を指すようにして、また再び眠った。僕は丸窓の向うにひろがるガンジス河流域を眺めつづけることで、まさになにものかを理解しはじめた。およそインドの東北部を飛行する飛行機の上で、これほど簡単明瞭で、必要かつ十分な現地教育がほかにおこなわれえるであろうか？またソルジェニツィン弁護の文章は、われわれがそれまで参加していた、ソヴィエトを中心のひとつとする、アジア・アフリカ作家会議についての補註的文献として、最上のものであった。あの機上で僕の心をかすめすぎたものが、作家の仕事場を見ている僕の心にもふたたびよみがえった。この作家の、まことに乱世を横切って旅しつづけているような身軽さと、旅の同輩への、つねに必要かつ十分で、べたつかない優情は、いったいなにに根ざすのかと。堀田善衛は、あの静寂のきわみの画家スルバランについて、テオフィル・ゴーティエが書いた詩を訳出したことがあった。

汝ら、如何なる罪を償わんとて、かくも大いなる悔いを抱くものなるや?

僕は、堀田善衛が罪をおかしたとは露おもわず、またこの大いなる悔いにふさわしいほどの罪が、権力と無関係なひとりの人間によって、犯されうるとも考えぬが、堀田善衛の、つねに乱世を横切って旅しているような、いわば今日的に「出家」したようですらある生きかたの根底に、なぜかくも大いなる悔いを抱くものなるや、という嘆声を発せしめるようなものがあるという発想に、心をかすめすぎられるのを感じたのである。それは「末世」にこそ生きる者の、現実感覚とでもいうものではないかと思える。堀田善衛は、ほかならぬ「末世」についてこういっていた。

《二ヵ月という日時の涯に、また四万二千三百余の屍の数を数えての涯に、隆暁法印が何を見るに到ったかは、もちろん長明も書いていない。けれども隆暁法印がついに到達したものの、そのほとんどのところまでは、同じく現場に立ちあっていた長明にもわかっていた筈だと私は思うものだ。それは人間というものの壊れやすさ、はかなさなどというものを、ここでもとうの昔に通り越していて、言葉にはならぬていのものでなければならぬであろうし、もし言葉にしてそれを言うとすれば、生者の生命そのものに直かにかかわった場所での、末世、というものであったであろう。量が質を変じて与えたものは、世の中の全体の質が変じて末世というものになったという認識であったろう。

そうしておそらく、この末世認識は、それが認識、あるいは認識の萌芽である限り、情非情を突き抜けた、ある不気味なものを、いわば黙示録的なものを内実としていなければならないであろう。》

堀田善衛は、この「末世」の認識こそを強くいだいて生きるがゆえに、およそひとりの個人が生涯で遭遇する危険の、ありとあるものをひっくるめにして、なおそれに輪をかけたようなもののなかへ、あたかも大いなる悔いを抱くもののように、入って行ったのではないであろうか？　そしてその「末世」の認識が、新しい日本の可能性の日々薄くなりつつ、しかも大いなる破滅にむかうことのあきらかな、東京大空襲後の現実にあらためてあいかさなる時、すでにのべた大きな絶望感こそが、大いなる悔いの実質をなすにいたるといっても、あながち牽強付会ではないであろう。それはいわば、天皇制無責任体系のもとの、日本の歴史総体の、大いなる悔いとすらいいうるかもしれない。それを、あるいは権力のがわの責任をとるべきこと、あるいは民衆全体がひっかぶらねばならぬこととして、他人ごとにつきはなさず、知識人たる自分自身のものとして、深部の傷のようにひきうける人間が、実在するのである。そこからあらためて、「絶望的な蛮勇気」について考え、あらゆる人間の声にたいして、ひるむことなくイエスというような人格を、思いうかべなければならぬ。ほかならぬ中国のそのような時期を背景にして、堀田善衛が書いた小説の、美しい終結部は次の一節をふくんでいた。

《陳秋瑾が口をひらいた。

「Do you……me ?」

乾いたかすれ声であった。Do you のつぎにどんな動詞を使ったのか伊能には聞きとれなかったが、彼ははっきり、

「Yes, I do.」
と答えた。それまで彼はどうどうたる運命のような水の音や、曠野を吹きぬけてゆく風の音がまきおこす黒々とした不安にたいして、ノオ、ノオ、ノオと心で叫んでいたのだ。そこへ秋瑾が何かたずねたので、だれであれ人間のことばならたとえいかなることにでもイエスと叫びたい気持になったのであった。》

僕は、堀田善衛が現実にも、アジア・アフリカの作家たちとの深いつきあいにおいて、また様ざまな国の、いかなる意味あいでもスターリン主義の残り滓をうけつけぬ人々にたいして、危険をひっかぶるようにしながら、ありとある人間のことばに対してイエスと叫ぼうとする、いや叫んでしまった瞬間がしばしばあるのを、見てきたように思う。それは廻船問屋を指揮する者として、数多くの船員たちの生命に責任をとりつつ生きてきた家系の、いわば noblesse oblige にかかわる資質かも知れぬのではあるが、同時に堀田善衛もまた、ほかならぬデモクラットであることが忘れられてはならぬであろう。

天皇制にたいする態度のきめかた、位置のとりかた、戦略、それらは戦後文学者たちのひとりひとりにおいて、いかにも多様である。しかし天皇制への眼くばりに欠けている戦後文学者というものは、それを見出すことができない。いわゆる戦後文学以後の日本の文学者たち、文学読者たちは、それをいくたび繰りかえし考えても、考えすぎるということはありえぬであろう。天皇制は戦後文学の読者たちを、すべての作家たちの、核心にちかいところで串刺しにする、熱い輻《や》のようである。

戦後文学者たちを共通に刺しつらぬくモティーフは、おおくその熱い輻につながっており、あるいはその輻を、すべての日本人の歴史において、体あたりするようにして、うちくだき折りとろうとするところのものにつらなっている。親鸞的主題がその典型であろう。われわれはいま野間宏があらためて、『教行信証』に、言葉のまさにただしい意味あいにおいて、肉迫しつつあることを知っている。乱世の上海を、武田泰淳と堀田善衛は、いわば肩を接するようにして、わずかにことなった方角を向きながら、同時に経験した。いま堀田善衛は野間宏とともに、親鸞の乱世とそれへの対し方の真の意味を、同時に経験しようとしている。堀田善衛は、かれ自身の「経験」として長明をかたったあと、かれがこれから「経験」しようとする、しなければならぬと意志しているものについて、決意をのべるように、およそ回避しがたい親鸞という人間の名を発するのである。《私には、この時代について、及びこの時代の「世」について考えるとき、二人の、二つの極に立つ人の姿が見ている。長明が一方の極にある人として、さらにもう一方の極にある人としては、身みずから、罰せられて「世」に出て衆生救済そのものと化した人としての親鸞が見えている。》

長明の対極にある親鸞ということの、すなわち中心軸に天皇制をおき、ふたつの極に激しい運動をあたえるようにして、それらを見つめている堀田善衛の考えかたの原型は、かれ自身の文章によってすでにくっきりと示されている。

《私は大空襲の期間中に、とくに一九四五年三月十日の東京大空襲のあとに、ああいう大災殃についての自分の考え、うけとり方のようなものが、感性の上のこととしてはついに長明流のそれを出ないことを口惜しく思ったものであったが、そのことと、そういう人災、大災殃を招いた責任者を人民が処刑する、あるいはリコールをする政治的自由、思想的自由のない長い長い歴史とは並び立つものであろうと思う。私は長明氏の心事を理解し、彼の身のそばに添ってみようとしてこれを書いているのだが、同時に私は長明の否定者でもありたいと思っているのである。けれども、この現代においてすら、彼の死後七百五十年以上もへた現代においてすら、長明の否定者であるためには、われわれの全歴史の否定者でもあらねばならぬという至難の条件がともなっているのである。そういう万貫の盤石を持ち上げて歴史の根石《ねいし》もろともに投げ捨てるにひとしい強力な否定者というものも、「主上臣下、法にそむき義に違し、いかりをなしうらみをむすぶ。」と叩きつけるように言った親鸞以外には、なかなかに見出しがたいのである。》

再び、上海へ出発してゆこうとする堀田善衛青年に戻るのであるが、いうまでもなくかれは一箇の芸術青年であった。そしてかれのいま直視せざるをえぬ芸術は、日本人にもっとも深く根ざした芸術は、天皇制の無責任体系こそを守護するものであり、時代の悲惨は、それこそあずかりしらぬところの、奇怪な「芸」と美学の空中楼閣なのであった。本歌取り的な芸術の世界は、定家の時代のものにすぎぬと、それは数百年もまえに過ぎさったと、いま誰がいえよう？　いまなお天皇制は確固としており、ものみな焼尽した戦禍のなかで、その唯一無二の確固さをあかしだてているのが、ほかならぬ犠牲となった日本人民衆ではないか？　日本の芸術家は、本歌取りの「芸」こそうしなったが、朝廷と権力への隠微な自己保全と、パトロン探しの本能はうしなっていない。将来にわたってもそれはそのとおりであろう。芸術にかかわってすら、新たなる日本は、夢のまた夢である。大岡昇平は一兵士としてミンドロ島に戦い、すべての兵士たちの、大本営無責任体系への厖大な怒りをわけもちつつ、かれひとりの死に面とむかっていた。堀田善衛は、銃をにぎっているのでもなく、敵の銃弾にさらされているのでもまたないのであったが、かれはやはり、同一の無責任体系に根底において一撃されて、ほとんど大いなる悔いを抱くもののように、芸術青年たるかれ自身を、自覚していたであろう。かれの大いなる悔いを、内部に自発するエネルギーとしてとらえなおせば、それはかれが、長明に見てとったところの「無常感」でもまたあったであろう。その「無常感」とは、現実の権力による政治を見きわめ、悲惨な民衆の経験に、全体としてうかびあがってくる歴史をも見つめ、それらすべてを、一箇のかれ自身のうちにひきうける態度にほかならぬ。そしてそれは、ことの結合のしかたのダイナミズムにおいて、本質的にその態度の持主を歩き出させずにはおかないエネルギーでもまたあるであろう。芸術青年は、かれの胚胎した「無常感」に、それこそ大いなる悔いを抱くようにして、どこへ向って歩き出すか？かれはみずからを流罪するように、敗戦が目前に見えている上海へと向うのである。

《そうして、今様に言えば民衆のなかに入って行く。すなわち、親鸞は流罪に処せられる。人は流罪に処せられてはじめて民衆を知るのである。言っておきたいのだが、この流罪ということと民衆を知るということとは直通したことである。論理が少々飛躍をすると見えるかもしれないけれども、ものを考えることを業《ぎょう》、あるいは業《ごう》とするほどにも思い上った者が、罰せられずして民衆を知ったりすることが出来るわけがない。》

　いま堀田善衛が、長明の世界にかさねるようにして、かれの敗戦直前の経験をかたりおえて、つぎに向わざるをえないのが、親鸞の想像力と行動そのものの領域であることは、ますますくっきりと見えてくる。

《……長明がかくれた日野山の、そのすぐのふもとに親鸞が生れたとは、何たる縁というものであろうか。

長明かくれて親鸞出づ。》とは、かれ自身こそをはげますための言葉として、書きつけられたものではないのか？　堀田善衛は、いまやもっとも乗りこえがたい危険が、かれの内部から自発しすらもするやもしれぬ、この仕事にむけて、ついに歩み出さざるをえないことであろう。われわれの、天皇制無責任体系による歴史のすべてにたいする、全否定者。臣下のすべてを否定し、すべての主上を否定する人間を、あらためて今日の現実の上に経験しなおそうとする者が、あらゆる人間の声にたいしてイエスといおうと決意する者を描いた作家であることは、意味深いにちがいない。

われわれの同時代に、民衆が声をあげて《我が身は罪業重くして、終《つい》には泥犁《ないり》(地獄)に入りなんず、入りぬべし》と歌っているわけではないが、まさに声のない叫び声のように、「末法」の感覚を、身うちに充満させている民衆の数は、いまやまことに厖大である。

堀田善衛は、かれの想像力に、親鸞をその全体においてよみがえらせ、あたかもわれわれの時代が、親鸞をこぞって経験するにいたったのだとでもいうような感覚をわれわれにあたえる仕事こそを、おこなわねばならぬだろう。そしてかれはそれをおこなうだろう。ともあれ、われわれはここで、堀田善衛の、あの悠揚せまらぬ声音によって、

Yes, I do. という決意の言葉を聞かねばならぬ。

『平家物語』から、もし戦後文学者たちのうち、誰がその言葉を発しても、かれらにまったくふさわしい一行をえらび、とくにその戦後文学者たちのなかでも、誰がもっともこの言葉をのべるに似つかわしいかを、あえて選ぶとすれば、やはり堀田善衛がそれであろう、血なまぐさい海の戦場における、

見るべき程の事は見つ、

という言葉を手がかりにするならば、ことが平家一門

の最後に限定されず、一時代の全民衆の経験の認識へと、当然にひろがるものとして、まことに見るべき程の事は見つ、とあらためて堀田善衛がいいきる日は、かれがついに親鸞の真実を書き終えることによって、長明に発したもののすべてを完結させる日であろうから。

木下順二・ドラマティックな人間

見るべき程の事は見つ。戦後を代表する悲劇作家は、知盛が自害するまえに、この世界にむけて挨拶するように発した言葉を核心にすえて、『平家物語』による群読の舞台を創造した。《「見るべき程の事は見つ」――知盛はここで何を見たというのであろうか。戦いと変転と動乱との、長く、また短かった内乱の歴史、そこに繰り拡げられた人間たちの一切の浮沈であり、人間たちの演じた一切の悲劇と喜劇であり、しかもそれらを通して厳として存在する運命の支配であった。そしてまた、その運命を敢えて回避しようとしなかった自分自身の姿を、そこに見たという意味でもあったであろう。――「見るべき程の事は見つ」――知盛がここで見たというその内容が、ほかならぬ『平家物語』の語ろうとした全体であったが故に、この短い知盛の言葉は、『平家物語』の中で、恐らく千鈞の重みを持つのである。》

かれは、ほかならぬ新中納言知盛に、真にドラマティックな人間を見出したのであった。ドラマティックな人間、劇の登場人物であるべく、必要かつ十分な条件を持っている人間、とはどのような人間であるか？

《知盛は、知盛もまた運命のいかんともすべからざることをどういうわけか十分に知りながら、にもかかわらず、あるいはもっと正確にいうならば、だからこそ生に執着し、平家滅亡のぎりぎりまで縦横無尽に、平べったく静止的な重盛の像とはまさに対照的に生き生きと、言葉の正しい意味においてドラマティックに躍動しているのである。運命という決定的な枠に縛られ、もう一度いうが、にもかかわらずではなく、だからこそ知盛が躍動的であることを最もよく証明しているくだりは、再びあの壇の浦で、最期に近い知盛がまさに知盛らしい行為をする個所だろう。多数の敵がこっちの船に乗り移り、味方は大分船底に倒れ伏して船の進路も立て直せなくなった時、知盛は小船に乗って幼帝のいる船へ行き、「世のなかいまはかうと見えて候。見ぐるしからん物どもみな海へいれさせ給へ」といいながら、「ともへ(艫と舳と)にはしりまはり、はいたりのごうたり、塵ひろひ、手づから掃除」してまわる。そしてただおろおろとしている女房たちが「いくさはいかにやいかに」と口々に騒ぐのへ、おっつけ「めづらしき東男こそ御らんぜられ候はんずらめ」といってからからと笑う。……それから知盛は、さきに挙げた、「あまり罪つくりはしないがよい」という使者を能登守教経にたてることがあり、やがて鎧《よろい》を二領

着こんで、「見るべき程の事は見つ、いまは自害せん」といって海にはいるのである。》
ここに、知盛の生きよう、死にざまをかりて表現される、この劇作家の「運命」にたいする考え方、ドラマティックなものの把握の仕方は、それ自体が、これから僕の展開してゆこうとする考察の基盤をなしているのであるが、そのまえに、僕はもういちど、知盛の最後の言葉に耳をすませたいのである。見るべき程の事は見つ。この挨拶は、沈黙した神にむけてのように も、いかにも静かに穏やかに発せられたのではなかったであろうか？　それゆえにこそ正統派の学者は、知盛はなにを見たか、平家一門の最後を見とどけたのであると、愛想もこそもない注釈をくわえるのみだったのではないであろうか？　僕はその静かさ、穏やかさ、ついには「運命」のまえにまっすぐ立って死を選ぶ人間の静穏、ほかならぬそれにこそ自然につらなってゆく鎮魂の音楽として、次の言葉を読みとることをしたいと思うのである。頃は三月二十四日のことなれば、海路遙かにかすみわたる。ただ大方の春だにも、暮れ行く空はものうきに、いわんや今日を限りのことなれば、哀れをもよおすばかりなり。……

劇作をはじめたばかりの若いシェクスピア学者、木下順二が、敗戦という「運命」にどう対したか、いや戦争という「運命」をどう耐えぬいたかにも、すでにそれと同質の静穏が、いわば自然な気質そのもののようにも、確実に獲得されたスタイルとして、実在していたのではなかったろうか？　かれはバターン半島の戦闘に生き残ったのでもなく、ミンドロ島の俘虜になったのでもなく、ひしひしと厖大な民衆としての敵に包囲されつつ、上海にとどまっていたのでもなく、それこそ静かに、穏やかに敗戦を見つめていたのであった。

《……現役入営（実は仮病が成功して入営せずにすんだ）の前夜に書きあげた『風浪』の原型を新築地で上演したいと岡倉士朗がいってくれ、これが実現していたらその後——というのは戦後を含めて——の私には少し違った状況が訪れていたかと思うのだが、しかしこの上演は実現せず、つまり、なんにもしないままに私は敗戦を迎えた。……たしか松屋の中へはいって、弾痕がいっぱいある日本の戦闘機のかざってあるかたわらに立って天皇の放送なるものを聞いたのだが、声が割れてひびいて、ことばはほとんど全く聞きとれなかった。私にはことがらの意味をそのとき明確にキャッチするということができなかった。「戦争が終ったらしい」ということばを私は口に出したように記憶するが、同じ放送を聞きながら瞬間さっと事態が分かって愕然として泣いたあるいは狂喜したというような他人の文章をその後読むたびに、私はあの時の自分のもどかしさを思い出してもどかしくなった。より正確にいえば、そういう文章を読むたびにあのもどかしさを思い出して現在の自分がもどかしくなるというような気持を、敗戦以来のこの二十年間に何度も何度も私は味わってきた、ということになる。

……「何かをどうにかしようなどと考える代りに、とにかく……守勢的姿勢を続けて」いたという戦争中の私の姿勢が、あの時のあの割れひびいた声の意味を瞬間的に明確に私にキャッチさせなかったし、やがてことがらの意味が明確に分かってからも、さっと前途が明るくひらけたというような感覚を私に持たせなかった、ということとなのだろう。》

何かをどうにかしようなどと考える代りに、とにかく……守勢的姿勢を続けて、というふうに、ここでもまたいかにも静穏のスタイルで、木下順二は言葉すくなにかれ自身を語る。劇作家という職種の人間は、そもそも声を大きくして語るほかには仕事のしようのない俳優の背後に立って、沈黙している人間であるゆえに、かくも静穏な声を発するのであろうか、などというと冗談めくが、しかしかれは声を発すべき俳優にたいして、つねに教育的な役割をも実行しなければならぬゆえに、かれの発する静穏の声は、実践的に明確な、核心のみを提示するスタイルをそなえてもまたいるのである。さきの、守勢的姿勢を続けて、ということの意味あいの全体を、木下順二は、『オットーと呼ばれる日本人』を上演するはずの俳優のいちいちに、また観客たるべきわれわれのいちいちに、およそ嚙んでふくめるような声音で、次のように réaliser していた。

《戦争中、日本全体が戦争体制にはいってしまった。戦争をくいとめようとするのに、いろいろな方法があり得ただろう。その一つとしては、はっきり抵抗運動をやって政府側につかまって、そして狭い部屋に入れられてそこに十数年坐っている。絶対に協力しないということで、坐っている。それは、一つのシンボルとして大きな意味を持つと思うのですけれども、事実非常に少数のそういう人がいたわけです。

けれども、抵抗しながらそういう態度をとらなかった人もあった。

一つには黙っているということがあります。しかし黙っているのは、抵抗でないとはいえないが抵抗であるともはっきりはいえない。

すると、何か発言する。発言して、しかしそれが権力と牴触しない。あるいは牴触のすれすれで発言することによって抵抗しようとする。その論理をおしつめて行くと、発言権が大きくなればなるほど、権力側の意見とか当時の社会状況と妥協する部分が大きくなっていくということだろう。事実、そのことで誤りを犯した人がたくさんあったと思うのです。単純にはいえないけれども、そういう人があると思われる。おれがいま黙っちゃうことは意味がない、だから発言するんだ。その発言のなかで言葉の裏に意味をこめるとか、ああだこうだといろんな苦労をしながら発言することによって、発言を封じられないという姿勢において抵抗していくのだというつもりのわけです。しかし、発言権が大きくなればなるほどだんだん妥協して行って、戦後、あとになってからおれはそう思ってなかった、本心は抵抗していたんだけれどもああいういい方をしたんだというのが一種の弁解になってしまわざるを得ないという、そういうケースというのはずいぶん多かったわけです。

そういう中で、発言を大きくしながら、しかし境界線を越えないか、またその境界線を越えてしまって発言しながらしかし抵抗していくという姿勢が、はたしてあり得たかどうか。

理論的にはあり得ない。発言権が大きくなればなるほど抵抗の力が減っていく理屈なんだけれども、しかしそこで単に流されるのではなくて、さまざまな苦労をしてそれが実際に効力をどれだけか発揮した人もあったはずだと思う。いずれにせよしかし、発言権が強まれば強まるほど発言する目的の効果が少なく小さくなっていくという関係があったわけで、そのような関係の中で苦闘した人々があったわけで、そしてそこのところで問題をドラマとしてとらえることはできないか。そういう一つの視点で現代をとらえてみようとした。》

このような木下順二の静穏のスタイルを、本質的なかれの同時代者たる丸山真男は、《木下君の内的なまた持続的な問題意識》として、次のようにとらえた。

《……戦争直後の知識人の歴史観っていうのは、……

これでわれわれの時代が来た、これからわれわれが歴史をつくって行くんだという非常に明るいいわば啓蒙的な歴史観を持ってたわけだろう。そういう時、木下君はどういうわけだか、非常に暗い、戦争中にまさにわれわれが実感して、実にピンと来る歴史的現実と個人の矛盾というか、そういうものをその(四八年の)時点で再現してる。》

どういうわけだか、いい、内的にまた持続的に持ちつづけられる問題意識。いまそれを検証しようとすれば、すなわち木下順二のもっとも新しい戯曲である、『神と人とのあいだ』にむかってゆくことが妥当であるにちがいない。いいかえることによってより自然に、僕の感じとりかたを表白すれば、いまわれわれは喜びとともに、木下順二の新しい戯曲にむけて集中することができる……

舞台の幕がひらかれるまえに、幾たびも、無用の介入がおこなわれるかたちになるのではあるが、僕は『神と人とのあいだ』の第一幕の開演前に、僕自身のひとつの経験を、隣りの座席に坐って薄暗がりのうちに舞台を眺めつつ、待ちうけている友人に話しかけるように、語っておきたい。すなわち僕は、敗戦時に山村の少年であった自分が、どのように生涯ではじめての外国語たる英語、より正確には米語を体験したかを、突然その思い出が濃密によみがえってくる昂揚感をあじわいつつ、こういうふうに話しかけたいと思うのである。

——あなたの生涯で、現に生きた人間の声によってしゃべられる外国語が、はじめてあらわれたのはどういうふうにだったか覚えていますか? 僕はいま、くっきりとそれを思い出すことに、自分でも驚くほどなんですが、それはまず、hello という英語であって、ジープで僕の谷間にはいりこんできた進駐軍兵士がそう呼びかけ、僕らもまたそれに、おなじ言葉で答えさせられたのでした。もっともその最初のジープ以来、米軍兵士はたえて僕の山村にあらわれず、つづいて僕の耳を、ラジオから跳びだした拳でうつような具合に、繰りかえしひっとらえはじめたのが、極東国際軍事裁判の、求刑であるか判決であるか、ともかく異様に威圧的な声で宣告する、death by hanging という熟語だったんですよ。僕はいま、この『神と人とのあいだ、第一部審判』にむけて入ってゆこうとしているのか、あるいは他ならぬ僕自身の少年時が、あの幕のむこうに準備されているのかわからぬ、というような、奇妙に混乱した昂奮を感じているんです、どうしたわけだか……

　どうしたわけだかわからぬ、ということはいうまでもなく、実際のことではありえない。僕は木下順二が、敗戦後二十七年のあいだ、その静穏のスタイルにおいて内的に、また持続的にもちこたえてきた問題意識の結実に接しようとして、ぐいぐい全身をひきつけられる勢いで、ほかならぬ自分の敗戦直後に向っているのであるからである。そしてそのような自分に、色濃く重く、あのラジオからの death by hanging という熟語が、少年時の僕をとらえたままの意味の混沌をひめたまま、思いがけない強さでよみがえるのは、ほかならぬ木下順二の劇的な想像力に喚起されて、ということにちがいないのであるからである。それは一観客たる僕が、劇作家木下順二と、ひとつの舞台を接点として、まさに戦後という同時代を共有しているということのあかしでもまたあるであろう。

　ことのついでに引く、というにはまことに美しすぎる文章であるが、木下順二はかれの creation にかかわる、その想像力のありようについて、たちまち僕の

death by hanging 経験を照射する仕方で、こう書いたことがあった。《あの日は一番秋であったと、いま私は思う。……過ぎ去った秋の中の、どの日でもないあの晴れわたった一日が、私にとって明確に最も秋らしい秋であったと今の私に確かに感じられることが、私にとっては重要なのである。その日、私は最も秋らしい秋を、ぼんやりとしか意識していなかったから、従ってはっきり体験したということにはならない。つきつめていえば、そのような日は、私の過去の中には存在しなかった。そしてただ私の記憶の中だけに、漠然とした思い出というようなものとしてではなく、明確に、さわやかな秋としてその一日は存在している。記憶の中でのみ、私は何度でもそのさわやかな秋を体験することができる。すると、記憶の中でしか、できず、記憶の中でなら、できる、という、そういう体験をそういうふうに体験するという行為は、私のうちに、何ともいえずもどかしい、あやうげな、そしてそれゆえにひきつるような魅力をたたえて感覚とでもいうようなものを快く掻きたててくれる。と同時に、記憶の中だけにあるそういうものを、それに伴う感覚といっしょに、そのまま丸ごと、もっと確実に現在の自分のものにしたいという、一種やりきれない衝動が私のうちに起ってくる。つまり私は、過去の中にしかないあの体験を、creation として、現在形において新しくつくりだすという仕事にとりかからなければならなくなるのである。もしもあの秋の一日が、それだけの仕事に値いする内容を持つと私に考えられるならば。》

『神と人とのあいだ、第一部審判』の、ことの本質においてもっとも厳粛な構造をなす舞台は、その厳粛さゆえの含羞とでもいうべきであろうか、それが戦後文学者たちを横につらぬく強い共通の個性であることを、すでに繰りかえしのべたところのユーモア、しかも剛毅そのものの手ごたえのユーモアによって、ひと揺れしてから、非常な速力で進行しはじめる。そのユーモアの、この場面における着実な根のおろしかたというものは、すでにわれわれの同時代人たちが、実際にあの極東国際軍事法廷で、そういう奇妙なくいちがいがあったのだろうと、錯覚しはじめそうなほどのものである。

判事A　当国際軍事法廷は、本日から三日まえ、裁判長の厳粛なる開廷の辞によって開かれました。そして……罪状認否の手続にはいるところで、二つの事件が突然ことがらの速かな進行を妨げました。一つは被告の一人である大川周明の頭が、被告の一人である東条英機によって後ろからいきなり叩かれたという突発的事件。

言語モニターの声　言語モニター訂正します。東条英機の頭が大川周明によって突然後ろから叩かれた。付け加えます。ピシャリと叩かれた。以上。

さてもう一つの事件とは、日本人である首席弁護人が、裁判長に対する忌避を提起したことであった。この終始軍事法廷で展開する第一部の本質的な特性は、注意深く把握されねばならぬであろう。なぜなら、おそらくわが国の舞台にかってあらわれることのなかったであろう、特徴的な実在が(単に、人物が、というわけにはゆかない)、この舞台にしつらえられた法廷を埋めているのであるからである。すなわち、われわれが現に眼の前の舞台に見る裁判官、判事、検察官、弁護人たちは、いわばその舞台上においては眼に見えぬところのものの、代役、代理人の役を、それぞれに担っている、仮の登場人物であると感じられることが、まずはっきりと、あるのだからである。

これらの仮の登場人物たちは、いったいどのような「実在」を代理して、遠隔操縦される者のように、しかしそれぞれの人間的熱情にみちて動きまわるのか？　いうまでもなく、その真の「実在」とは「国家」である。しかし登場人物の頭に国旗でもたてて、あの男はあの国、この男はこの国というふうに、観客が置きかえ作業をおこなおうとすれば、この戯曲がやさしくまるごと消化しつくされるというのではない。そのような置きかえ作業など、いっさい木下順二は要請していないのである。そこでこの舞台に真の実在たる「国家」は、どのようにあらわれるか？　「国家」はまず、《大地の上に立ちながら、その大地の存在自体を疑わずにおられぬような、そういう立場に》自分たちが立っているとして、この軍事法廷そのものを根本的に疑う首席弁護人の、激しい、しかし強者たる裁判官には決して受けいれられることのない、異様な衝迫力を内攻させている抗議においてあらわれる。

《……最も根本的な問題は、当裁判所、当法廷は、平和に対する罪また人道に対する罪につき、被告たちをお裁きになる権利がない、その管轄権がないということであります。いうまでもなく当裁判所はかのポツダム宣言、昨年一九四五年七月二十六日、連合国がポツダムにおいて発せられたる降伏勧告の宣言をその根拠、根源といたしており、そしてこのポツダム宣言は、同じく昨年九月二日、東京湾内ミズリー艦上において、連合国と日本国とのあいだに調印せられましたる降伏文書によって確認受諾されたのである。ゆえに、ポツダム宣言の諸条項はわが日本を拘束するのみならず、ある意味においては連合国もまたその拘束を受けるはずである。――この点をまず御確認願っておきます。

……ここで考えられねばならぬのは、ポツダム宣言が発せられたのは一九四五年七月二十六日。昨年七月二十六日。昨年七月二十六日にこの宣言を発したところの国々すなわち連合国と、この宣言を受けたところの国すなわち日本とは、本日から約七ヵ月前のこの時この日において戦争犯罪とは何だと考えておったか。何を戦争犯罪と考えてこの宣言は発せられこの宣言は受諾せられたのであるか。その当時まで世界各国において知られておった戦争犯罪ということの意味は、いわゆる通例の戦争犯罪のみであります。すなわち交戦者が戦争の慣例や法規に対して違反した場合が一つ。次に非交戦者の戦争行為。次に掠奪。しかして間諜及び戦時反逆。と、この大体四つがその典型だとすれば、すなわち戦争を計画することやまた戦争自体を、平和に対する罪あるいは人道に対する罪として罰するということは、一九四五年七月当時の文明諸国共通の観念ではなかったのであります。

……事実は以上の如くであるとするなれば、いな、あるが故に、なるほど本法廷の〝裁判所条令〟に平和に対する罪、ないし人道に対する罪という明文はありますけれども、これらの文言は意味をなさない。つまり連合国にはかくの如き罪を起訴する権限はないのであるから、連合国から権限を委任された最高司令官は、最高司令官といえども、いな、最高司令官であるがゆえにその権限を持たないのであります。》

首席弁護人は、平和に対する罪、また人道に対する罪というところの、まさに根本的な罪について起訴する権限は、いま裁く側に立っているいかなる国にもない、ということをこのように論証して、しかも現にそこで裁いている国、裁かれている国の存在をくっきり照明し、「国家」を浮びあがらせるのである。

アメリカ人である弁護人も、またおなじ手つづきによって、「国家」に照明をあたえる。《……日本が侵犯した国際諸条約を列挙してあるそのうちの最も重要な一つであるケロッグ不戦条約。この重大な不戦条約はしばしば、多くの国々によって無視されてきました。……それを無視した国々のうち、日本だけが無視した事実を責められている、この法廷で現に責められているというその事実をわたくしは、いま問題にしているのです。……しかも今回の太平洋戦争、この戦争において勝利を得た国々のうち五大国家、当法廷に検察官を派遣している少なくとも五つの国家が、このケロッグ不戦条約に違反してしかもその違反を責められていないということをわれわれ弁護側が示すことができるならば裁判長、第六の国家である日本もまた責められる必要はないはずだということを、わたくしはいいたいのであります。》

このように「国家」そのものに照明をあたえる、もっとも凶々《まが》しく巨大な光が、原爆から発せられるのであることはもちろんであろう。《われわれ弁護人の母国アメリカ合衆国がおこなった原子爆弾投下というその事実を、わたくしはいま問題にしているのです。日本がそれを犯したとして訴追されているヘイグ条約、その第四項の中の陸戦法規に、一定の種類の、つまりこういう型の武器の使用を禁じる条項があるそれに違反している以上、原子爆弾投下というこの行為は明白な戦争犯罪です。……そして戦争への共同謀議をおこなうことでヘイグ条約に違犯した日本が真珠湾攻撃を決行したその一九四一年に、わたくしの母国アメリカ合衆国もまた原子爆弾使用の計画を開始することによってヘイグ条約を犯していた……この問題を当法廷はどのように考えられるのか。二つの国が同様にヘイグ条約に違反しながら一方は訴追され一方がそれを訴追するのはどういうことかというディレンマにわたくしは——敢ていえば弁護側全体は——追い込まれざるを

得ないのであります。》

　まことに明瞭に、人間の根本の問題について、「国家」は「国家」を裁くことはできぬ。しかし、いいな、そうであるがゆえに、勝利をえた「国家」は、敗北した「国家」を裁く。そしてついには death by hanging という、僕の少年時に、ほとんど清朗にといってすらもいいほどの響きをもって鳴りわたった、あの声がいくたびも発せられることになるであろう。

　しかし、……じつは裁かれたのは「国家」ではなかったのである。吊されたのは、人間の首にほかならなかったのであるから。それが「国家」と人間との置きかえ作業など、木下順二は要請していない、とあらかじめいっておいたことの意味あいにほかならぬ。劇作家はいかにも周到に、人間の「個人」のモティーフを、この法廷劇の随所にちりばめておいた。もともと裁判長が忌避されようとしたのは、かれが単なる「国家」群の代表である以上に、かれみずからニューギニアにおける日本軍の残虐行為を調査した、「個人」であるゆえにであった。またヴィエトナム、ランソンにおける虐殺の検察側証人は、当のかれが戦時中、ヴィシー政府の側の人間であった事実を執拗にえぐり出される。

　そしてなによりもまず、われわれとともに観客席に並んでいると設定されている被告たちの、いかにも長い、しかもいちいちに「個人」の特徴がこまかに性格づけられている、罪状認否のシーンは、これらの「個人」たちこそが、ほかならぬ戦争犯罪の遂行者であるが、同時に、かれらは「国家」の犯す罪悪のあやつり人形にすぎぬ、ということをも強く印象づけるものなのである。そして当のかれら「個人」こそがその生命を、death by hanging によってうばいさられたのであることは、歴史においてわれわれがよく知っているところである。はたしてこれらのあやつり人形とともに、「国家」もまた罰せられたのだといいうるか?

敗戦後二十七年の経験とともに、被告たちと並んで観客席に坐っているわれわれに、昨日のランソンの虐殺は、おなじヴィエトナムの今日のソンミの虐殺とあいかさなる。原水爆は、その規模が拡大されこそすれ、その所有を戦争犯罪とみなす「国家」など、いまなおこの地球上に実在していない。「国家」と「国家」の激烈な衝突のさなかに、われわれ「個人」は、いつ全面的に虐殺されるかわからず、それよりもなお厄介なことに、いつ虐殺する者になるかもしれぬ。しかもつねに生命をかけてケリをつけるのは、人間の「個人」であり、世界が滅びるということにたちいたらぬかぎり、「国家」はそれを越える巨大なジレンマのうちに、しかしいつまでも確固としてありつづけるだろう。それがわれわれの今日の日常感覚である。原爆被災者の悲惨を訴える日本人弁護人の声など、この法廷でも、「国家」と「国家」が激突しあう轟々たる響きのうちにかき消えたのではあるが、新しく人間をおそうであろう悲惨は、しかもその「国家」の、結局はあやつり人形めいた「個人」たちが、ひきうけるほかにはないものなのである。

芝居の第一部が終る時、われわれは、いま閉じられたカーテンの向うをなんとかうかがい見るような思いで、こう考えることになるであろう。「国家」と「国家」のこのような存在の仕方そのものに、「個人」をあやつり人形さながら犯罪者とし犠牲者とするものがあり、いわばそれこそは「国家」の歴史であり、「個人」の運命であるとすれば、そして結局のところ血で勘定書をはらう者とては「個人」のほかにないとすれば、「個人」すなわち人間は、ついに「超越者」神をこそ、自分の展望のいちばんのどんづまりのところに想定して、どうもあいつは実在しそうだ、あいつが実在しなくては、この酷たらしいなにもかもが、このようにも酷たらしくこんぐらかるものじゃない、と思いはじめざるをえないだろうではないかと。そこで僕は幕間の時間をすごしつつ、隣の客席の友人に、こう話しかけたくなるであろうと思うのである。

――第一部に「神」という言葉は一語なりと出てきませんでしたが、僕はいま、そいつのことを意識から追いはらうことができません。いったいわれわれ人間は、現代のこのとっさきにおいて、そいつにどう立ち向う、向いようを、ひとりひとりの「個人」として獲得できるものなんでしょうか？

おそらく『神と人とのあいだ、第二部夏・南方のローマンス』が開幕されるにあたっての、観客席の想像力の方向づけは、僕のみならず誰にとっても右のようであろう。すくなくとも僕はこの方向づけのむかうところから、自分をひき剝がすことができない。その僕にまったく差し向いで顔をつきあわせて、相談に乗ってくれそうな女漫才師トボ助があらわれると、舞台はすでに深い奥行きとひろがりにわたって進行しているのである。

トボ助は女漫才師であるが、いや、後述するように、それゆえに、悲劇というものの核心を躰のうちに叩きこんでいる人間である。それはもっと一般化してドラマの核心を、といってすらもいいであろうと思う。木下順二が、《ぼくの信じるドラマ概念は、自己否定というものを含んでいなければならない。自分が正しいと思うものを追求して行く行為が、結果としては自分を否定する行為でしかないということを発見する、それがドラマだとぼくは信じているんです。》と必要かつ十分にいう。それと同じことを、トボ助は女漫才師らしく、次のようにくだけた饒舌さでのべるのだが、彼女自身そのようなドラマを、自分の躰のなかに実在させているのでもある。舞台がはじまった時すでに、彼女の情人は、「国家」にひきずり出されて南方の戦場におもむき、そしてすべてを、かれ「個人」の生命でつぐなわねばならぬ戦犯として、それこそ death by hanging を眼のまえに見すえているのであるが、かれには正規に結婚した妻子もまたいるのであった。

《神さまか。神さまは面白いだろうな、高いとこからあたいなんかを眺めていると。だってさ、あたいはあの人が、何が何でも死刑にだけはならないで帰ってきてほしいと思ってるだろ？　そいで神さまがひょいとそれじゃあってんであの人を返してくれたとするだろ？　そうすると――あの人はあたいと他人になるために帰って来ることになるんだ。分る？　あの人が手の届かないとこにいるから、あたいはいくらでもあの人と話ができるんだよ。あの人がもし帰って来たら、もうあの人はよその旦那さまさ。でもあたいは、何としてでも帰って来てほしいって願ってる。あたいが何よりも願ってないことが、何よりも願ってることの中にあるんだよ。どうしたらいいの？　――こんな性分でさえなけりゃどうにでも気楽に考えたりしたりできるだろうけどさ。性分ばかりは一たんこうできちゃったら神さままでも直しようがないもんらしいね。》

あの人、鹿野原もまた、もっとも本質的にドラマティックな人間たるべく、精密に作りあげられた人物である。「国家」によって南方の戦場にひきずり出され、「国家」悪の、小さな現場での「実行者」たるべく強制されて、かれはその南方の島の収容所に閉じこめられることになったのであるが、かつてかれは「国家」の強制するところに可能なかぎり抵抗して、現住民とのあいだに「言葉」を発掘しすらもした人間であった。しかしその「言葉」ゆえに、かれは現住民への拷問の通訳として立ちあわねばならぬ。そしてB級戦犯たらざるをえぬ「運命」にとっつかまりながら、かれはその「運命」の、全体を展望する眼をもまたうしなわぬのである。

男A　何も思わせぶりすること、ねえじゃねえか、さっきから。ただ、何だよ？

鹿野原　いや――この――〃罪〃という問題を考えてたんだ。

男A　罪？　罪って、罪があるからおれたちつかまっちまった。そうじゃねえのか？

鹿野原　お前こそばかだな。こっちでそうきめてかかる奴があるか。つかまえたほうがつかまったほうより偉いときめこんじまうのが日本人のいけないとこだ。卑屈な根性だ。

男A　なるほど。テキさんだってうんと悪いことやってるに違えねえ。

鹿野原　だから同格さ。けどテキさんは、今や自分を神さまだと思いこんじまってる。

男A　なるほど。

鹿野原　けど、こっちが勝ってたらおれたちも自分を神さまだと思いこんじまうにきまってる。

男A　はあ――

鹿野原　そこンとこなんだろうな、〃罪〃っていう問題は。

《絞首刑――絞首刑――テキさんにすれば誰だっていいんだ犯人は。犯人さえいれば。――しかしそのテキさんの論理はこっちにも当てはまる。――それに――おれ自身は何もしなかった。――しかしどうしてもやらなきゃならん状況の中に置かれたとき、おれが絶対に罪を犯さないという保証はどこにもない。――

そうじゃないのか？　――え？　――そうじゃないのか？　――絞首刑――絞首刑――それをしかし、自分から選んだ自殺の手段だと考える。――主体的にこちらから選んだ自殺の手段。――そう考えるのが一番納得が行く。――今のおれには納得が行く。――そうじゃないのか？　――え？》この独白はまた、さきの展望によりそうようにして、鹿野原の内部に確固として芽ばえてきているものである。

いうまでもなく、かれがこのように独白したからといって、かれはついに主体的な自殺を選びとることをねがったのだと、気ぜわしく全体を単純化することはできぬ。ついに絞首刑たる自分の運命がきまった後、かれは執拗に助命嘆願の訴えをおこないうし、結局は自分自身にその「罪」と死を納得させるためにも、永い時を要するのだから。木下順二はここでもやはり周到に、その種の短絡をあらかじめ拒んでいる。

それでは、この鹿野原が、島の現住民への残虐行為の「実行者」を、なにがなんでもひとり指さされねばならぬ、という段階にいたって、むしろかれの愛していた島の少年こそを（その少年にはいったいどのような意味づけにおいて指さすのか教えぬままに）、誰かひとりの日本兵を指ささせる役割にと、法廷で起用するのはなぜか？　この「弁護側証人」によって、ほかならぬ鹿野原は、ただひとりの少年の友人として、おおいにありうべきことにも、まことにそのとおりに、ついに指さされ、絞首刑のどんづまりへとつき出される結果になるのであるが、そのような神のまちがいともいうべき「運命」こそを、鹿野原がみずから準備するようであるのはなぜか？

かれは「国家」によって、あらがいがたい「運命」によって、残虐行為の現場へみちびかれた。実際にはかれは「国家」悪の「実行者」たることをまぬがれたのであるが、一歩まちがえば、当の「実行者」であったかもしれぬのである。しかもこの島で、現実に「罪」はおかされた。ところでたとえその「罪」をかれがおかしたのであっても、いやあれは「国家」が強制したのだと、「罪」から責任回避することはできるのである。しかし、いいや、それゆえにこそ、自分がおかしえたかも知れぬ「罪」について、「国家」に責任転嫁することなく、「個人」としてそのすべてを、具体的にはおかさなかった自分にひきうけることもできる。そこで鹿野原は、それまでかれを、「運命」そのもののように縛っていた「国家」のくびきから、ついに自由になる契機をつかんだのである。かれは第一部のA級戦犯の裁判において、あらゆる「国家」群が、裁くことも裁かれることもできなかったところの、根源的な「罪」そのもののまえに、逆にひとりの人間の自由を行使して進み出るのである。なにもわからぬ少年が、ただ指さす。その少年の指を、神の指とみなす者も、そうでない者も観客席にはいるだろう。しかしそれは、すくなくとも鹿野原という人間の、決定を超えた者の指であり、しかもこの超越者の指をそこに要請したのは、ほかならぬ鹿野原という人間の自由な選択である。そして指はかれをまっすぐに指さし、かれは《奇妙な気がした、けれど不思議に安心したような気持がした》のを感じる。具体的に嘘をついた超越者の指にたいして……

歴史のなかの人間が、あくまでも「超越者」の意志にあやつられている者であるならば、かれがついに「超越者」の力の外に出られぬのではあるにしても、その卑小なかれの、しかし自由な意志によって、かれ自身の自己否定にすらもいたりかねぬ、選択をあえておこなうのは、かれに可能な唯一の「超越者」への挑戦、すくなくとも「超越者」と、かれが面とむかいあう行為である。そこには、ほかならぬ悲劇がかもしだされずにはいないし、その悲劇は、具体的に人間を救いはしない。しかし悲劇は人間を決して救わぬかわりに、むしろそれゆえにこそ、かれをあやつり人形でない、自由な人間の自発する光のうちにおくのである。見るべき程の事は見つ、という静穏の叫び声こそは、「超越者」の、あるいは歴史の、あやつり人形からついに脱した、自由な人間の最後の言葉だろうではないか?

南の島で、すでに絞首刑がおこなわれてしまったことを知ったトボ助は、《けどね、あたいにだってこのことだけははっきりと分ったよ。あの人は自分のほうから出て行って命芸をやったんだ。ありゃさこりゃさの命芸。誰かみたいに逃げながらじゃなく自分のほうから出て行って、本当に自分の命をかけた命芸をね。人間の、何ていったらいいかあたいなんかにゃわからないけど、一番大切なものを試すためにね。一番大事なものを守るためにね。分る?》という認識をうちにひめて、その死者の思い出とともに、《神さまに突っかかって行ってやる》決意をこめて、出番のせまった高座にむけて、夕闇のなかを去って行った……

本郷の古い町並の奥に、学者と学生の部屋をつきまぜた質実さの応接間に、照れくさがるようにして、しかし伸びやかに坐っていた、あの乗馬運動によって陽灼けしつつ、しかも書斎の憂鬱の晴れきっているのではない表情の、ベージュのトックリ・ジャケツの劇作家を、女漫才師になぞらえるのは突拍子もないことではあろうが、《ドラマというものは本来作者と超越者との対峙の生みだす緊張を劇中人物の基礎とするものだ》と木下順二のいう、その超越者との対峙の生みだす緊張を、いかにもひらったく、しかし本質においてはまぎれもなく、寄席に表現している女漫才師は、そのような人間が現に生きて語っているものとして、すでに僕にとって忘却しえぬ実在である。

椎名麟三・懲役人の自由

神さまに突っかかって行ってやる。時代そのものが、総体において神から大きい距離をへだてた場所にあるために、とくに個人として、神からの引力を感じとっている者も、そうでない大多数者も、おおざっぱな眼には、おなじ力学の運動法則において生きているように見える。七〇年代のわが国において、青春を生きるすべての人間の意識に、いわゆる連合赤軍の事件は、くっきりした影をおとした。光源が色あせたのちも、影の痕は、いつまでも深い陽灼けのように消えずに残るだろう。われわれの時代はアウシュヴィッツを通過したのだ、という大岡昇平の言葉に、たとえこれがまことに小さなアウシュヴィッツであるとしても、日本人の、とくに青春にある者の想像力において、それは、かさねあわせられることにすらもなるであろう。事実もっとも惨めに死んだ者も、人間であるがゆえに記憶されるべきであるとしたら、そうならねばならぬであろう。

戦後文学者たちの青春にも、不明瞭な霧のむこうの事実、しかもあきらかな素材は官憲のがわから提供されたのみという、今日のマス・コミュニケイション時代の連合赤軍事件をおもわせるところもないではない、いわゆる「共産党内部のリンチ事件」が、まことに強い影をおとし、それは多くの左派知識人の心において、いわば昭和期の全体を覆っている。武田泰淳がやがて完成するであろう『快楽』は、戦争と戦後をへだてて、なおその主題につらなるものをかかえこんだ作品となるであろうし、埴谷雄高は《はじめて会ったばかりの平野謙と私が熱心に話しあったのは、真相の十分に明らかでない共産党内部のリンチ事件であり、そして『悪霊』のピョートル・ヴェルホーヴェンスキイのモデルであるネチャーエフの人間像についてなのであった。》と回想している。

いまこのリンチ事件、あるいは異常体質によるショック死事件を、かれらとともにふりかえって、もっとも重要に思われるのは、むしろ現実的契機よりも、『悪霊』のドストエフスキー的本質・全体性にそれをつきあわせることによって、事実性はあいまいなまま提示されたものを、やがて戦後文学者となるべき若者たちが、いかに深く大きい実体へと受けとめ高めていったか、ということであろう。同じ役割を『悪霊』はいま、いわゆる連合赤軍の件について、数多くの七〇年代の若者たちにはたすだろう。まことに人類がドストエフスキーを経験した、という事実は、それとくらべうる事件を、近代・現代ではほかに発見しえぬほどに、それ自体において本質的であり、全体的である。

人類がドストエフスキーを経験した、そして個人がひとりの人類として、次つぎに新しくドストエフスキーを経験する。なかでも戦後文学をあらためて見つめなおそうとする者の眼に、数多くのドストエフスキー経験者たちのうち、さらに独自の光芒を、あるいは暗い翳りを、見まがいがたくおびている人物は、次のようにかれ自身をかたる椎名麟三であるにちがいない。

われわれは様ざまな意味深いめぐりあいをもつ。《しかし「出会い」というものはそれよりもやはりふかい。というのは、その人に会うことによって、いままで自分のもっていた思想や考えを失なわされてしまうということがあるからであり、しかもいままでとちがった光で、この世界が見えるだけでなく、当然いままでの生き方さえくるりと変えられてしまって、その人の生涯を決定させられてしまうことであるからであります。

私にとっては、ドストエフスキーというロシアの作家は、そういう人間だったということができると思います。……

私は、それまで小説というものを、ほとんど読んではおりませんでした。私は、十四歳のとき、両親の不和から、父にも母にもつくことができなくなって家出している、いわば家出少年のまま現在までにいたっているというわけで、長男でありながら、戸籍法の盲点を利用して戸籍さえ抜いています。まあ、そんなことはどうでもいいことですが、少年時代から人より以上の欲ばりであったということはいえるようであります。むろん田舎者の家出少年の投げ込まれた環境というものがいいはずはなく、当然のことながら、孤独な心の部屋のなかで、自分自身や周囲に対する反抗心をもやしており、その反抗心で私の欲ばりの心をますます育てたといってもいいでありましょう。

その少年は、なんと少しばかりの自由ではなく、ほんとうの自由を求めたのであります。そんなとき、マルクスが私へ「ほんとうの自由」を約束してくれたわけでありますから、欲ばりの私がそれにとびつかないわけはない。電車の車掌に就職すると、もう御用組合に対する非合法の労働組合を組織し、さらには共産党の細胞をつくって活躍しております。しかし文学、とくに小説というものは軽蔑していました。……

おきまりの一斉検挙。一審は改悛の情なしということで懲役四年。控訴して未決の独房に一年近くいました。その間、私の精神の根底を揺るがせるような事件が次々と起って、この世の中には、ほんとうの自由というようなものはないんだというような虚無的な状態におちいってしまいました。そのころ偶然、ニーチェの『この人を見よ』という文庫が、私のところへまわって来たんですが、自分自身になやんでいる私に対して、バカヤロという嘲笑をあびせるんです。しかしニーチェがわかったのではない。しかしその名を利用して転向上申書を書いたのは、事実なのであります。

それからマッチ工場の雑役をしたり、上京したりしましたが、やはり一つの職場に落ち着くことはできない。何しろ特高(特別高等警察)の刑事につきまとわれているんですから、すぐ私の前科がばれてしまう。……

そういうなかで、ニーチェをはじめとする実存哲学者の本を読みつづけていました。……しかし「ほんとうの自由」となると、それらの哲学は私を納得させてくれませんでした。……結局ハイデッガーを最後にして、本を読むことをやめていますが、そのころの私に対して、だれかから「なぜお前は生きているのか」とたずねられたら、非常に情ないことですけれど、「死ねないからだ」という答えしかできなかったと思います。事実、その間何回もおかしな自殺のまねをして、結局のところ死ねなかったんですからね。……

それからやっとドストエフスキーを本屋から見つけてきて読んだのでありますが、非常に強いショックを受けたのであります。それは『悪霊』という作品でしたが、自分の魂がふるえるといった感じがしたものであります。その作品の背後から射している光のなかに、私の求めてきた「ほんとうの自由」のたしかな手ごたえを感じたといっていいでありましょう。

同時に私は、その作品によって文学への目をひらかされたのであります。つまり彼の作品から「この人生はたとえ意味がなくったって、助けてくれと叫ぶことはできるだろう、それが文学なんだ」ということを学んだようであります。当然「おれだって人生に失望して、どう生きていいかわからなくなっているけれど、しかし助けてくれといったって別にかまわないんだな」とそう思ったわけであります。》

あえて抽象すれば、椎名麟三は、かれが『悪霊』に見出した「ほんとうの自由」のたしかな手ごたえに立ち、スタヴローギンによってあたえられる圧倒的な印象を、かれ自身の想像力において克服してゆこうとして、文学にむかい始めたといっていいであろう。スタヴローギンの「ほんとうの自由」とは、スタヴローギン自身に自己の不可能を踏み越えさせる力であった。そこにほかならぬ「内在する神」を見る人間は、作中のみならず作品の外にもいた。《だが、神のないスタヴローギンは、それは何かただ自己の醜悪な力としか感じられないのである。

醜悪な力、人間に内在するこの醜悪な力こそ、人類の歴史の根源なのである。人類を動物から区別するものもこの力なのであり、そして人類に歴史があるのもこの力なのだ。しかしこの醜悪な力は、人間にとって根源であるが故に人間の限界でもある。そこでスタヴローギンは人間の究極の不可能に面する。そこでは二つの問いしか残されていない。自殺するか、それとも神を信じるかだ。しかしそのどちらもできないとしたならば、いったいその人間にとって何ができるだろう。しかし何かをしなければならなかった。だが彼にできたことは、旅行することであった。しかしその旅先で夢を見た。それは思いがけもしなかった夢、そして今まで見たこともない夢なのである。》

幸か不幸か、まったく他人にはなんともいいがたいが、ドストエフスキーと真の出会いをおこなってしまった、特高の監視のもとの二十八歳の労働者は、そのまま小説の試作を始め、国家が戦争にはいりこむ年、ついに鉄工所づとめをやめて創作に専念するようになる。戦時の無名作家のひそかな営為には、およそ客観的な者の眼に、奇怪な孤独のみがうつしだされるが、ともかくかれはスタヴローギンのように旅行に出ることもできぬ時代に、ひとり小説を書き始めたのだ。かれの想像力の夢が、他人の眼に意味をつたえうるまでにかたちをえるには、戦争をくぐりぬけながらのなお永い時が必要である。僕がこの独学の無名作家の、暗く地味であるとともに、おどろくべくやけくそでもまたあったにちがいない、成果の疑わしい努力の時をつうじて、見出しうる唯一の、それもまことにドストエフスキー的である微光は、年譜の敗戦の年の項に書きこまれている、次のような一節のみである。《隣人に好かれていた鱗三は、空襲で隣家まで燃えて来た火を人々の協力でくいとめた。》

そして戦後の日本人は、椎名麟三のくりだした文学的達成のいちいちに、《われわれにスタヴローギンが旅先で夢にみたあの輝やかしい世界の夢が死に絶えないかぎり》、われわれにはどのような道があり、またその道よりほかにいかなる道もありえぬのだということを、告知された。ドストエフスキーと椎名麟三が、「ほんとうの自由」の坩堝《るつぼ》のなかで激突しつつ発した想像力の告知は、いまなおわれわれに向けて鋭く開いているメッセージである。もしわれわれが、いま自分のうちに、いわゆる連合赤軍事件において、いいようもなく悲惨に殺された死者たち、陋劣きわまる殺人に追いこまれた犯罪者たちを、すべて自分にになうようにして、この七〇年代の生き延びかたを考えてゆこうとするならば、そのような者の耳にドストエフスキーと椎名麟三の共同のメッセージは、いささかも力を弱めていない。われわれにスタヴローギンが旅先で夢にみた、あの輝やかしい夢が死に絶えないかぎり……

スタヴローギンは、美しい人々の住む森を夢に見たのだった。幸福なけがれない気持で眠りからめざめる人々が、単純な喜びと愛に新鮮な力をつくし、楽しく歌い、太陽の光をあびている。スタヴローギンのもっとも酷たらしくいまわしい自殺の後、かれの見た夢の思い出がなお死に絶えそうにない、ということはまったく奇怪だが、しかしやはり美しいといわねばならぬ、ドストエフスキー経験後の人類の、もうひとつの夢にちがいない。

僕はある出版社の会で、ひとり隅の椅子に苦しげに坐りこみ、面をふせている椎名麟三を見かけたが、それはいうまでもなく、永年の心臓病の苦痛に耐えてのことだったのだ。心臓のためにニトログリセリンを服用するということを、わずかな会話のうちに僕は聴いたように思うが、椎名麟三の話しぶりは、まことに舌の根のあたりで、いまもニトログリセリンが小さな爆発をおこしているのかと、非科学的な思いをいだかせるように荒あらしく突発的であり、しかもそれに矛盾することなく、いわば人間一般への恥らいにみちた柔和さを、その言葉はあわせになっているのであって、僕はあらためて自分が、この戦後文学者から、もっとも強く鋭く、「自由」という生なましい言葉を提示されてきたのであることを、思わぬわけにはゆかなかった。

高橋和巳の葬儀の日にも、なお苦しげに、しかしこの死者のために、本当に魂を鎮めうる人間がここに来ていると感じさせる、そのありようにおいて作家が立っている、斜めうしろに僕は並んで、次の言葉を思い出していた。《彼は彼の不可能を超えた。今や彼は自由であるはずである。しかし彼は、自己の不可能を超えた瞬間に、死んだと同然の人間になっているのである。何故そうなったか彼には判らない。全く判らないのだ。》いうまでもなくこの場合の僕が、死んだと同然の人間としてとらえなおしていたのは、ほかならぬ僕自身のことだ。僕はこの作家から「自由」という言葉の独自の意味あいとともに、生きている人間が自分を「死んだも同然の人間」ととらえざるをえない情況の、重い実感にみちた認識をあたえられたのでもあったからである。それにくわえて、僕は小説における、神とも登場人物ともちがう「作家」の、奇妙かつ切実なありようについても、椎名麟三の作品においてのように、不思議な読書体験をしたことはなかったのであったから、今ひとつの葬儀に、それも若くして死体となった同年輩の作家の葬儀に、いつのまにか自分を作家とよぶことになっている当の僕が、この真に独自な、作家のなかの作家の斜めうしろに立って、ひとつの時をわけもっていることに、気がかりな動揺を感じていたのでもある……

『自由の彼方で』における、滑稽なほどにも異様な

「自由」の追求者は、主人公の少年だが、それよりももっと異様な実在として、小説の全体の真上に、不謹慎な比喩にはなるが、梁から縊《くび》れてぶらさがってでもいるかのような大きい図体をあらわすのは、作家自身である。この作家の、たしかにかれの想像力が創るものとはいえ、当の小説にたいする暴君ぶりは、それこそ異様とでもいうほかにないものである。しかもかれは、サルトルのモウリヤック批判におけるようなかたちで神の役割を演ずるどころか、およその逆の、いかにもいまわしい首つり死体のようにして、しかもゆうゆうと小説全体を牛耳るのだから。それでもまず小説内部の人間から出発するとして、さきに引いた自伝的な講演における、家出少年の面影にかさなる見習コックの少年は、仲間の不良少年たちとの闘いに奇妙な戦術を身につけてしまった。頬を殴りつけられる時、かれはよろめく。よろめきながら前方にガラス窓を見る。そして《投身自殺でもするように、そのガラス窓へ勢いよく頭からとび込》むのである。かれは血だらけになるが、それよりもなおかれを殴った者は《恥ずかしめでも受けたように赤い顔をして、理解の行かない妙な眼で》、その血まみれの犠牲者を見つめるほかにはないことになる。《おかしなやっちゃで！　ほんまに！》と攻撃者のほうで、滑稽な悲鳴を発せずにはいられぬことになるのである。そして、そもそもの最初は、頬を殴りつけられて後ずさった時、小石につまずいて、もうなにもかもだめだ、と感じたことから体得したこの戦術を、あらためてかれは意識的に採用し、敵と闘うことになる。少年は《いつの間にか、意識的に、自分の血と死を、相手の自由を奪う手段にするようになっていたのである。そして彼は、それよりほかに他人に対してたたかい得る武器をもたなかったのだ。半年もたたないうちにこの武器は、彼の思想に変化し

ていたのであるが。――》

スタヴローギンの自由について、作家がさきに語ったところに、もういちど立ち戻ろう。《……自由は自己に表現された瞬間に、時間的なもの、肉体的なものとなることを否むことはできない。いいかえれば、自由は肉体においてしか表現できないものでありながら、しかも肉体においてしか表現できないということが自由の悲劇なのである。》そのようにいいつつ椎名麟三は、スタヴローギンの自由の悲劇をこう要約したのであった。《スタヴローギンのペテルブルグの生活はこのような自由の意味を鋭く現わしている。彼は淫蕩に淫蕩を重ねた。そして重ねることができたのであった。しかし彼は、満足できないばかりか、その生活に疲労し、退屈する。自由！　もちろん、自由とはこんなものではない。何かができなくてはならないし、何でもできなくてはならないのだ。しかし何かができなければ、何でもできるということはできない。しかし何かって何だろう。それは自己にとって不可能なことだ。しかし自己にとって不可能なことって何だろう。それは自殺であり、自己の欲するものに背くことである。「汝の敵を愛せよ」といったイエスの言葉は、このような意味において、人間の自由を現わしている。しかもスタヴローギンは、このイエスの言葉の意味を実行した。彼は十二にしかならない貧民の娘マトリョーシャを強姦し、その少女が物置で首をくくって死んで行くのを隙間から仔細に見届けたのである。何故彼はそうせずにはいられなかったか。その少女を愛していたからであった！　……そして彼はまた、跛で、白痴で、しかも乞食娘であるマリヤと結婚した。何故そうしたか。そのマリヤを憎んでいたからであった！　彼は彼の不可能を超えた。今や彼は自由であるはずである。しかし彼は、自己の不可能を超えた瞬間に、死んだと同然の人間になっているのである。何故そうなったか彼には判らない。全く判らないのだ。そしてそれは彼の自殺までそのような狂気めいた行為がつづくのである。》

作家が《僕のおかしな死体》と呼ぶ、過去のかれ自身である作中の少年は、血と死という不可能をみずから超えることによって得た、「自由」をなお持ちつづけ深化させて、一箇の青年となる。しかし自由な青年は、生活の現場で疲労しつくしてもいるのである。それでも、いやそれゆえに、青年はほかならぬかれのちっぽけな自由を、不良少年仲間にくらべれば格段に手ごわいところの新しい相手、すなわち国家権力にむけて、したたかにもぬけぬけと主張するために、突然、共産党員になろうと思う。《そして彼は、誰へもことわりなく、自分で共産党員になったのである。しかもその彼は、共産主義が何であるか、殆ど知らなかったのだ。》

ところが椎名麟三は、この独自な「自由」のにない手たる青年を監獄へみちびき、つづいて特高の監視下の肉体労働によって、発病させながらも、作家の役割としてはまことに異例なやりかたで、すなわちさきにのべた、小説全体の真上から縊死体のようにぶらさがってくるように、突如出現する。そして青年の《滑稽な肉体》とか、《この情けない》青年とかいうふうに、作中人物を執拗にからかい始めるのである。そのあげく《警察権力を利用した卑劣な恐喝者》となりおおせることで、さだかには認識しがたいものの、たしかにかれ自身の血と死によって、国家という他人のなかの他人にもいっぱいくわせた青年を、小説の末尾でほうりだすようにしながら、作家は次の一節をしめくくりとするのである。《翌日、清作は、警察へ旅行の届けもせずに、夢中になって東京へ、そして銀座のカフェーのコック場へ向って出発した。勿論彼は、そこでかがやかしい自分の自由を手に入れるつもりであったのだ。

だが、その清作は、滑稽にも、何年か先に確実に死ぬことにきまっていたのである。そしてさらに滑稽なことは、この救われがたい彼が、まるで神の道化師であったかのように、死んでも天国へ復活することになっていたのである。》

すべての戦後文学者たちをつないでいる上質のユーモアの流れは、椎名麟三にいたって、もっとも深い淵をつくって渦まき、豊かな急流が泡だつのであるが、かれのユーモアは、確かにわれわれの精神の心臓に救済をあたえるニトログリセリンの薬剤のようでありながら、われわれがそれを口にふくむ時、舌根に感じとらずにはいられぬのが、ほとんど、神さまに突っかかって行ってやる、というあの高座の女道化師の、決意の言葉を思いおこさしめるほどの、異様に広い奥行きの、憎悪の爆発でもあることを見すごすわけにはゆかないであろう。しかもその憎悪の爆発そのものが、椎名麟三の独自のユーモアの生命源をもなしているのである。

ドストエフスキーを仲だちにして、椎名麟三の、これまで発表されたかぎりでもっとも新しく、またこの作家の生涯をつうじて、もっとも重要な作品であるにちがいない『懲役人の告発』にむけて移行しようとするならば、われわれは『カラマゾフの兄弟』から、ドミトリーの悲痛な演説の一節をひくべきであろう。

《……ああ、人間が祈りのなかに溶け込んでしまえばいい！　あそこの地の底で、どうしておれは神なしにいられよう？　……もし神が地上から追い払われたら、おれたちは地の底で神に会おう！　懲役人は神なしには生きられない。懲役人でない人間たちよりも、いっそう生きていられないのだ！　そうなったらおれたち地底の人間は、大地の奥底から、喜びをつかさどる神に悲劇的な聖歌をささげるのだ！　神とその喜びに栄えあれ！　おれは神を愛している！》

　椎名麟三が新たに提示する「懲役人」とは、十二歳の少女を小型トラックで撥ねて殺した青年である。いわば少女とともにかれ自身も死んだ。かれは「死んだも同然の人間」である。椎名麟三はスタヴローギンが、強姦して自殺に追いやった少女を愛していたことを指摘するが、この青年もまた自分の轢き殺した少女を、たとえその瞬間まで、かれが少女と出会ったことがないのであるにしても、愛していたと自覚しないではいられない。かれは愛している少女を殺してしまうという、自分の不可能を超える行為をなしとげた人間として、はじめて自分自身を発見した不運な人間である。それこそかれは自己の不可能を超えた瞬間に、死んだと同然の人間になっているのである。何故そうなったか彼には判らない。全く判らないのだ……

　青年は「死んだも同然の人間」として、かれが好きこのんでかちとったわけでない自由のなかにいるのだが、その自由とは、いったいどのように感じとられる個人の経験なのか？　《……おれは、自分の実感として、逆に世界から否定されている自分を感じているのだ。それは、世界という抽象的なものとしてでなく、具体的にこの道路や曲り角やゴミ箱や、おれの出会う事物によって否定されているのだ。その元凶は、むろん死であり、それらの事物は、すべて死のやつのつくり出したものなのだ。全く死がなければ、あの娘も死ななかったではないか。》そして青年は考えあぐねつつ、心貧しくこうねがうのである。《このおれを生き生き生かしてくれるもの、このおれにとって失うことのできないもの、それを見つけなければ駄目なのだ。

しかしおれにはそれがない。ただおれはすべてのものから、あの機械からさえ、うとんじられているだけなのだ。》

この、徹底して実在性の認識票をつけてまわる小説、涙さえ決して涙というあいまいな意識の言葉をゆるされず、「水」とのみ呼ばれる小説において、当然にももっとも圧倒的なのは、「死んだと同然の人間」のまわりに起きあがって、それ自身を主張しはじめる事物の描写である。《機械どもは、今日が定休日だということを知っているのか、朝の微光のなかでかたくなに自分自身のなかにとじこもっていた。その周囲には人間どもを寄せつけない冷たい拒絶の雰囲気さえただよわせている。それぞれの鋼材の山も物自体の重さにかえって、大地を引き寄せている。これらのすべては、人間の世界から遠くはなれ、神に似た世界のなかにいるようだ。全く彼等は、人間どもが泣こうが血を流そうが、一切知っちゃいないのだ。

『死んだように生きる生き方もあるのかも知れない』とおれは工場の物どもを見わたしながら考えた。しかしおれはすぐがっかりしていた。死んだように生きるためには、やはりはっきりしたそのように生きて行ける根拠をもっていなければならないからだ。全く懲役人のような暮しは死んだような生き方であるはずはない。》

実際この青年は、いいようもなく微妙なさかいめに生きているのだ。かれは死んでいるような仕方でしか生きることができない。しかし、同時にかれは、事物、もののように、他者の意識をうけつけぬ、真に死んだものとして、生きることはできないのでもある。ついにかれは、なま殺しの状態で、宙ぶらりんのまま生きつづけなければならない。

ところが、その父親はどうだろうか？ かれは、後妻の連れ子で、いまは自分の弟の養女にやっている、いじましい家庭内の自由なりに、およそ無限大の自由をあたえられて成長した、「無垢の魂」たる福子を強姦し、しかも《人生万歳!! 人類万歳!! 福子さん万歳!!》と人間最終の叫び声を発して身投げしてしまうのである。すなわち自殺という、自分の不可能をいっそく跳びにとびこえる行為によって、究極の自由の光をきらめかしつつ去ったのだ。青年は「自由」そのものとして、すべての生き残る者にショックをあたえつつ、水から熊のような背をだして、ゆうゆうと川に浮んでいる父親の幻に、圧倒されぬわけにはゆかない。

《おれは自分自身に、おやじのように人生万歳といえるかと問うた。むろんいままでに何度もその問いが心にうかんでいたことはかくすことはできない。しかしおれはその答えを拒否して来た。全く死んでいるような仕方でしか生きることのできないおれにとって、答えがあるはずはなかったからだ。いまだって同様である。ただおれは、おやじのいやらしさを感じつづけていたことは事実だ。しかもおやじは、人間として大切な一線を越えてしまったのだ。それは福子を凌辱したことではない。自由な福子をあまり神聖なものとしたこと、その過度が問題なのである。そしておやじはおれが考えるかわりに自分でその答えを出してしまったのだと思った。ふとおれは、自分に気がつくと、自分の両瞼の左右の端から水が流れているのだ。あまり悲しくもないのにどうしたのだろうとおれは思った。愛、そんなものではない。どこかでおやじに同感をもっているせいかも知れないと考えた。何故ならそのおれの頭のなかにはまたもやS川で遊びたわむれている首のない黒い犬が思いうかんでいたからである。》

青年は自由な福子を極度に神聖化し、そしてそのうえで神聖な自由こそを強姦し、ついで自殺によって最大の不可能を超えてしまった父親の、人生万歳！という叫び声の意味するところを、まるごと理解したのであるが、しかしそれだけでかれの生き方がかわりうるというわけにはゆかない。作家は、青年の叔父をして、その養女である自由のかたまりを殺害させるにいたる。《苦しまなかったせいか、きれいな寝顔だった。手首を握った。しかしどう探しても脈らしいものは指に感じられなかった。おれは彼女の頬をたたいた。それは次第に乱暴なほどつよくなっていた。おれの眼から水が流れていたせいなのだ。おれは何かに追われるように便所へ立った。便所の窓の外には闇がひろがっていた。しかしいくら立っても小便は出て来なかった。ただ、そのかわりに、神様という言葉が出るばかりなのだ。しかしおれはそれでも出ない小便をしつづけていた。》

　小説は、野外の火葬場へと、青年が少女の死体をリアカーで運んで行く情景によって終るが、そしてここにいったん出現した「神様」の契機は、ただそれだけで放置されるのであるが、終幕の短いシーンを注意深く読む者は、まことにかすかな光のようにしてであれ、そこにはっきりした転換の光がさしはじめていることに気づくであろう。

　その終局にいたるまで、小説は、いわばものの黙示録ともいうべき世界を描きだしていた。青年、この「死んだも同然の人間」は、恐しい事物、ものによって四囲から始終かれ自身の存在を圧迫されているのであった。ところが、かれは終局において、かれのまわりをとりまく事物のアポカリプスから、なにものか重要な契機を、自分の側にとりもどしうるのかも知れない。そのとばぐちに立っているのである。《……おれは、棺のなかにおかれている赤いオーバー姿の福子のことを思って、傷つけやしないかと心配した。むろん焼かれるために運ばれている死体なのだ。だから不必要な心配だと百も承知なのだ。しかしやはり痛々しい感じのするのをとめることはできなかった。その思いのなかには、福子の死によっておれの生活や生き方が、どう変るのか知らないが、変ることだけは決定的だと感じていた。》

まず青年におこっている変化は、ものの黙示録のような世界において、始終ただ受身に、事物にかこまれている状態から、不安な自由のうちに投げ出されているひとりの人間として、能動的に、かれのまわりの事物を見る地点への、たとえそれがわずかな一歩であれ、たしかに決定的な一歩の踏み出しである。小説は次のように終る。《焼場の林はそこに見えていた。だがおれは、重く曇った空が、立ち枯れして死んだ真黒な木々の何百本という槍のようにとがった梢に、鋭くつき刺されているのを見ていたのである。》

椎名麟三は、戦後文学者たちのなかで、ただひとり労働者の過去から、作家の現実生活のうちへ進み出た人間であったが、おなじくまた、ただひとりかれは、キリスト教信仰に未来を選んだ。繰りかえし引用することになるが、ドストエフスキー体験を自伝的に語った講演において、かれは入信のいきさつをも、つねにかわらぬ異様なほどの率直さで語っている。すなわちかれはドストエフスキーの後期の全作品から、「何となくほんとうの自由の光」「ほんとうの救いの光」を感じとってきた。《しかし「何となく」では困るので、私は作者であるドストエフスキー自身に立ち向かわざるを得ない。「どうしてですか」とドストエフスキーにたずねると彼はこう答えるのです。「それはイエス・キリストからの光だ。予は、あらゆる懐疑をつき抜けて神を信じているんだからな」というんですね。

全く私は困りました。私は、少年時代から自分を唯物論的に教育した人間なので、神はもちろんキリストも信じられなかったからであります。

そのころ私は、もう作家生活へはいっていたのでありますが、うなり声をあげているのは、いいのですけれど、そのうなり声は、この人生において究極の解決はない、つまり「ほんとうの自由」はないせいで出て来るものですから、うなり声自身も意味のないものになってしまう。……

私は、ついにドストエフスキーを信頼して、キリストなんか信じられないままに、洗礼を受けたわけであります。いいかえれば、信じられないままに、自分の全存在をキリストに賭けたといっていいでありましょう。当然、私の受洗は、親友のひとりを怒らせ、多くの人たちの嘲笑をあびました。といって、洗礼を受けたからって、すぐキリストが信じられたわけではなく、一年もたって、聖書を読んでいるときに、ショックとともに「ほんとうの自由」を見たのであります。》

いうまでもなく、そこで僕がいま椎名麟三に、「どうしてですか」と憐れっぽくたずねるとしても、「それはイエス・キリストからの光だ。予は、あらゆる懐疑をつき抜けて神を信じているんだからな」という答えしかひきだすことはできぬにちがいない。椎名麟三は神を信じる人間であり、僕は神を信じぬ、それも漠然と信じぬ人間なのだから。しかもなお、僕は、やはり椎名麟三と僕自身とが、同時代というひとつの方舟《はこぶね》に乗りこんで、ある終末にむかっていることをもまた感じぬわけにはゆかぬのである。

そこで僕が、その方舟の実在性を確かめる手がかりは、やはりかれの作品のうちに「何となくほんとうの自由の光」「ほんとうの救いの光」を感じとってしまうということから、構成されねばならないであろう。

それというのも現在の僕は、「何となく」では困ります、「どうしてですか」とたずねられるのを予感してのことであったか、あらためて直接に会うことを作家に拒否されて、ただ、いかにも旧式な玉電の線路にちかい路地の、うっとうしいアパートと汚れたモルタル・ビルの病院にはさまれた、椎名作品になじみ深い者には見あやまつことのない、その住居のあたりをひとまわりしてきたにすぎないからだ。

しかし椎名麟三の小説が、近作にむけてしだいに色濃くはなちつづける微光、「何となくほんとうの自由の光」「ほんとうの救いの光」は、じつはそれのみで、すなわち「何となく」というありようのままで、手がかりとして充分なものなのだ。ただ、今こそはほかならぬわれわれが、神にであれ、神の不在にであれ、自分の全存在を賭けねばならぬ番であって、それにむけてのすべての狐疑逡巡は、すべてわれわれ自身の責任に属している。したがって、なお賭けぬ者として手さぐりするように、椎名麟三の作品の微光の照しだすものについて、言葉を発するのにすぎぬのではあるが、ドストエフスキーが百年前にネチャーエフ事件の現実を見きわめ、そこから人間のいやらしさ、酷たらしさ、悲惨さのいっさいをふくみこみつつ、なお救済の約束の微光にわずかながらあかるんでいる、『悪霊』の豊かさにいたったことを、いわゆる連合赤軍事件に眼をそそぎながら新たに思うとすれば、僕は、ほかならぬ百年後の『悪霊』の書き手として、およそ回復しようもないほどに深い沈鬱の竪皺を暗く穏やかな眼のあいだにきざんで、ニトログリセリンの薬剤を口にふくんでいる、ひとりのキリスト者たる戦後作家を考えることになってしまうのを、認めぬわけにはゆかないのである。

新しい『悪霊』が、いやらしく惨めで酷たらしい、しかしストイックであることも疑えぬ死をとげて埋められた、若者たちの眼にとどきえぬことはいうまでもないが(もしかれらに霊魂があるとすれば、神の道化師という、この作家の言葉を冠せられることに、かれらは決して腹をたてぬと思われるのであるけれども)、権力から課せられるいかなる罪にくらべても、もっとも根本的な罪としての、懲役人の自由を見つめねばならぬ若者らはもとより、これらの双方をはっきりみずからのうちにわけもつところの、ほかならぬわれわれ同時代人にとって、それは決してそこから眼をそらしえぬ恐しい神、あるいはものの、黙示のごとき書物となることであろう。誰が作家の心臓機能のすこやかな回復を、ある超越者にむけて祈らずにいられるだろう?

長谷川四郎・モラリストの遍歴

ソヴィエト・ロシアにおいて懲役人であること。あるいは強制労働下の俘虜であること。それは、社会主義の未来を信ずる者であれば、まことに特別な状況のうちに身をおく体験であるにちがいない。しかもそれは単に、そのような状況にまきこまれるはめになった、ということであるのみならず、むしろそのような状況にいる、ひとりの人間であることを逆手にとるようにして、底辺から光を発しつつ、ソヴィエト・ロシアの体制に逆照明をあたえようとする人間を生みだす。ことにかれらは、強く硬く、かれらの想像力の核心に、社会主義の未来というものを置いている人間である。

ソルジェニツィンの不撓不屈の努力を支える力は、そこに根ざしているにちがいない。ソヴィエト・ロシアの体制のなかでの、その体制の根柢にむしくってい る巨大なものを、根だやしにしようとする本質的な批判は、かれがなかば強請に似た亡命の誘いにのらぬのである以上(その誘いは、国内にあり国外にある。政府筋はいう。自分たちはソルジェニツィンが国外に出てノーベル賞を受けることを決して妨たげはしないと)、かれの国の言葉で出版をおこないえぬ、もしそれをおこないえても同国民の眼にはふれえぬ、ということになってしまう。それは、真の作家であろうとする努力が、現実に作家たりえぬところまでかれをおしこめてしまう、というパラドックスを生みだしている。しかし、そのパラドックスこそは、ソルジェニツィンが、むしろみずからねがったものなのだ。この作家の自己否定の劇は、たとえかれの作品が国内で出版されないあいだも、光を発しつづけて、むしろ社会主義の体制への、タカをくくった、やすやすこねあげられる批判を圧倒するのである。この世界じゅうのいかに多くの人間が、多様な思いをこめて次のようにつぶやくことだろう。しかしソルジェニツィンがいる、と……

俘虜は、シベリアでの重労働に耐えぬくことさえすれば、ソヴィエト・ロシアから立ち去ってゆくことができるだろう。ある俘虜は憎悪を、怨恨を、敵意を、嫌悪をいだいて去る。逆にこの土地で得た、激しい希望を、坑内燈のように眼のまえにきらめかせて去る俘虜も、いたのであったかもしれない。

ところが、ここにひとりまことに独特な日本人俘虜をわれわれは見出す。かれは強制労働を課せられながら、まともな人間ならば、つねにすすんでおこなうところの自発的な労働を、いまそのシベリアでおこなっているとでもいうように労働した。かれは閉じこめられていたが、自由な眼でものを見た。とくに人間を見るについて、差別しなかった。まことにかれは、流謫の地にあるモラリストのようだった。ソヴィエト兵も、シベリアに住むロシア人も、仲間の日本人俘虜も、おそらくはすべての人々が、意識したにせよ、意識しなかったにせよ、この独特な俘虜を見て、こう考えたのではなかったであろうか。しかしやはり、人間には人間らしいとしかいいようのないところがある、と……

そのように考えることは、かれらに人間としての勇気を、たとえひとカケラなりと確実にあたえたであろうが、このモラリストの俘虜、長谷川四郎の内部には、三十六歳から五年間にわたる俘虜生活のうち、やはりつねに自由を指向する炎が燃えていたのであるにもちがいない。かれはタイム・マシンに乗って、未来の社会体制のうちへ旅にきた者のように、モラリストの公平無私と、そして遠慮深い節度と、おなじく肉体労働をする仲間たちへは、教養の壁をこえてあたたかくつたわるユーモアを滲みだささせつつ、社会主義体制の底辺を補完させられる労働にはげみ、まことに大量のシベリアの空気を吸ったり吐いたりした。そのかれが昭和二十五年に帰還して、しかもずいぶん時がたってから、ほかならぬ自由について一篇の詩を書いた。それは『ロデオの歌』というのだが。

のりまわした
のりまわした
野生の馬を
野生のままに
のりまわした
そしてそれが
馴れてきたら

もとの野原へ
はなしてやった

帰還した長谷川四郎は、いうまでもなく、詩のほかに秀れた文体をそなえた散文を書いた。シベリアでの経験、またそれにさきだつソ満国境監視哨での兵士の生活、なおそれよりもさかのぼって満鉄での、また北京からジャラントンまでも足跡のひろがる日々に根ざす小説を、新しい作家は、まず書きすすめたのであったが、ほんとうに《いきなり書きだして一字も書きなおさなかった》ということだ。俘虜の幕舎での夜、かれはそれらの小説を、頭のなかで、暗闇の紙に文字を書くようにつくりあげていたのだった。そしてわれわれは、かれの明瞭な形式をそなえた穏和な散文の、ほとんどありとあるところに、「逃亡」への強い希求を読みとらずにはいないのである。長谷川四郎のシベリア連作のうち、誰ひとり逃亡に成功する者はあらわれぬのであるけれども。

長谷川四郎の中国大陸での軌跡に、そのままかさなるようにして生きてきた、ひとりの中国人の物語から、かれの作品年代記は始められてよいであろうが、圧制者の側の日本人の内面が、抑圧されている中国人の肖像において表現されている、この小説の、不思議なデモクラット的性格が、まず長谷川四郎の、いかにもモラリストらしい有りようを示すだろう。モラリストとは、王にも奴隷にも、文明人にも野蛮人にも、侵略者にも抵抗者にも、あるいはただ圧制に苦しむだけの者にも、ひとしく人間とはなにか、と根柢から考えることで対しつつ、その現実生活を生きる者であるからだ。

ハイラル河のある一点に、日本軍がかけた橋がある。《五月のある日だった。草はまだ枯れていて、吹く風は冷たかったが、日中の太陽はもうすっかり暖かだった。低い柳の木立が方々に群をなして生えていて、ゆるやかに起伏し、ところどころあらわれた砂地の上には夜の狼の足跡がかすかに残っているだけで、人気《ひとけ》なく荒涼とした、河沿いの野原を通って、一人の男がその橋の方に向って歩いていた。その男はぼろぼろの綿入れの短い青い中国服を着て、同じくぼろの青い綿入れズボンをつけ、日本式の黒い地下足袋をはき、灰色の風呂敷包みを帯のように腰にまきつけて、頭には厚いフェルトの焦茶色の縁無帽をかぶっていた。彼は下の方を向いてすたすたと歩いていたが、ときおり立ち止まっては、うしろを振り返ってみた。その様子はあたかもこの単調な風景の中をどれくらい進んで来たか、目測しているように見えた。それから彼は河の面を見たが、それは彼の進む方向とは反対の方へ、静かにところどころ渦巻いて深深と流れていた。……

彼はすでに遠くの方から白い橋の存在に気づいていたが、それ以来ほとんどただ足もとを見ながら進んで行った。何故なら河に沿って進むかぎり、必ずやその橋に到着することは確実だったからである。それで橋が非常に近づいた時も、彼はそのそばの岩の上に立っている兵隊の姿に気づかなかった。さらに、その兵隊が銃をかまえたことにも気づかなかった。彼はただ銃声を耳にして、初めて停止したのだった。……

兵隊の方では、これによって、その男が身をひるがえし、一目散に逃げ帰るであろうと期待した。ところが、一瞬停止したその男はたちまち突進を開始し、死物狂いの勢いで一気に橋を渡って行った。同時に、今の銃声を聞いて、小屋の中から数名の男がとび出して来た。その中の隊長とおぼしき一人が銃をかまえて狙いを定めた。彼は狐射ちの名手だった。しかし逃げる人影はすでに小さく、この距離で、素早く動く物体を射止めることは難しかった。それでも彼は引金を引いたが、はたして当らなかった。一瞬、男は無事に逃げのびるかと思われた。その時、一人の兵隊が元気のいい白い小さな蒙古馬に乗って、ギャロップで彼を追いかけた。男はもう橋を渡り、柳の木立の間を走っていたが、息が切れて立ち止まり、背後から橋板をひびかせてかけって来る蹄の音を聞いた。彼は観念したように振り向いて、その場に膝をついた。こうして捕まった彼——張徳義は岩の下にある半地下室の小屋につれて来られた。》

この中国人労働者は、北京、ジャラントン、ブハトの長い旅路をたどって、興安嶺の伐採苦力となった。続いてかれはジャライノールの炭坑で働いた。《……積込夫になった彼は、今まで従事したあらゆる労働とべつに異ることとなく、自分の身体を巧みに使って、無駄な動作一つなく、やってのけた。彼は労働を辛いとは思ったが、労働自体については何も不平を言わなかった。ただ彼は自分の労働によって、自分の身体一つしか養うことのできないのが、大きな苦悩だったのである。》かれは故郷の村にのこした家族を憂える。そして《彼は周囲を見まわしてみて、逃亡以外の出口はないことを知った。それから夜、夢の中で彼は一筋の道が自分の前にひらけるのを見た。それはかつて、彼が母親の棺を運んでいった道路に似ていた。それは村を出はずれてから、遠く岡のふもとをまがって消えていた。》

このようにして不意に張徳義は逃亡し、まっすぐ「一筋の道」を、ソ満国境から北京につなごうとして、それをつなぐものは、かれのよく動く足だけなのだが、ともかくまっしぐらに歩いて行き、そして橋梁監視哨の日本兵の俘虜となって、そこで雑役の労働を始めたのである。かれはよく働き、日本軍の隊長がかわるたびに故郷にかえしてくれとねがいでてみるが、空約束はいつまでもはたされることがない。《種蒔きの時期が過ぎた、そしてまた、草刈りの時期が近づいて来た。それからやがて簗作りの時期が、そしてその背後には、あの万物がことごとく氷ってしまう厳冬の脅威……わいなにかかってすくいあげられ、氷上に投げ出されて、そのまま永遠に氷ってしまう魚の群が……。張徳義は朝夕、河へ水をくみに行き、そのたびにじっと水の面を眺めていた。ここは晴れ渡った天気が毎日続いていたのに、未知の遠い源には烈しい豪雨が降りしきっているのではないかと思われた。そのように河は水カサが増して、黒ずんで、渦巻き流れていた。張徳義はころみに草の葉をむしって水面に投げ、それがたちまち流れ去り、消えてゆくのを見た。》

この穏やかな、労働をつうじてのみ自然との本質的な関係をうちたてうる、労働する人間の純粋な見本のような男と、かれのうちにしだいにつみかさねられたものによって、単純に、かつ力強く、ある日決然と具体化される「逃亡」。それは長谷川四郎が、シベリアの幕舎で、暗闇のうちに文体化していった観察と思想のすべての、おおもとをなす二本の柱のように思われる。三本の丸太で筏をくんで急流に乗りだした男は、溺死して、橋脚にひっかかっているのを「解放軍」に見出されたのではあるけれども。

長谷川四郎の、シベリアの俘虜たちを直接に描く小説群では、「逃亡」はさらに明瞭な主題として提示される。俘虜生活におちこむ直前の、すなわちいまにも攻めよせてくるであろう巨大なソヴィエトの軍隊のまえに、はるかに小さな国境監視哨をまもっている兵隊のなかにも、すでに逃亡した者が出ているほどなのだから。その兵隊もまた、労働によってのみ自然と和解し、自然のうちに、かれ自身をうちたててゆくことができ、それよりほかの虚飾は必要としない型の人間であった。

《――お前は漁師か？

――いいえ、発動機船の運転手です。

――帰りたいだろう？ といきなり古年兵が言った。

――はあ、帰りたいです。

矢野は直ぐ答えた。暫く沈黙が続いた。それから彼は私にだけ聞えるように低い声でこう付け加えた。

――だが、俺は帰らないつもりだ。》

そして兵隊は、ソヴィエト・ロシアにむけて国境線を跳び越えるように逃亡してゆき、あとにのこされた友達は戦いに傷つく。そして死に瀕しているかれが眼を閉じると、広びろとした耕地にかわった国境線のあたりを、発動機船のかわりにトラクターを運転している、未来の体制へと逃亡した者の幻が見えたのである。

もっとも現実の長谷川四郎は生き延びて、ほかならぬかれが国境線を越えたが、そのかれは、社会主義の体制の底辺をシベリアにおける強制労働によって補完させられる、俘虜の位置にいるのであった。俘虜収容所には、すでに「脱走兵」たることを体験した兵隊も入ってくるのであるが、収容されるやすぐさま、たくみに逃亡した兵隊の肖像もまた、まず描かれるもののひとつである。もっともかれは逃亡後ひとり日本へたどりつく可能性より、俘虜大隊の一員として帰国する可能性が大きいと判断すると、「選択の自由」を行使して、わざとつかまることにした。かれの選択は正しかったのかもしれない。磁石と小さなナイフしか持たず、満洲内の捕虜収容所を脱走してきたアメリカ兵が殺された噂を、かれもまた聞いただろう。じつのところその噂について人々に新しく語るためにも、ほかならぬ加害者の側の、日本人俘虜が生き延びなければならなかったのだ。

俘虜たちの想像力には、「逃亡」あるいは「逃亡の不可能」という主題が、つねに鋭くあざやかに鳴りつづけている。俘虜にしてすでに、紙とインクを用いることはできぬまま、暗闇に文体を築いている作家は、それを周到に収集した。

《インガダは大きくもない静かな川である。私はそこで材木の流送をやったことがある。その時、仲間の捕虜が逃亡の計画を立てた。それはインガダを下ってゆくとシルカに出る、シルカを下ってゆくとアムールに出る、アムールを下ってゆくと日本海に出る、そして日本海には沿海州から北海道の西海岸へ流れている潮流があるというのだ。私たちはもちろん、この地理学的逃亡計画を実行しなかった。ただ静かなインガダの流れを眺めるだけで満足したのだった……》

《私は想像したのだが、この炭坑は囚人によって開発され、それ以来沢山の囚人が働いたのではあるまいか。町の人人の中には、彼らの子孫が沢山いたのではなかろうか。シベリヤには徒刑囚の歌が民謡のようになって幾つも残っている。私はこの町で、一人の少年が、その一つを歌うのを聞いた。その文句はよく判らなかったが、ただ折返しの言葉が、しつこくはっきりと耳に入って来た。それはこう言っていた。

永久《ウエチノ》に永久《ウエチノ》に我《ヤー》この地《ブードム》に生きん《ジーチ》

こう歌いながら少年は、ほっそりした白い素裸になり、池にとび込んで泳いでいた。六月の太陽が急に白くぱっと輝いた。そして歌の中では重苦しかった(生きる《ジーチ》)と言うロシヤ語が忽ち歓喜の言葉に変るかと思われた。そして、こういう池を地上に開いている地下の暗い炭坑は祝福さるべきものに思われた。》

俘虜収容所の柵の中から消えてなくなるのは、死者か逃亡者だが、もっとも逃亡者はつねに帰ってきた。

ソヴィエト・ロシアの政治部員はこのように問いかける。《お前はどうして逃亡するのか？　ここには家もあれば、仕事もあれば、被服も食物もある。同志スターリンが言った、――シベリヤの密林とシベリヤの狼は何人をも逃しはしない、と。》しかしなお、目的は充分さだかといいえぬ、ひそかな逃亡の試みをくりかえして、逃亡者《ベグレーツ》と呼ばれるにいたった、富山の薬の行商あがりの兵隊がいる。しかしかれはついに、新たな逃亡計画を見つけられて射殺された。訊問につれていった帰りに、突然走り出したので、やむなく射殺した、と俘虜収容所をまもる軍人はいう。

《しかし、彼の死体を運搬した仲間の元衛生兵は私たちにこう話した、――彼の弾痕は後頭部の、丁度首筋の真上に当るところにあり、殆ど銃口を直接当てて射ったとしか思われない、至近弾であった、と。そして私たちは、この話を聞きながら、あの夜の深い暗黒を思い出したのだった。》

このような、「逃亡」と「逃亡の不可能」のあいせめぐ思いの磁場にいながら、そしてその磁気にたいしておそらく誰より敏感でありながら、長谷川四郎はモラリストの人間観察と、そのような人間観察をおこなうところの人間に、自然にあたえられる免許証のような資質かとも感じられる、穏やかに自立した態度をもちこたえる。それは俘虜収容所における、とらえて閉じこめている側のすべての権力も、とらえられ閉じこめられている側のすべての人間的強さ、弱さも、みな相対的に眺めわたしうるデモクラットの態度といっていいであろう。しかし、かれはしかもつねに、人間とはこういうものか、という具体的な省察をつづけるのであるから、やはり流謫の地にあるモラリストという名がふさわしい。モラリストは、かれを俘虜として閉じこめる柵について、かれ独自の、しかも俘虜一般にひろがってゆく省察を、次のように必要かつ十分なところの言葉にせずにはおかない。

《私たちは、問題は私たち自身の内部にあり、柵と言うものは何処にでもあるので、その中にあるのは、幾分退屈ではあるが、しかし或面に於ては拡大された、ありふれた人生そのものであると言うことを、だんだん理解したのである。》

モラリストは民衆のなかに、おなじモラリスト的人間を、それもこちらは言葉によってモラリストたる自己表現をせぬが、存在そのものにおいてモラリスト的であるところの人間を、発見してそれを伝える。もしロシア的な神がなお実在しつづけているとしたら、かれは長谷川四郎のようなモラリストをシベリアに幽閉し、かつ、こきつかっていることを恥かしく思って、せめてもの償いに、その脇へ次のような善きロシア人をよりそわせることをねがうのではあるまいか?

神があるにしても、ないにしても、実際、地上ではそのとおりのことがおこなわれたわけなのだ。《マリーヤ・ゾロトゥヒナも、野菜の積み込みにやってきた「兵隊たち」に対し、捕虜とか日本人とかいう観念を全然持っていなかった。彼女にはただ労働者という観念しかなかったように思われる。彼女は兵隊たちをただ、未熟な労働者として取扱った。ぼくらが大きな馬車を曳いてきて、うっかり、畑の狭い入口のところで柵にひっかかり、動けなくなった時、彼女はやってきて、丁寧に馬車の扱い方を教え、車のはまりこんだ轍《わだち》や、ひっかかった柵から馬車を解放するのに手伝った。彼女は罵詈を口にしたが、それは兵隊たちに対するものではなくて、仕事がうまくいかないことに対してであった。》

長谷川四郎はこの労働する女性にたいして、《彼女の働く動作はきびきびして美しかった》という、それこそ過不足なく美しい言葉をおくっている。実際この見かけの優しげな大男のモラリストは、美しいという言葉についてなかなか厳格なのだ。張徳義もまた、この言葉をおくられた数少ない者たちのひとりなのだが、それもかれの労働における自己解放についての評言である。《……ひき綱を肩にかけて何か重い物を引いている時の彼は、その手をゆっくりと重そうに、時計の振子のように振っていて、それが無言の美しい拍子を取っていた。》

しかし、このモラリストの想像力と観察のはざまに、時たま花ひらいて、かれの閉じこめられた世界を明るませる、美しいという言葉も、その暗く広大な背後に、強制労働をおこなわしめられている俘虜の、切迫した実在をあわせそなえていることを忘れるわけにはゆかない。このモラリストは、かれもまたシベリアの苛酷な日々の苦しみに、どっぷりつかりつつ、それゆえにこそなおも、モラリストの眼と心をうしなわぬ人間である。俘虜収容所に、まことに拙劣な通訳として出入りしていた、なにやら複雑な過去をもつらしいアンナ・ガールキナという女性が、不意にかれらのところにあらわれなくなった。俘虜たちもまた、古い炭坑をなお掘り進む、新しい苛酷さの労働を課せられることになった。かれらは所どころに、トロッコの暴走から避難したり、かたむいたトロッコを支えてやる人間をひそませておいたりするニーシャ（壁龕）のある坑道を、辛い労働のあと昇って行く。《私たちは五六人かたまって黙黙と歩き、丁度そういうニーシャの前に通りかかった時、その真暗い凹みから薄暗い電燈の下に一人の女が出て来たのである。それは明らかにトロッコ見張り係りの労働者だったが、その時は、そこにはトロッコはなかった。私たちは、その女が微笑したように思った、と同時に私たちははっきりとした日本語を聞いた、——（寒いですね！）

　そして、これが私たちの聞いた、アンナ・ガールキナの、最も美しい日本語だった。》

　僕はソルジェニツィンの存在が、ソヴィエト・ロシアの社会体制に、そのひずみ・歪みを鋭くあきらかにしつつ、かつ、体制の先ゆきに独自の微光を自発せしめることについてすでにのべたが、俘虜収容所におけるこのモラリストの存在も、シベリアからはるかに、ある肯定的な光を逆照射して、社会主義の体制の、ひとつの善き未来像を告示してはいないであろうか？

　いうまでもなく長谷川四郎は、かれ自身の個としての存在を、絶対化したり美化したりはしないし、殉教者の顔はもとより、被害者の表情をうかべもしない。かれは、シベリアからの帰還命令が出た日の記憶を、犬を殺して喰い、その犬を愛していた老婆から問いつめられても、知りません《ニェ・ズナーュ》、とあしらって、老婆の眼から涙をしたたらしめた日本人俘虜たちの、その日体験した出来事として記録する。

　長谷川四郎は敗戦五年後の日本に帰還したが、じつはそれは、新しい遍歴の地におりたつモラリストという内実のものであっただろう。かれの魂はたしかに、そこが新しい遍歴の土地であることを、穏やかに自立した心において自覚したモラリストが、日本と日本人をまっすぐ眺めるならば、見聞するであろうところのものを、そのとおりに把握したように思われる。

　シベリアの俘虜生活を描くにあたっても、長谷川四郎は、ほとんどつねに俘虜のひとりである私《い》を登場させて語りながら、作家の視点をまことに公平無私なものとして、かれ個人の自画像に固執することはなかった。読者の側からすれば、遠景の一隊の俘虜たちの、群像のひとりとしてのみ、作家を見まもってきたと思われるほどだ。日本での遍歴においても、かれは自分自身に強い照明をあたえて語りはしない。かれはなまなかでない喚起力をひそめた阿久正《あくただし》という名の人物をつくりだす。じつのところ僕は阿久正を、あのカンディドになぞらえてみたい誘惑を感じるものだ。世の中は万事、申し分なく順調に行っている、と信じるオプティミストの教えをうけて、出立したものの、その遍歴のあいだはずっと、難破し、異端糺問所で笞刑に処せられ、およそありとある苦難をひっかぶらねばならなかった、ヴォルテールの主人公に。しかも僕は、作者の長谷川四郎その人をも、ヴォルテールによりは、カンディドにかさねあわせたいと思うのである。実際、カンディドとともに、数かずの苦難のあともオプティミズムはうしなわず、沈黙して自分の畑を耕やす、善良な、しかしモラリストの眼をそなえている農夫役に、阿久正と長谷川四郎とを推薦したいようにすらも思うのだ。

さて阿久正も、あらためてオプティミストという言葉を冠するとして、それが決して不自然ではない、穏やかに自立した生活者である。かれの生き方は常民らしくひかえめながら、まったく独自なものだが、住宅難、交通地獄、原水爆の脅威など、現代日本に生きる者のありとある苦難から、かれは自由でない。消費文化と、企業中心の税制のうみだした、会社の宴会係などという立場までが、たとえ酒をいっぱい飲み干すことがあってもすぐに、洗面所で口をすすぐ阿久正に課せられている。となれば、僕はなおさらに阿久正を、遍歴の船が、かれの望む望まぬにかかわらず、今日の日本に入港してしまったところの、二十世紀版カンディドにかさねあわせたい思いにとらえられるわけである。

さて阿久正は、郊外の街中の荒蕪地に、まったくの独力で（文字どおりかれの頭、かれの手で）、カラス小屋と呼ばれる住宅をたてて、われわれの前に登場する。《コールタールで真黒く塗られていて、そのうえ、それが、その高い崖のような土地の、しかもてっぺんにのっていたから》、周囲の悪たれ小僧にかれの家はカラス小屋と名づけられてしまったのである。のみならず大人たちは、台風によってそれが吹きとばされるのではないかと疑ったが、かれは《無邪気に威張って》こういうのだ。

《――ぼくは台風のこともちゃんと計算に入れていますよ。

そうなのだ。……台風ばかりではない。彼はひそかに原爆のことまで計算に入れていたのである。》

どのように阿久正は、原爆へと計算をおよぼしたのか？　すでに「大日本帝国」ではない日本国を憲法にきずきあげながらも、なお天皇制の呪縛におさえこまれている日本人のおおかたならば、異様なショックを受けずにはいない言葉が、口笛とハミングで同じ歌のメロディをかなであう、カラス小屋の若夫婦の会話にまじりこむことになる。

《――きみはすぐぼくのまねをするね、と阿久正がいった。

――なにもまねするわけじゃないわ、いつのまにか歌ってるんだもの。

――そりゃ、きみが歌うのは、きみの勝手さ、しかしきみはオンチだね。

――そこだけはあんたをまねしてるんだわ、きっと。

――ぼくはオンチじゃない、……だが、ぼくが死んだら、きみは歌わなくなるかな。

――また、はじまったわね。

――しかし、ぼくはそう簡単には死なないつもりだ、だいたい、ここへ越してきたのは、そのためだからな。

――それごらんなさい、やっぱりそのためでしょう？

――なにがだい？

――景色がよくて、空気がよいからでしょ？

――なんだ、そんなことか、いや、ぼくはもっと実際的なんだ、宮城を中心に、ある一定の半径で円を描いてみたんだが、ここはその円周外なんだぜ、わかるかい？

――わからないわ、そんなこと。

――つまりさ、宮城に原爆がおちたって、ここは大丈夫なんだ。

――まあ、それよりさきに、あんたの会社におちるわよ。

――その場合だって、ここは大丈夫なんだ、で、もしぼくが会社にいっているときにおちれば、ぼくだけ消滅してしまうわけさ、きみは生きのこるよ。……石の上にちゃんとぼくの影くらいはのこしておくぜ……》

　しかし阿久正はあっけなく死んでしまった。自動車にはねられて。いま僕は現実に知っていた人間の死の報せに接したように、なまなましく具体的に阿久正のことを想い出す。かれは、会社へ往復する電車の中では周囲の人々を見ているか、瞑想にふけるかした。家ではごろりと横たわって、新聞に、奇妙な、しかしなにごとか人間の真実について教えている記事が出ると、あえていえばモンテーニュが『エッセ』に記録したようなたぐいの、小さなエピソードの記事が出ると、《おもしろいね》といって自分の頭のなかにしまった。近所の子供たちには、その頭から話をとりだして聞かせてやった。かれは本屋で立読みする熱心な読書家だったが、かれのカラス小屋には一冊の本もなく、箪笥だとか長持だとかもなく、《幕舎生活がそのまま固定家屋に変っただけ》のようであった。

　僕は阿久正の家に喚起されるようにして、古びた板塀にかこわれている長谷川四郎の家の、玄関脇の小さな部屋を、文字どおりまったく小さな部屋を思い出す。われわれの国語はもとより、ドイツ語とフランス語、英語の、それも確実に翻訳家長谷川四郎と血のつながりのある、作家・劇作家・詩人の本が、たいていは安直な紙カバーの、しかし専門家に似つかわしいことも疑えぬ版で選ばれて、本棚をうずめていた。ティンパニーの上に顔をふせるようにして調音している男の、ベン・シャーンの複製が、わずかな装飾だった。そしてそのティンパニー奏者によく似ている、作業ズボンから、はだかの足をにゅっと突き出し、暗い草色の人絹みたいな生地のシャツから、やはりはだかの首と呼びたい、逞ましい首筋と立派な頭をぬっと出した長谷川四郎が、大きい躰をもてあつかうように坐っている。かれに向いあうと、この人間は、ソ満国境の戦場で、シベリアの俘虜収容所で、沈黙して仕事にはげむ、カンディドのゆきついた境地のような様子自体において、いかに確実な励ましを周囲の人間にあたえたことだったろうかと、僕にはそのまことに明確なヴィジョンが、うかびつづけたのである。数多くの幼ない子供たちが、朗々たる、かつ羞かしげでもある声の響きわたっている家にあがりこんでは、作家に小さな挨拶をした。

　ほかならぬそれらの子供たちに挨拶をかえすためにだろう。《この大地と海は何だろう、今まであれほどしばしば見たものではあるけれど。どうしてこれは出来たのだろう。そうして私は何だろう。それからすべての他の生物も。野生なのも、人馴れたのも。人間も、野獣も。どうして私たちはあるのだろう。》というデフォーの言葉を扉にひいて、長谷川四郎は、子供たちのための『恐ろしい本』という書物を刊行している。確かに子供たちはそれをつうじて、ひとりの戦後作家の、終末観的ヴィジョン・黙示録的認識にむけて、恐ろしい出会いをすることであろう。そもそもモラリストとは、大人にたいしてと子供にたいしてとで、裏腹なことを語りわけたりはしない著述家であるから。

世界はどういうものか、人間はどういうものか、を子供たちに語ろうとして、長谷川四郎は、この現実世界の、われわれ現代の人間の経験したものにほかならぬ、次のような事実群を選びだした。まずそれは、アウシュヴィッツ強制収容所においてからくも生き延びたユダヤ系ハンガリー人の少年のことである。《私は父の死目《しにめ》にあわなかった。父は夜明け前に連れさられて、おそらくは、かすかながら、まだ息があるうちに、焼却炉へ投げこまれたのにちがいない。……しかし涙は出なかった。私にはもう流す涙もなくなっていたからである。それはたいへんつらいことであったが、どこか、心の奥底で、父もとうとうこれで自由になった、という気さえしたのであった。そして母と姉と妹は、もうどこからも帰ってこなかった。》

ロバート・ハーディ、かれは南北戦争の二十年前、ミシシッピ川のかたわらで奴隷廃止論をとなえ、狂人あつかいされ、ついには絞首された。《わたしは正気だ。まじめだ。信じてくれ。奴隷たちの、うばわれた権利をとりもどす、なんらかの手をうたなくてはならぬ。さもないと、やがて血が流される。血、血、血の川が流される。》

人類の原爆の体験は、まずそれを積んでテニヤン島から広島にむかった、爆撃機の記録によって示される。そして被爆者である少年の手記と、様ざまな詩人たちの詩。原爆を、つづいて水爆を開発した科学者たちと、いったんこの巨大兵器を政治の手に渡したあとの、効果をあげぬかれらの抵抗も語られる。S・O・S、死んだ漁師たちは貧困によって危険な海に出なければならなかったのだが、かれらが残したものは、高校生以下の海難遺児、四一二〇人である。それは一九七〇年の新聞記事にもとづく。

アルジェリア独立の闘いのなかで、アンリ・アレッグの受けた拷問。ラフカディオ・ハーンの嘆いた、マルチニク島モンプレー火山の爆発。ヴィエトナム戦争における生物・化学兵器。その開発・使用への日本人の加担の証拠を、日々の新聞からどう読みとるか? 作家は哲学者中井正一の言葉を、おそろしい生真面目さで子供たちにつたえている。《真理は平常の小さな事の中にかくれているのであって、おおげさなポーズや、知ったかぶりな図式の中にあるわけではない。……男も女も諸君の一つ一つの小さな手が、手近な生活の批判と行動を手離さないことを真理は今やせつに求めている。》

つづいて、津波、ツェッペリンの墜落、サンフランシスコの地震……それらが、長谷川四郎によって、子供たちに、この世界はどのようなものか、人間とはどのようなものかを、話して聞かせるために選びだされた、「現代」である。僕が、長谷川四郎のここ数年の新しい仕事から、あえて子供のための本に注目するのは、ほかならぬ自分が『恐ろしい本』を読みつつ、あらためてもっとも鮮明に、この作家は死のぎりぎりまぎわの極限状況を、ほとんど偶然のように生き延びてきた人間なのだと、あらためて感じることを繰りかえしたからにほかならない。作家が、シベリアの俘虜生活を描いた作品群は、見まがいようもない清冽、穏和な美しさに輝やいているけれども、それは極限状況を生き延びようとするひとりの人間が、重労働のあとの極寒の幕舎で、不眠の暗闇に、一字、一字きざんでいったものに発している。作家はそのままヨブ記を思わせる、アウシュヴィッツの少年の《十六歳になったばかりの私だけが生き残って、以上のようにこの記録を書いたのである。》という言葉をひいたが、当の作家自身もまた、我これを汝に告んとて只一人のがれ来れりと、われわれにむかって告知することを志して、シベリアの俘虜生活から、生きてかえったのではなかったであろうか？

　極限状況を生き延びたモラリストが、「汝」、真の汝、すなわち次の世代へと、なにをまともにつたえたいとねがうか？　子供のための本において、長谷川四郎は、穏やかに、しかし決して核心をゆずらぬ力強さをあらわして、あたかも遍歴途上のモラリストが、街頭で、そこに集う子供たちに語るように、かれがシベリアから日本にかけて、つねに魂と眼のうちにまっすぐにつらぬいてきたところのもの、人間が真に人間であるとはどういうことか、をめぐることどもを、語りつたえようとしている。

島尾敏雄・「崩れ」について

極限状況を生き延びる。人間の体験として、それは極限状況においてついに死ぬことにくらべて、はるかに複雑な内実をはらんでいるであろう。僕は、ひとりのもと特攻隊員が、戦後永い時がたって、ほとんどその戦後の歳月に生れ出た者らである若い聴衆に、かれが敗戦前夜に経験した極限状況について語るのを、傍聴したことがある。

若者たちは、あたかも、極限状況で死んだ人間が幻となってそこに出現し、かれらに世にも酷たらしく勇ましい話を語ることを、期待しているかのようであった。そしてもと特攻隊員は、むしろそのような期待をはっきり拒むためにのみ、語ったのである。かれは自分の冴えぬ顔色について話し始め、「特攻隊員の日常生活」を語った。僕は、かれの穏やかな話しぶりが、若い聴衆にもたらした、あるチグハグな感じと、しかもなお会場の敏感な魂を点々と飛び火するようにとらえていった、静かな恐れのような動揺とを、はっきり思いだすことができる。話は短かく、なおさらに若い聴衆をとまどわせるようにも唐突に、しめくくられた。いうまでもなく、それからずっとかれの話を記憶に更新しつづけている者には、それこそ重く確実な意味を喚起しつづける、このような言葉によって。

《そのときからもう二十二年がたちました。敗戦の直後のころ、「特攻隊崩れ」という言葉が出来て、自分は崩れていないというふうに、その当時私は思っていましたのですが、今ふりかえってみると、やはり崩れていたのだと思うようになりました。鹿児島の方では、旧藩のころの各種の騒動を「崩れ」と言っております。

「文化朋党事件」のことは「近思録崩れ」とか「秩父崩れ」などと言い、嘉永のお家騒動を「高崎崩れ」と称しています。奄美にも「徳田崩れ」と呼ばれる事件などが言い伝えられていますが、それらの崩れとはちょっと様子がちがいますが、特攻崩れもやはり一種の崩れで、崩れていたことになるのではないか。
一年と四、五箇月かの特攻の生活で、どういう影響を私は受けたかということは、なかなかわかりにくいことで、それと私自身の素質の問題もからんできますから、そのへんがどうなっているのかもよくわからないのですが、とにかく私は小説の表現形式をかりて、これはこの先もずっと追究してみなければならない問題じゃないかと考えています。》
敏感な、かつ広がりのある想像力をそなえた者らは、この「崩れ」という言葉から、極限状況そのもの(すなわち騒動としての「崩れ」)と、極限状況を生き延びることで、魂にきざみこまれた傷をになないながら生きる人間(すなわち特攻崩れ、におけるがごとき)との、ふたつのイメージをそれぞれ喚起され、しかもそのふたつのイメージが頭のなかでせめぎあうのを感じ、そしていま語りおえた、柔和というには暗すぎる眼をもつ、顔色の冴えぬもと特攻隊員、島尾敏雄に、その「崩れ」という言葉の、いわば言霊《ことだま》そのものを見る思いにうたれて、静かな恐怖を感じ、作家が奄美大島に帰って行ったあとも、その深いところでの動揺を忘れなかったのではあるまいか？　僕もまた、傍聴者としてそのような経験をした。
島尾敏雄が、小説の表現形式をかりて、この先もずっと追究してみなければならぬ、といっている言葉は空証文でない。一九四九年に発表された『出孤島記』から、十三年後の『出発は遂に訪れず』をつらぬいて、完結しない小説の、前傾姿勢のまま宙づりの想像力の、ついはみだしてしまう先端は未来にむかっている。しかも、方法についてもっとも意識的なこの作家が、小説の表現形式をかりて追究しつづける、という時、われわれはあらためて、極限状況を生き延びる、ということが人間の精神と肉体にとって、どのような経験であるのかを、小説の表現形式そのものが、直接われわれをその現場にいざなうべく準備されたものであることにも、気づくことになるであろう。

シュールレアリスムの作家でありながら島尾敏雄は、とくにここで私小説の形式を選択したのであった。一般にそれは小説の書き手が、「私」はこのような経験をしましたといい、われわれが、かれはあのような経験をしたのだ、と納得する、その理解関係の上になりたつ小説の世界である。まことに島尾敏雄は、もっとも困難な矛盾の構造を、自分の想像力に課すことから開始したものだ。かれは極限状況を生き延びた人間である。しかしかれが生き延びて、現に作家として生きている、ということは、その極限状況の緊迫を否定しかねぬ力である。「私」はこのようにして、数時間後に死ぬべき人間でした、と作家がいう。いや、きみは今なお生きている、したがってきみの「極限状況」には、いかがわしいところがある、とまでいうつもりはないが、しかし、その小説の展開の上で、「私」が極限状況にあるところを読ませられても、そこで本気に恐れるわけにはゆかないんだよ、自分がいまこの「私」の書斎で書いたものを読んでいるという事実が、作中の「私」の極限状況を、なしくずしに相対化してしまうのだから、と読者がいう。いったいきみは、どうして私小説の形式を選ぶのかね。「かれ」と書いてくれれば、どんな極限状況でも納得できたかもしれぬのに？

寡黙な作家が、もし口を開くとすれば、かれはこう答えるのではあるまいか。確かにそれはそのとおりだ。生き延びてしまえば、自分自身にとっても、その経験した極限状況は、相対的に感じられる。ああいうことは現実におこらなかったのだ、と自分に認めさせることすらできるほどだ。それは単に、極限状況のみにとどまらない。過去の日常生活のあらゆる部分が、どうして現在の「私」にとって相対的でないだろうか。過去とは、いまや実在しないものの謂《い》ではないか？　しかもなお、自分にとっての過去の一時点の、実在性を強固に主張してゆくことこそが、想像力の作業であろう。そしていったんその決意をする時、「私」にとっては無数の過去がありうるのであり、自由な選択がありうるのだ。「私」の単一性《ユニテ》あるいは identity とは、そのような、想像力の操作上の産物にすぎぬ。自分は、私小説という形式の想像力の枷《かせ》におのれを縛ることによって、ただ自由のエネルギーを、強くたわむバネの上に凝集させようとするのだと……

そのような覚悟に立って、作家が「私」の、極限状況における日常生活を表現しはじめる時、われわれは、自分の生活もまた、その極限状況にひきよせられてゆくことを自覚しないわけにはゆかぬ。しかも、ある自由な選択の感覚において。そのうえに、われわれは、いったんその自覚にいたれば、この作家は戦後ずっと、いまなおかれの一九四五年夏の極限状況から、外に逃れ出ることなく生きつづけてきているのではないかという、もっとも根深いところでの恐怖の酸っぱさをあじわうにいたるのである。

《我々は或一つの仕事を除いては役に立たない戦闘員であった。

或る一つの仕事というのは、我々が敵から「スイサイド・ボート」と呼ばれた緑色小舟艇の乗組員であることによって運命付けられていたものだ。

長さ五米、幅約一米の大きさを持ったベニヤ板で出来上っている木っ葉がそのボートであった。一人乗で目的の艦船の傍にもって行って、それに衝突し、その場合頭部に装置してある火薬に電路が通じて爆発することになっていた。衝突場所がうまく選ばれていた場合には、多分二隻で目標の輸送船一隻を撃沈させることが出来るであろう。もう少し欲を出して軍艦一隻を轟沈させる為には、近接が成功したとして更にもっと多数の我々の自殺艇を必要とするだろう。そして我々乗組員はそのような戦闘場裡にあって、沈着に、突撃の百米程前方で、針路を絶対の射角に保ったまま舵を固定して海中に身を投じてもよいことにはなっていた。もしそんなことが出来るとすれば。

今でこそ不思議に思うのだが、私はそのような目標直前での舟艇離脱という冷静な行動がとれそうにないから、いっそのこと自殺艇と一緒に敵の船にぶつかってやろうと、もうその他にどんな道も自分に許されていないように思い込んでいたことだ。

この一年間というものは、そんな事情で、明けても暮れても、身体ごとぶつかることばかり考えていた。》

僕は、このいかにも端的な、自殺艇による極限状況の提示のフレーズに、周到に、自由の契機がしのびこませられていることへ注意をうながしたい。「私」は、自殺艇に乗りくんで死におもむくという、唯一の未来への抜け穴のまえに位置した人間である。しかもそのようにして南島の夏を、死にむけて待機している、多数の「集団自殺者」たちの責任をせおった隊長でもある。しかもわれわれは、かれが自殺による攻撃よりほかに道はありえぬと、みずから思いきめることによって、その唯一の道のまえに位置しているのだということを、ひそかに知らされたのである。たとえ脱出の技術的困難に由来するとはいえ、まぎれもなく、これは自由な決意ではないか？　自由とはそのようなものだと認識する時、すでにわれわれは「私」の極限状況のなかに、自分もまた参加しはじめていはしまいか？

《既に原子爆弾が広島と長崎に投下されてしまったことを我々は無電で受信していた。

私はその頃の時間の感じに自信がない。時は進んでいたのか、逆行していたのか、或いは又停止していたのか、然しそれを疑ってみたというのではない。ただ私にとって歴史の進行は停止して感じられた。私は日に日に若くなって行った。つまり歳をとって行かないのだ。私の世の中は南の海の果ての方に末すぼまりになっていた。その南の果ての海は突然に懸崖になっていて海は黒く凍りつき、漏れた海水が、底の無い下方に向って落ち続けていた。

私はそこから落下する為に、毎日若くなって行った。而もそこに行く前に、一つだけ思いきった行動を起さなければならない。眠っている間に、そっとそこに突き落して貰うというわけにはいかない。一メートル歩く為にも、こちらから身体を起して、重い足を動かさなければならない。

そして時は不気味に進行を止め、毎日の出来事は既に歴史書に書かれていることばかりのように思えた。どんなことが起っても新鮮な驚きを感じなかった。……昨日は今日に続かず、そして又今日は明日に続いて行きそうもない。ただ南方洋上のT島のあたりが絶え間なくどろどろとおどろに鳴り響き、運命の日をのみ待ちくたびれて、一瞬一瞬だけが存在しているようなその日その日があっただけだ。

私の世界が、黄昏《たそが》れていたそのような時に、まず広島の運命を知った。

それは新型爆弾と報道された。詳しいことは分る筈もなかったが、その爆弾によれば、山も一部はどろどろに崩れ落ち、人間はその光線を受けただけで消失したと伝わった。要するに原子が破壊され(と素人考えをしたのだが)、物質は何もかもばらばらになり土に返ってしまうのだろう。……

自殺艇乗組員の私にとって、思い出ということの素直な感じはなくなっていたが、それでも長崎壊滅の報せは、暗い終末を一層確定的に予言されたと思った。私は誰の為に死んで行き、そして私の死んだ後には誰が生き残っているのだろう。

不思議なことに、原子爆弾のニュースは私を軽い気持にした。これで私も楽に死ぬことが出来そうだ。それは恥ずべき考えであった。然し私はこっそりそう感じ、之を口外出来ないという罪の意識を自覚した。》

《艇隊員はつまり自殺艇乗組員のことだが、彼等の中に、明らかに我々は生き残るであろうという予言をし始めるような者も出て来た。それはいくらか滑稽味を加えて、そして反面狂信的な調子で言い始められた。もっとも彼等は自殺艇の遂行を拒むような要素は少しも匂わせず、自分らがその任務に選ばれていることに特権の意識を抱き、他の隊員との間に待遇の峻別を期待していた。それでその予言というのは、遂には彼等は、突撃の為に出陣するであろう。しかも彼等は生き残るであろう。それでなければ、或る夜忽焉として敵艦船の蝟集する沖縄島が陥没するであろう、というのだ。然し彼等が期待するようにたとえ生き残ったとしても、戦争自体が終末しない限り、我々は更に前線に進出しなければならない。既に我々には掌特攻兵というマークがついてしまっていただけでなく、そのような粗い仕事のほかは何も出来ない伎倆しか訓練されなかったし、そういう状態でかなりの期間特権的な生活をして虫食まれていた。》

そしてついに、「私」の指揮する全艦隊に出動の命令がくだった。「私」は《原子爆弾の前では、どんな命令も恐らくナンセンスに思》うにもかかわらず、いまその命令に服従するのである。そこにも、自由な選択の契機が、しのばせられていることに注意しなければならぬだろう。あるいは極限状況自体の、相対化の契機がしのばせられていることに。

《私は部屋の中で死装束をつけた。つまり自殺艇に乗り込む為の服装になった。此の一ぺん限りの時の為に、いつもおさらいをしていた順序で、ふだんの略服の上に飛行服をかぶった。私はその時に、袖やズボンに手足がうまくはいらないようなことになることをどんなに怖れたろう。然しそれも、どうやら右左を間違えずに着け了ることが出来た。ただふと気持が内に向くあの自分の体臭をしみじみと嗅ぐ気分の中で、もうこの服も脱ぐことはないのだという、ひとりぼっちにされた寂しさを感じた。この身のいとおしさ。N。今の私はNが髪振り乱して狂乱している姿をしか想像出来ない。何故か発狂して恥知らずの姿になったNの姿しか瞼に浮かばない。然し恐らく兵火の犠牲になって命を落すこともあるだろう。私はNが死んでしまうことを願った。然し又雑草のようにしぶとく生きていて呉れることも願った。後の世の中との唯一の架橋のように思えたのだから。それから飛行帽をかぶり、双眼鏡を首にかけた。》

しかし最終の発進の命令は、いつまでも来ないのである。《もし出発しないなら、その日も同じふだんの日と変るはずがない。一年半のあいだ死支度をしたあげく、八月十三日の夕方防備隊の司令官から特攻戦発動の信令を受けとり、遂に最期の日が来たことを知らされて、こころにもからだにも死装束をまとったが、発進の合図がいっこうにかからぬまま足ぶみをしていたから、近づいて来た死は、はたとその歩みを止めた。

経験がないためにそのどんなかたちも想像できない戦いが、遠まきにして私を試みはじめる。どれほど小さな出来事も、起らなければそれは自分のものとならず、いつまでも未知の領分に残っている。》

《異常な完結的な予定の行動が延期されると、日常のすべてのいとなみが気息を吹きかえす。私の嫌悪していた死が、くびすを返して遠ざかり、皮膚の下でうごめく生のむずがゆさがはたらきはじめて、あとさきの約束ごとの中に戻って行かなければならないことを知る。……でもからだの底の方にうっすら広がりだしたにぶいもやのような光の幕は何だろう。生をつめたく取りかこみ、かたくとざしていた氷結のおもてに、どこからともなくゆるみがしのびこんでくる。》

そして八月十五日がやってきて、出発は遂に訪れぬまま終ることになる。しかしその地点において始めて、われわれはなお未完のまま進行中のこの小説に、「私」を焦点におくことにした筋立ての意味あいを、その全体において理解しはじめるのである。その地点にいたるまでに、置かれていた伏線的な布石のいちいちが、こぞって全体的な意味をあらわしはじめる。しかも、もっとも明瞭に、新しい意味づけを要求するものこそは、この独自な私小説としての表現形式である。

《にぶいもやのような光の幕》のむこうには、いまや、生命持続の可能性のあることがはっきりした。《考えられもしない変化の中でせっかく生きられる状態が出現したのに、それを完全に自分の手の中に収めるまでにはなお多くの難関が横たわっていることにがっかりした。》という「私」の感慨の、なんと直截に状況の内実すべてを語っていることだろう。

その前日まで「私」は、極限状況の、それもただ死に到る道しか残っていない、すなわち自殺艇に乗り組んでの自爆への水路しか眼の前にない、どんづまりにいた。しかし「私」は、あたかも自分の自由な選択であるかのように、自己の内部でそれを位置づける余裕をもっていた。その自由な選択の自覚のあるかぎり、「私」は決して追いつめられた者ではなかった。事実、かれの眼は自由にひらかれて、多くのものを見たではないか？　かれは海のかなたに、端的な、黙示録的状況・終末観的状況を、あざやかなヴィジョンに見ることができた。核爆弾の根源的な大破壊の噂に接すれば、それを世界の終わりのヴィジョンにかさねあわすことができた。そして「私」は、自分の肉体と精神に死を指示する命令を、相対化して眺めることができる地点にまで踏み出し、しかもなお自由に、対象を相対化する行為があたえる余裕をもって、自殺艇に乗り組むことができるはずだった。そこには自由なユーモアすら動いていた。沖縄島が陥没する、というような驚天動地のイマジネーションも、それはかれらをつつんでいる自由なユーモアの一環としてのみ、意味をもちえたのであったし、そのおそるべき不謹慎さも、いままさに、その自由なユーモアの描いた生への可能性とは裏腹に、死んで行くことを確信しているかれらにのみ、許されることであっただろう。この地点までの「私」とは、まことに神話の登場人物であるかのようにも自由な「私」である。

ところが、生への可能性が突然に現実化されるとともに、「私」はまず、あらゆる自由の感覚をとりおとしてしまうのだ。「私」の言動はすべてぎごちなくなり、ユーモアどころのさわぎではなくなる。かれの身の廻りには、ありとある困難の壁が幾重にもあらわれる。いったい「私」が、この八方ふさがりの状況から、生にむけて帰還することはほんとうに可能なのだろうか？　いまや「私」には、かれを自由に前へ向わしめてくれる、自殺艇のように便利な乗り物はありうべくもないのである。

そしてわれわれは、この小説が私小説という表現形式をとっていることの、意味のダイナミズムに面とむかうのである。この小説のなかの「私」が、なお厄介きわまる困難の壁のうちにあって、幾多の乗り越えねばならぬ障害の前に、今は自由の感覚すらもうしなって釘づけになり、あわれにも兇暴に、軍刀をベッドのなかにまで持ち込む状態にあるのと同じく、この小説を書いている作家もまた、戦後永い時をへだててなお、確実な生に向って帰還してはいず、「私」も作家も、非常な困難のさなかに宙づりになっているのだと。その認識は、島尾敏雄が穏やかに発する「崩れ」という言葉のもたらした、静かな恐怖への照明をあたえる。

われわれは神話が、二十世紀文明の荒廃期たる今日の現実にあることとすべてを、純粋な種子のようにあらかじめ具体化していたと、絶望的な嘆息とともに認める。すでにこの小説の、神話に近いと呼んだ部分には、あらためて驚かれるほどにも、戦後四半世紀の島尾敏雄の苦闘の対象の、原形質というべきものがちりばめられている。それはあらためて、この『出孤島記』と『出発は遂に訪れず』をつらぬき、『その夏の今は』にいたって中絶したままの長い小説における、「私」＝作家という設定の、従来の私小説をこえた独自性を思わしめるのである。この最後の短篇に、なお島に閉じこめられている兵たちのあいだから、ただひとり本土に飛行して帰還する機会をあたえられる者、すなわち唯ひとり生の側の人間として確定した男があらわれて、そこに始めて「崩れ」という言葉がもちいられていることにも、僕は注意を喚起したい。

《「Sさん」

と私は彼を呼び、ふり向いたかたい顔に近づきながら、

「あなたには先に帰ってもらわなければならなくなった」とつづけて言った。「内地にもどる飛行機があるから、それに便乗して佐世保に行ってもらうのです。帰ってくる必要はないが、こちらの様子を報告して、またあとの連絡にあたってほしいとH大尉から言ってきた。あなたに行ってほしいのだが、どうだろう」

彼の中でなにかが崩れているようであったが、強く締めていた口もとをほどくと、怒りをはき出すふうに、

「そうですか。それでは先に帰らせてもらいます」

とはっきり言ったのだ。》

極限状況のただなかで、死にむから自殺艇に乗り込むことだけが、自由な行動である一九四五年八月の、時間軸における「私」。その「私」が考え、感じ、言葉を発し、行為をおこなうこと、およびかれの世界全体にたいする終末観的なヴィジョン。すなわち、一九四五年八月の「私」の存在のすべて。それは、幾十時間後、かれが積み重なるすべての現実的困難を克服して、日常生活のなかへなんとか帰還してしまえば、夢のまた夢、幻のごときものとなるのか？　いやそうでない、と作家はいう。なぜならいま現実に生き続けている精神と肉体に、一九四五年の夏に発した「崩れ」が、実在しているのであるからだ。しかもかれは、「崩れ」を主体的にひきうけて、その実体をきわめつくす時にはじめて、真にその極限状況から、生還することができるのであるからだ。一九四五年夏が幻となれば、それこそかれの精神と肉体は根無し草《アップ・ルーテッド》たらざるをえない。そして生物相のバランスの崩壊した地面、海水さながらに、かれの精神と肉体のうちには、異様な生物が繁殖して、かれ自身を食いつぶしてしまうだろう。それは「崩れ」の魔である。

そこで作家は逆に、「崩れ」そのものに立ちむかってゆく。今日のかれの実在の全体のうえに、あらため

て一九四五年夏の状況を喚起するようにして、あらたにかれは一九四五年――一九七〇年代のタイム・トンネルを構築する。そしてかれは現在のかれのすべての課題が、一九四五年夏の光のもとに、かつてすでに萌芽として実在していたものとして、新たに認識しうるほどにも、透徹した視座をひらく。われわれは作家とともに、「私」のまぢかに歩みよって、まさに同時代としての戦後を一九四五年――一九七〇年代の、ふたつの時が、メビウスの輪さながらむすばれているような、濃密な時を経験するのである。

それは大岡昇平の言葉にちかづけて考えるならば、一九四五年夏の島尾敏雄の contemplation にむけて、一九七〇年代のわれわれが、作家自身にみちびかれて集中してゆく、といいかえていい事情であろう。ある一瞬の contemplation「観照」に、その人間とかれの世界の全体があらわれる。しかしそれは、かれが contemplation を経験している自分と、現在の自分の強い単一性《ユニテ》 identity を主張しつつ、あらたに「観照」のあらわしたものを再認しつづける、ということがなければ、ただ一瞬の幻の通過にほかならぬのである。逆にその再認の努力が激しくおこなわれれば、人間の一瞬の「観照」の世界の全体性は、かれの生涯すべてを覆うほどであり、そこに予言的なものを見出すこともしばしばとなる。

『死の棘』を中心とする秀れた小説群において、「私」の妻の狂気にめぐりあう時、われわれの想像力は稲光のように、一九四五年夏の、自殺艇乗り組みまえの「私」が愛人の狂気したイメージをいだくところまで、たちかえらぬわけにはゆかない。また遂に出発の訪れぬものとはいえ、はっきり攻撃の命令のおりている特攻隊員たちをなぐさめる、島人の演芸の描写にふれる時、どうしてわれわれは、この作家のしだいに深くなる琉球弧の民衆の生活と芸能への、かかわりに思いいたらないでいられよう？

　それはいうまでもなく、虫の知らせ的な予言性として意味をもつのであるはずはない。この作家が現実に、かつての島の愛人、ひきつづいての現在の妻の、ある狂気の現実に立ちむかうさいに、あくまでも正面からまっすぐ、一九四五年夏のかれの contemplation「観照」を見きわめなおすようにして、それら二つの時を、かれ自身の肉体と精神のうえに一貫させることに注目しないではいられぬということである。

　現代における小説の方法の、したたかな意識家、島尾敏雄を、伝統的な私小説家と単純にかさねあわせれば、そこに歪みひずみがあらわれることはいうまでもない。しかし、『出孤島記』連作の「私」と、『死の棘』連作の「私」とを、ふたつながらにならうようにして、戦後のあらゆる時を並置するようにしながら、島尾敏雄が、作家として今日の現実に生きていることは、誰がそれを認めぬだろう？　そしてそのようなかれの同時代者へのメッセージとは、つねに次の問いかけであると感じとられるのである。われわれは本当に一九四五年夏の極限状況から、すっかり生還しおおせたのか？　もしそうならば、われわれのこの「崩れ」はどうしたことか？

　敗戦にもとづく荒廃によって喪失したものをいとしむ思いいれの、みやびな嘆息の声が、およそその底意においては、みやびな感傷性と裏腹な実権派によって、様ざまな変奏をかなでられている。実権派は、戦後的なるものの全体に abortifacient な圧力をかけるべく、猫なで声を発しつづけている。

　しかし島尾敏雄の「崩れ」の認識は、そうしたものとまったく質をことにする。かれにとって、「崩れ」は人間的な力でもまたあるはずなのだから。一九四五年夏の経験による「崩れ」を意識化しつづけてゆく人間にたいして、それに盲目の他人が批判の声を発すれば、むしろ「崩れ」がなぜ悪いのか、という声すらうちかえされるかもしれぬほどに。すくなくとも島尾敏雄が、この「崩れ」の自覚をバネとして、強力に切りひらいた世界観の独自さを、いったい、かれと同時代の戦後を生きる者のたれが単純に否定しえよう?

それは私小説の「私」による表現方法と、シュールレアリスムのヴィジョンに近接した表現方法とを交錯させる、島尾敏雄独特の夢の方法では、かりにも過去にむかわず、未来図として透視される、われわれの今日の極限状況下の、日常生活の眺めとして描きあげられた。

《その日。白い雲がもくもくと湾口の岬の方の空に出ているのを行く手に見ながら、両側に低い家並のつづいた道を歩いて勤め先に足を運んでいた。もう夏は過ぎてしまったのに、まだあんな雲の出ることがあるのだなと思ったとたんに、その裂け目から朱にぬられた物体がつと首を前に出すように現われて、胸壁を削ぐような不安の音が、故障箇所の直った拡声器みたいにいきなり耳にかぶさってきた。早く別のところにとんで行けばよいと思ったのに、その物体はしだいに音響を高くし、三方を山に囲まれ海の方にだけ家並を開いた小さく混雑した市街の方に近よってきた。

危険を感じた瞬間、なぜか出がけにマヤがひとりで道具をかかえてふろやの方に出かけて行くうしろすがたが目に浮んだ。マヤおふろかい？と声をかけると、ふり向いてこっくりしてみせていたのに。今ここで何かわからぬが目撃者になるのはいやだという思いがこみあげてきたので、勤め先に行くのをやめてくびすを返そうとしたときには、物体はぐっと近づいてきて、市街の上空を旋回しながらおりてきた。……頭を防禦的に包み体格や身のこなしで白人とわかる人々が物体の扉を押しひろげ、細長い筒状のものをかかえ二人ずつ組になって道に出てきた。いきなり目の前に展開された状況は日常をはみ出していたが、でもいつかこういうことがあるかもしれないと予感していたものが今実現しているところだというなまなましさに圧倒され、どうしてよいかわからない。……

妻を呼ぶと奥の部屋から両手を泥だらけにして出てきたが、にぎった泥のかたまりを私につき出し、

「これを鼻にあてると毒が中和されますから、早く早く」

と言ってから、はっと気付いたふうに、

「あなた、たいへん、たいへん。早くマヤをつれてきてください。ひとりでおふろに行っていますから」

と目の色を変えて叫んだ。私もそのことが頭にあったから、泥を手につかむと、もう一度道にとび出した。

目にうつるかぎり人影が見えず陽が明るく通りと家々を照らしているのが、ふと何百年も前に滅びた市街に足をふみ入れたときのような気持にさせた。逃げおくれたかも知れぬと、寂しい気持になったが、マヤのことを思うと、とても置き去りにして行くことができそうもなく、半町とはなれていないふろやに私は走って行った。》

たとえこの「夢」が閉じられた日常生活の細部にこだわりつつ描かれているにしても、たれがこのヴィジョンの根柢の構造を、単なる個人の悪夢として見すごすことができよう。われわれはこの夢の「私」の必死に支えている一九七〇年代——未来のタイム・トンネルの、現実的な足ざわりを疑いえず、ついには静かな恐怖のうちに立往生してしまうのではないか? 一九四五年夏——一九七〇年代の、あのタイム・トンネルの実在性を信じた者が、どうしてこのもうひとつのタ

イム・トンネルの現実性を、くっきりと見ないでいられるだろう? 島尾敏雄は、その精巧な「私」の表現形式をつうじて、現在かれがいかに全体的に濃密に、一九四五年夏を経験しつづけるかを示したとともに、一九四五年夏の南島で想像した、広島・長崎の核戦争にまっすぐつらなる、未来の核戦争のヴィジョンのまわりに、その黙示録的・終末観的光景の全体をくっきりと展開して、しかもかれの穏やかで暗い眼をわれわれに向けつづけているのである。

われわれがそのようにつとめるならば、島尾敏雄の「私」にみちびかれて、一九四五年夏——未来の、すべての時の共存するタイム・トンネルに参加することができるだろう。その努力は、しかしまずかれの静かな恐れに、自分の肉体と精神を共振させることから始めねばならぬ。かれの恐れ、恐怖は、なみたいていの感情の起伏ではない。そこに一九四五年夏——未来のタイム・トンネルを、現在時においてじっと支える、島尾敏雄の本質が析出している。あらためてかれが「崩れ」について語る言葉に耳をかたむけて、ほかならぬ僕自身をひたしはじめる根源的な恐れへの準備をしよう。

《敗戦直後のころ、特攻隊崩れということばがはやったときには、自分は崩れなさ過ぎると考えていたが、今ふりかえってみれば、やはり崩れていたのだろう。おさえなければならぬ弱い部分も露出してかえりみないでおれたのだった。なにか不吉な事態が身に起きれば、すぐ最悪の場合を考え気分をそちらに移し、その来るのを待つような姿勢を身につけてしまったとも思う。あるいは性格とからみあっているかもしれないが、しかし特攻出撃をしてしまった者としないで生残った者のあいだには、まったく質の違う越えることのできない隔絶がある。そこは恐しい恐怖でささくれだっている。にんげんには、おたがいが殺しあうことに、なにか理解できない神秘が含まれているのだろうか。では、なぜ、殺しあいが絶えないのか。近ごろ、水雷学校でいっしょに訓練を受けた三期予備学生出身の同期生たちからたよりをもらうことが多くなり、今年になってそれは特に目立ってきた。他の生残者の動静を伝えたかんたんなものだけれど、なにかが感じられはじめたのだろうか。世間の人たちの調和を失った生活の中から、静かな、しかし感じやすい恐ろしさがしのびよってくるようだ。》

荒廃の二十世紀後半の、核爆発のオーロラを背光にして立つ予言者とは、もしかしたらまずはじめに、この生残者のように冴えぬ顔つきで穏やかに語る、南島生活者の顔かたちをとってあらわれるかもしれぬではないか?

森有正・根本的独立者の鏡

「崩れ」。戦後すぐの狂瀾怒濤のただなかで、多様な人間たちがそれぞれに体現していた「崩れ」、その「崩れ」を、人間は克服しなければならぬが、「崩れ」ているゆえに、より深くあらわれている人間的なるものを、あえてみずからになうようにして、お先真暗の一歩を踏みだすのでなければ、「崩れ」を真に超えた新しい人間は、出現しないだろう。時代が、「崩れ」た人間の赤裸な「崩れ」にしだいに埃をかぶせるようにして、人間がその「崩れ」の、真実の契機をつかみとることを難しくする時期に、あえて異国に孤立して、自分の「崩れ」の全体に面とむかい、なにごとかほんとうの経験にいたろうとする人間がいる。旅に出るかれをまずとらえていたのは恐れである。

恐れ、穏やかにせまってくる恐れ、具体的になにものであるのかわからぬ、そのただなかに入って行くほかに乗り越えようのない、そのような静かな恐れ。戦後文学者たちと、あるいはドストエフスキーをつうじて、またパスカル、デカルトをつうじて、直接にむすびついていたひとりの哲学者が、一九五〇年秋、占領軍の出国許可書を身につけてフランスに向った。

《出発も最後までぐずぐずし、やっと神戸で、他の人々が横浜から乗りこんでいるラ・マルセイエーズ号に追いついて乗りました。そして海や国々の港を三十日間眺めたあげく、マルセイユに着きました。船中で一時忘れたようになっていた不安の念がまた頭をもたげてきた、否それよりも前、船が焼けつくアラビアの沙漠やアフリカの岸にそって進み、一望千里のスエズ運河を通過して、海の色まで爽々しい、冷たい風の吹く地中海に入った刹那から、不安の念、あるいは一種の苦悩《アンゴワス》と名づけるのが正しいかも知れないような感情が胸を抑えつけ始めていたのです。そしてマルセイユに着いた時には、この不安はもはや決定的な力で私を支配しているのが判りました。ですから私はマルセイユからパリへ急いで行きたくはありませんでした。岩山のかげの小さい聖堂でカトリックの式が行われているのを見、ノートル・ダーム・ド・ラ・ガルドの頂上の教会にも行って見ました。そこから展望すると、港の岩壁には乗って来たマルセイエーズが小さくその真白い船体を横づけにしていました。私はそれにまた乗って日本へ帰りたいと思いました。しかしそれは実質的に不可能でしたし、他方、不安の念がある時にはその不安の只中に入って行かないといっそう不安になるという心理が働くものです。これは私にとって大切なことですが、今にして思うと、この不安は、それがフランスを相手にしたから起ったのではなく、私の自分自身に対する不安だったのです。それ以外の何ものでもなかったのです。しかしそんなことはその頃少しも判ってはいませんでした。

……私は結局、本質的にはフランスとは関係のない、自分のこの不安のためにフランスに十六年間いてしまったのです。今私は稍、それから脱却しつつあります。それは自分の中に、本当の経験とは何か、ということが、自分に即して判りかけて来たことと表裏していいます。》

かれは出発した。かれは同時代としての戦後を、戦後文学者たちとおなじ日本列島の土地の上でにないあわなかった。しかもかれが、《自分自身に対する不安》のまえにまっすぐ位置することに始まり、《しかし、モンテーニュが言っているように、恐怖の対象そのものの中に入ってしまえば、かえって恐怖や不安はなくなり、あるいはほかのものに姿を変え、もっと具体的な、行動の対象となり、別の配慮が生れて来ます。今にして思えば、こういう、観照的態度を不可能にする行動の次元こそは、パリが私にもたらしてくれた第一の変化だったのですが、それはそれで私にとっては相当に骨の折れることでした。》と生なましく回顧する、その「行動」のおこしかたは、日本に残った戦後文学者たちの、誰のスタイルともことなっていた。

それはかれの、《一人の人間にとっての経験の根本的独立性》という言葉になぞらえていえば、戦後文学者たちの群から離れて、パリの一郭に、ひとり根本的独立者として生きはじめるということであっただろう。しかし今、僕は戦後文学者の様ざまな顔が、この根本的独立者の鏡につきあわせる時さらにくっきりと、かれら独自の、同時代としての戦後を生きぬいてきた表情をあらわすのに驚くのである。逆にこの根本的独立者も、戦後文学者たちの輪のなかでこそ、はじめてよくその全体像が見えてくる。そして出発してしまった哲学者、森有正の次の言葉は、むしろ戦後文学者たちみなにかわって、発せられたもののようにも思われるのである。東京で仕事をつづけながら、変化について、このように異様なほどにも率直に書くことは、難しいから。

《時は容赦なく過ぎて行く。日本も、フランスも、世界も変化した。自分も変化した。ただ僕はフランスにいる。しかもフランス人ではない。日本人だ。そういう僕にとって、こういう内外の変化は、一種の予想しなかった経験の構造を僕の中に露わにし始めた。それは、一言でいえば、自分の中に、経験の二重の層が出来、一つは自分を取り巻くフランスの社会の中で形成されるもの、もう一つは、その深部に、あるいは、その底部に、深層心理と呼べば呼べそうな、一種の夢の世界のようなものが形成され、それが遠距離にある日本の社会の変化に実に鋭敏な感度をもって呼応しながら、連なっている、ということである。だから僕は、遠い外国に長くいたからといって、外国人になったわけでは決してなかった。日本の変化は、何時でも、またその変化がいかに間隔を置いて入って来るにしても、自分の国の変化であり、また自分の変化でもあった。しかし、外国で形成されはじめた経験の層も、それが生きた層である以上は、年月が経つにつれて、それ自体深まり、自分の深部に根を拡げはじめる。それが自分の夢の層に喰い込みはじめる。自分の心のさらに奥にある、自分の生れた国の歴史と、外国の経験の層の奥にある、その外国の歴史とが、異常な次元でからみ合い始めるのである。……僕は、そういう心の構造の中に、自分にとって、自分の国と外国とが交渉する、

本当の唯一つの実在する場所を確認したのである。》

森有正独自の、しかも普遍的なひろがりへの爆発力をもって個人の魂にはいってくる、「経験」という言葉について、僕は他の言葉で語りかえることをすまい。森有正自身の文章において、その言葉が、自由に生きいきと動くのに直接ふれてもらおう。まず森有正が、「経験」について語る比較的初期の論文から、いくつかの文章を引いて置くことにする。

《……変化と流動とが自分の内外で激しかったこの十五年の間に、僕のいろいろ学んだことの一つは、経験というものの重みであった。さらに立ち入って言うと感覚から直接生れて来る経験の、自分にとっての、置き換え難い重み、ということである。》

《伝統はわれわれに深い促しを起す。その時、自己の経験の形成が開始される。誤解してはならないことは、自己の中に喚び醒された促しとそれにもとづく自己の経験をほかにしては、伝統とその言葉とは、未だ自己にとっては、何の意味もない単なる空虚な言葉にすぎないということである。……やがて深められた経験に伝統とその言葉がおのずからやって来て、その経験に名をあたえるのである。》

《経験というものは、体験ということとは全然ちがう、……経験というものが、……ある根本的な発見があって、それに伴って、ものを見る目そのものが変化し、また見たものの意味が全く新しくなり、全体のペルスペクティーヴが明晰になってくることなのだ、と思う。したがってそれは、経験が深まるにつれて、あるいは進展するにつれて、その人の行動そのものの枢軸が変化する、ということももちろん意味している。その場合大切なことが二つあって、一つは、この発見、あるいは視ることとの深化更新が、あくまで内発的なものであって、自分というものを外から強制する性質のものではなく、むしろ逆にそこから自分というものが把握され、あるいは定義される、ということ、と同時に、それはあくまで自分でありながら、経験そのものは、自分を含めたものの本当の姿に一歩近づくということ、更に換言すれば、言葉の深い意味で客観的になることであると思う。……経験をもつということは、人間が人間であるための基本的条件であり、一つの経験は一人の人間だ、ということである。したがって、一つ一つの経験は互に置き換えることのできない個性をもつと共に、人間社会におけるそれであるが故にそれが客観的に(この言葉は誤解を招きやすいが)純化されるに従って、相互に通い合う普遍性をもって来るのである。》

　このようなものの感じ方・考え方の肉体化した表現である人間が、まことに長い不在のあと(それは明治の時と戦後の時の密度を考えあわせるならば、たとえば二葉亭がペテルブルグで健康を回復したとして、そのかれが太平洋戦争のはじめに強制送還されるまで、ヨーロッパに滞在しつづけたほどの長さに思われる)アラスカ、ベーリング海峡をへて、日本に接近する機上にある。

《遠く水平線上に千島と北海道、さらに本州を黄昏の光の中に望見した。しかし昔の感動はもう帰って来なかった。ほとんど無感動、無関心とも言える状態で私は日本に近づいた。しかし本当は、それは無感動でも無関心でもなかった。私は自分の中に、日本が、抒情の波に乗るにはすでに余りにも深く沈澱し、何か名づけるすべもないものに変容して、存在しはじめているのを意識していた。他の何ものとも共通項をもたないような究極的な要素としての自己そのものとしてそこに息づいているのを秘かに意識していた。一人の人間として、徹底的に行動し、働けばよいのだ。そこには、自分にとって、もっとも深い意味で日本が表われている筈だ、とこう考えた。私には、日本人であることはそれで十分であるように思われた。日本人であることが意識的な出発点となってはいけない。我々はいやでも応でも日本人として終るようにすでに生れているのだ。それをどうすることもできないのだ。そうとすれば、最も広く深い地平から、全ての力を傾けて、この終結点へ向って歩むべきではないであろうか。それのみが日本人であるということを自分なりに最も豊かにする道ではないであろうか。それは、人間となることと日本人であることとが一つになる唯一の道であるように思われる。》

内部に持続的な激しい運動があるゆえに、外面にはひたすら深い静止をあらわしている、このような人間は、まことに同時代者の営為の本質をうつしだす、澄んで、かつダイナミックな鏡である。かれは帰国してすぐ、『夕鶴』を見る。かれは《この芝居がもう私の心のふるさとに確実になっているのを意識した。》

《……私は、十六年の歳月が自分にも社会にも蒙らせた多くの変化を考え、また自分も自分の国である日本も暴風雨を孕む未来を望んでいることを考え、それらのすべてを貫通している「夕鶴」の美しさを思った。それは何かを定義しているのだ。そこには作者木下君と山本安英さんはじめすべての俳優とまたこの上演に参加したすべての人の働きの結晶である一つの経験があるのだ。だからそれは何かを定義しているのだ。何を？　人間？　日本人？　しかし、もし何を定義しているかを言おうとすると、その何かを表わす言葉は計るべからざる重味をもっているはずだ。一つの言葉、この芝居全体が表現し、定義している一つの言葉、この作品に冠せらるべき真に伝統的な言葉、その言葉を決定的に置くことは詩人が決定的な一語を置くと同じくらい大切な、深い意味をもったぬきさしならぬ行為であることだけが判っている。観衆も、それが本当の観衆であろうとすれば、こうして一人一人自分の中に創造の行為を営むことになる。》

そしてかれは自分の「経験の世界」に、この芝居の重みにあいはかる言葉をもとめて沈みこみつつ、その言葉に自分が到着するさいの、豊かな存在感の予感において、『夕鶴』がすでになしとげてみせた《経験が個人という唯一つの置き換えることも避けることもできない究極的なせまい道を通って、大きい共同の世界へ、社会へつき抜け、そういうゆたかなフォルムを形成するのを見る》感動を新たにするのである。

劇場を出て、乱雑な東京の街なかに立ったかれは、しかし『夕鶴』という作品が存在していることを思い、《それは、現在の存在だけではなく、将来への希望でもあるように》思う。《存在はどんな情況の中でも耐えて行くから。》ルネ・マグリットの、人体のかたちに青空が透いて見える絵のように、渋谷の雑踏に立つ哲学者の躰のかたちだけ、ほの昏く澄んだ水面のように透きとおって、そこに木下順二と『夕鶴』をつくる人々がうつっているのを僕は見るように思う。そしてその鏡のなかの、人間のかたちの鏡に、森有正もまたうつっている。かれらはそれぞれに、個人の自立した存在として別べつにそこにいるが、ある深い懐かしさのような空気は、すべての人々を共通にひたして、このような社会ならば人間に希望はなおあるかもしれぬ、という嘆息の声が風のように鳴りつつ、鏡の内と外を循環する……

それからまた時がたち、いまは毎夏、東京に帰って集中講義することになった哲学者を、この夏の午後、武蔵野の雑木林が自由なひろがりを残している神学大学に、約束にしたがって僕は待っていた。日ごろ朝六時には、礼拝堂のパイプ・オルガンでのバッハの練習から哲学者の日課がはじまるのに、今日は早くから大学の外へ行かれた、という寮母の話を聞き、なお待つうちに、僕は思いがけない懐かしさの感情をつうじて青春のはじめに遡行し、微笑してしまう自分を見出したのである。森有正、その名前は、東大のフランス文学科にいた僕自身が、すでに伝説の霧のむこうに去った人を望むように、むなしく待ちつづけた、「不在」の教師の名前であり、研究室の不在のカードは、やがて「退職」にかわって、もとに戻ることはなかった。しかし結局のところ待ちつづけた心はむくわれたのであった。『遙かなノートル・ダム』と『木々は光を浴びて』が、待つことによって準備された眼に提示されたのだから。いまも僕にそれらの書物があることを思えば、僕はその日も永く待って、雑木林の光を見ただけで帰ったのではあるが、決してむなしくはなかったのである。しかし書物のなかの雑木林の光は、僕の微笑を凍りつかせるものでもあるのだ。

《この間、あるフランスの若い女性が尋ねて来た。大学内ゴルフ場内のレストランへ案内して話をした。緑にかこまれた食堂では、何人かの人々が静かに食事をしていた。生粋のパリ育ちのこの女性は数年間を日本で過したのである。私達はよも山の話をしていたが、やがて話は日本における生活、ことに東京の生活のことになった。どういう話のきっかけだったか忘れたが、というのはその時かの女が言ったことばに衝撃をうけて、何の話の中でそうなったのかよく記憶していない。かの女は急に頭をあげて、殆ど一人言のように言った。「第三発目の原子爆弾はまた日本の上へ落ちると思います。」とっさのことで私はすぐには何も答えなかったが、しばらくしても私はその言葉を否定することが出来なかった。それは私自身第三発目が日本へ落ちるだろうと信じていたからではない。ただ私は、このうら若い外人の女性が、何百、何千の外人が日本で暮していて感じていて口に出さないでいることを、口に出してしまったのだということが余りにもはっきり分ったからである。かの女は政治的関心はなく、読書も趣味も友人も、ごく当り前の娘さんである。まして人種的偏見なぞ皆無である。感じたままを衝動的に口にしただけなのである。

胸を掻きむしりたくなるようなことがこの日本で起り、そして進行しているのである。

かの女がそう言ったあと、私は放心したように、大学構内の木々が日の光を浴びて輝くのを眺めていた。》

この日本に住んだ異邦の娘の言葉は、広島に、現にいまおこっていることを具体的に思い浮べつつ考え、また日本人が原爆体験をどう受けとめ、深化させてきたか、そうでなかったかを思いつつ考えるにしたがって、酷たらしさと絶望感と、異様な高笑いとまでもがかさなりあった、情動の動きをもたらす。誰が落とすかを、意識の前面にだすことはない無邪気さで発せられたこの言葉は、ほんとうに鋭く彼女の肉体そのものをあらわしてもいる……そうしたことをぼんやりと考えつつ、いまあらたに僕は、大学構内の樹木と日の光を思いだすのであるが、その僕にしだいに明瞭となるのは、じつは胸奥に湧いてくる、きわめて肉体的な嫌悪感のごときものである。もちろんそれは、この率直な異邦人に向けられたものでも、それを書きとめる人に向けられたのでもない。なぜならそれは、すでに永いあいだ僕がなじんできた、僕の内部に自生している凶《まが》々しい草のような感覚なのであるから。

僕は、かつて心から自殺することをねがったことはないし、つねに自分を、自殺にむけてなし崩しに追いつめてくるものには、自他にゆらいするものをとわず抵抗している。それは生き延びることをねがうあらゆる人々と同じであって、ここに僕があらためていうほどのことではないだろう。ただ僕は、自分がついに自殺するのは、この胸奥に湧いてくる嫌悪感のごときもの(言葉があいまいであるが、実感としては、僕にとってそれはいかなる他の種類の、自分の意識＝肉体の自覚としての感覚ともことなる、まったく具体的な対象である)が幾重にもかさなり、また海の生物相が崩れて東上してきた、あのオニヒトデ群のようにもはらいのけがたく繁殖する時だ、と感じている。その感覚の新たなめざめが、なぜ先にひいた一節から僕にもたらされたのか？　僕はこれからも繰りかえしそれを考えつづけることであろう。感ずるということから出発してゆくことについて、森有正は書いている。

《……感ぜられてくるということは、対象がそのあらゆる外面的、したがって偶然的なものを剝奪され、内面に向って透明になってくることであり、それは対象が対象そのものに還ることだ、と言い換えてもよいであろう。それを私は感ずるという言葉でしか言い表わすことができない。そしてこれが経験の第一歩なのである。ところでこのことは、換言すれば、すなわちこの、経験の第一歩だということを別の言葉で言えば、我々の側においてもまた内面が始まる、ということ、さらに言い換えれば、我々自身が空虚でないものになり始める、ということなのである。そこに理解するということと感ずるということとの根本的相違がある。感ずるということ、すなわち感覚の一つの状態が自分の中に形成され始めると、それが限りなく深まりうるものであることが判ってくるであろう。いま、私は感ずるということをこれ以上説明することができない。

ただそれがヨーロッパ文明の根柢にある、在る、存在する、という思想に非常に近い何ものかである、ということだけを言っておきたい。またそれが勘というものと似てはいても全く異るものであることをつけ加えておきたい。……

促しから冒険を通して真の経験へ、これが今の私には思想に到る唯一の道であるように思われる。》

僕は、このまぎれもない感覚の呼びかけをつうじてあたえられた促しに発して、それに立つ僕自身の冒険をなんとか地道につづけてゆき、ついには、原爆とはなにかという僕の経験に立った「定義」と、僕自身の存在とが、ひとつにかさなりあうような時にむけてすすまねばならぬだろう。原爆という言葉が、人間の経験として個人のなかに確立され、それによって真に社会化されることがなければ、根本的に、第三発目の原爆が(このいいかたにはビキニ環礁の被爆が欠落してはいるが)日本人の、また人類一般の頭上に落ちるのをふせぐ、決定的な手がかりはないのである。そのように考えつつ、僕は、雑木林のわずかな暗がりに、哲学者の躰のかたちをした鏡がかくされて、こちらをうかがっていたのであったかのように、それに一瞬反映した僕自身の、微笑が凍りついたままの顔を見る思いにとらえられる。

僕はひとり自分のみならず、森有正の感じ方・考え方にみちびかれて、あらたにおのれの凍りついた微笑を見つめかえしている幾多の人々の存在を感じつつ、この夏復刊された『ひろしまの河』の、一婦人の文章をひとつの例にひいておきたい。《フランス人のある若い女性から「第三発目の原子爆弾はまた日本の上に落ちると思います」と云われ、その言葉に衝撃を受けたと、森有正氏は述べていた。ヴェトナムへ直結する岩国のアメリカ軍基地が近くにあり、自衛隊の駐屯地でもある海田の町に住む私にとっては、この言葉は予測というより絶望に近いまでの現実みを帯びている。

一応の平安と充足の奥底で、庶民の私たちには関知できない何かが確実に進行しているのを認めるのは胸をかきむしられるほど辛いことだが、私たちの日常は刻々と終焉に向っているという認識の中でしか暮してゆけない毎日のようである。

私は年老いた父親を昨年なくしたが、悼み哀しみながらも、とにもかくにも家族の手でほうむったのだからと思い、自らを慰めているのだが、二歳の娘を見ていると、彼女には自らの生命を全うする保証はないのかも知れぬと思われ、日々肌すりよせて暮すのが、天の恵みのようで有難い。

私は二十七年前、幸い海田の町にいて、閃光と爆音に右往左往したものの被爆はまぬがれることができた。未だに広島・長崎の死者の数が確認できないのは、一人一人が個としての死を遂げ得ないで、ものとして圧殺されてしまったからだと考えるとき、私が生き残ったのは、ただ猶予されているだけにすぎないと思われる。》

原爆が日本人の頭上に、というきっかけから考えはじめるにしても、核爆弾についての思考は、人類の頭上に、というところへまで、それも単なる一般化ということでなしに、到達するほかにはない。森有正の、日本人についての考えも、その個別的な特性は、きわだってあきらかにこの日本人への思考でありながら、むしろそれゆえにこそ、人類全体へとひろがり、ひとりの人間にと収斂して、つねに自由かつダイナミックな運動をうながすものだ。

《私はフランスに住むようになってから、「日本人であることを自分は誇りとする」、「日本人であることを決して忘れてはならない」、という人に何人も出会った。もちろん、こういう人々のいうことに異論のある筈はない。けれども「日本人であること」、これは一つの観念であるが、それはいったいどういう意味を持っているのであろうか。そこに私共の深く考えなければならない問題があるように思われる。すなわち私共の内なる経験が、内側からこれは日本人の経験であるという外ないようなものに生長して来た時、私共は自分が日本人であるという命題を自分自身の存在の表現とすることが出来るのであって、その場合には日本人であるという表現は、私のすでにそこにある経験を指すために使われるのであって、その経験に支えられ、その経験によって豊かにされているのであり、それを言葉で表現し、主張するのには特別の重要性はないのである。これに反して、「経験」に先き立って「(自分は)日本人である」ことが、私の存在の符牒のようなものになるならば、その表現はそれを定義し充実するいかなる内容も持たぬ空疎なものとなり、私共の生活はそれとは別に伸展し、各人がそれぞれ異なった、時には互に相容れない生活を持っている場合でも、その同じ「日本人である」ということが合言葉のように使われ、それでお互に日本人であるように考えている。しかしいったん自分の経験にふれる重要な問題が起ってくると、そういう合言葉はそれぞれちがった主張を持つ人々の争いの道具のようなものになり、元来経験の共同性を示す筈の言葉というものが、それをめぐって人々が争う口実のようなものに化してしまうのである。我々は過去幾年かの間に、あるいは「民主主義」という言葉をめぐり、あるいは「自由」という言葉をめぐり、はては「平和」という言葉をめぐって、分裂と闘争とを展開するはめになってしまったのを見たのである。これには一切の弁解の余地はない。私はかつて、人間はヒューマニズムから、あるいは民主主義から、あるいは自由や平和から出発してはならないといったことがある。それは人々の経験が十分に成熟して来た時に、その経験の今生きている、さらにまた過去の人々に対してさえも、経験の共同を意味すべき、これらの言葉が、言葉だけは共通で、内容はお互に似ても似つかないものになってしまうのを見たからである。これらの言葉は我々が到達すべき終極の目的を示すものであって、我々は一人一人自分の「経験」から真実に出発して人間になり、「民主的」になり、「自由」になり、また「平和」にならなければならないのであって、そこには困難極まりない歩みがなければならないのである。》

《そういう「経験」が私共の中で生長してゆく時に、期せずして、しかも必ず、「民主主義」や「自由」や「平和」に対応する何ものかが私共の生活の中に生まれて来るのを見るであろう。その時、あらゆる過去と現在の思想、観念などが私共の経験を明確にし、それをさらに豊かにするために入って来る。我々のしていたことはまさにその逆ではなかったであろうか。そしてこのことは決して単に第二次大戦後の日本にあてはまるだけではない。明治以来百年の日本近代化の歴史の上にそれが痛ましい程に認められるのである。だからある意味で、今日こそ日本は真に自分の足をもって歩み、自分の経験を中核として自らの将来を築き上げてゆく機会に再会しているのだともいえると思う。》

すでに二十年を越えてパリに出発してしまったまま、なお夏の東京の大学での日々のほかは、生活の根拠が異国にある、一哲学者が、われわれの同時代者としての戦後文学者たちを照らしだす、鏡の役割を果たしつづけることの意味あいは、おのずから明瞭になってきたと思われる。この哲学者こそは、日本の戦後の総体の、つねにかわることのない同時代者として持続する、視点と態度の、独立したあらわれであった。

その「経験」という軸に立った思考、あるいは近代日本――戦後日本の全体の経験が、天皇制に向う時、われわれはどうして、この哲学者の存在の鏡に、大岡昇平を、堀田善衛を、そしてあらゆる戦後文学者たちをうつしたいというねがいにさからいうるだろう?

《二十五年前の第二次世界大戦が終るまで、日本の思想や道徳は、君臣、父子、兄弟、主従の関係を軸としていた。ことに全体の中心をなしていた天皇中心的国家観は、国家と国民の生活の全体を陰に陽に組織する原理のようなものとなっていた。人はそれを天皇制と呼び、戦前の諸悪の根源のように言うけれども、実際は、それはむしろ古来の日本人の「経験」の構造に由来するものではないであろうか。むしろそれがおもてにあらわれ、制度や道徳の形に結晶した結果として考えることの出来るものではないであろうか。……その「経験」は、個人をではなく、二人あるいは複数の人間を定義するものである。これは単に仮説ではなく、現実であったのであり、また現実である。それが「経験」である以上、人間にとって根源的であり、それを外部から矯正することは出来ない。……

私は考える。一つの「経験」がすでに複数を定義するものである時、それが個人を定義するものに「変貌」することはむつかしい。まして書物を読んだり、理窟を考えたりしてそうなるのでは絶対にない。一つの別の「経験」がすでにある「経験」の根柢に生れ、次第に形成されることによって、旧い経験を覆すのである。……》

ただ問題は、本来個人を定義する経験にこういう難問題が厳存することをどう考えるか、ということである。結局それは経験の質の問題であろう。今しがた述べた交替の過程が生ずる時、個を定義する「経験」が複数を定義する「経験」をおのずから圧倒するのである。それはその個人においては、反抗、逃避、戦闘、その他あらゆる形をとりうるであろう。しかし複数を定義する経験は、その本質的無責任構造（これについては更めて精細に考えてみなければならない）の故に、旧い歯のように、個を定義する「経験」の前に崩壊脱落するであろう。》

　僕は沖縄に関わって、そこに集中し通過する近代日本について、また自分自身についての一連のノートを書きつづけつつ、日本人とはなにか、このような日本人でないところの日本人へと自分をかえることはできないかという、暗い嘆きぶしの繰りかえしのごときものにとりつかれていた。そしてそれは今もおなじくそのままだ。あらためて若い運動家から、現実の政治活動に身を投ぜよ、行動のみが人間をかえるのだから、という明瞭な論理に立った、古なじみの呼びかけを受けることにもなった。僕は自分の現実的怠惰・怯えをいささかも弁護しないが、たとえ実践行動のただなかにはいってゆくにしても、自分の内部のこの繰りかえしを、根だやしにできはしないだろうという「観照」が、僕の数年さきのなりゆきを先どりしてあきらかにするようでもあったのである。僕は森有正の鏡の光をそこにもみちびいて、自分がつくりあげるべき（つくりあげないでは、おおげさにいえば、死んでも死にきれぬ）、個としての自分を一挙に把握させる「経験」によって、天皇制の構造によりそう日本人の複数を定義する「経験」を、なんとかくつがえしてゆくことをねがわずにはいられない。

　あらためてそのねがいに向けて、自分の核心を沈めて行くようにしながら、戦後という同時代を全体として見つめれば、そこにもっともくっきりと姿をあらわすのは、やはりほかならぬ戦後文学者の群像である。かれらこそが戦後の始まりに、かれらそれぞれの、独立しているがそれゆえに普遍的な社会性をもつ、個の「経験」によって、広島・長崎の核爆弾の灰をかぶりつつも、なお天皇制の構造はその根柢において揺るがぬ、近代化以来の日本の、複数の「経験」にたちむかい、それをおきかえようとした。かれらの人間的全体をかけた多様な努力は、多様なままになおつづいている。その持続性こそが、かれらとともに戦後を同時代として生きることをねがうわれわれを、かれらにつなぐもっとも確かなきずなである。もしかれらの個の「経験」から、すっかり断絶したところに置きざりにされ、それも自分の個の「経験」を把握し深めることはなしえぬままにいるのが、われわれの今日のありようであるとすれば、憐れに浮游する猥雑なミジンコのごときわれわれに、どうしてこの黙示録的・終末観的な大懸崖の、その向うを望む視力がかちえられよう？

死者たち・最終のヴィジョンと われら生き延びつづける者

一九五一年、ひとりの作家が自殺した。電車のレールに身を横たえて。かれは四十五歳だった。一九六五年に、もうひとりの作家が肝硬変で死んだ。かれは五十歳だった。一九七〇年に割腹自殺した作家は、四十五歳だった。死んだ作家は、かれ自身の全体が生者へのメッセージにかわる。生き残った者たちは、望むと望まぬとにかかわらず、滅びた肉体の遺したメッセージを受けとめねばならぬ。作家が死を決意する、あるいは濃密に予感する。ところが死の予感などという言葉を誰かが発すると、まわりの者がついおかしな薄笑いを浮かべてしまうのはどういうことだろう？　嚇《おど》かすな、憶い出させるな、という歪んだ笑いなのか。しかし一般にそれはそうでないと感じられる。memento mori！と注意を喚起するための成句は、永くもちこたえられつづけてきたが、その逆のねらいの言葉は、そうではない。あれはなぜなのだろう？　われわれはまことに確実に、死すべき者である。さて自分のまぢかな死に想像力の一端を根づかせた作家が、かれの最終のヴィジョンを展開する。たとえば「末期の眼」という発想もくるみこみ、それをなお全体的、綜合的にするための多様な方向づけに、散文の努力をつみかさねて、作家が最後の全身的作業をおこなうとすれば、かれの最終のヴィジョンを構築するところの作品が、重要でないはずはありえぬであろう。《……何となれば私の死期は迫っているのであるが、それは人が最も多く予言力を発揮する時であるからである。》とソクラテスはのべたという。

死にむけての最終のヴィジョン、死にあたっての世界観照は、作家にとって、かれがもっともよく生きた時と場所へ、その最後の想像力によって立ち戻ることを、すくなくとも片方の極とするように観察される。その死への行為こそを、かれがもっともよく生きる瞬間そのものに、かさねようとする作家すらも実在した。作家の最終のヴィジョンは、かれの生の極点から、死という極点までの、全体を覆いたいねがいに支えられて、そのように広い時の奥行きをそなえていることがしばしばである。この、戦後をそれぞれに独自に生きた作家たちの、死をまえにした最終のヴィジョンに限定すれば、それはかれらにおける同時代としての戦後の、総体を覆うヴィジョンである。われわれは、すべての生者へのメッセージとして、そのヴィジョンを受けとめることにより、ほかならぬわれわれの時代の前方にむけて、そのヴィジョンの微光が照しだすところのものを見ることができるのではないであろうか？

いったんそのように、本質においてかれらのメッセージを受けとめる覚悟をかためれば、すぐさまあきらかになるのは、一九五一年と一九七〇年の、ほぼ同年輩の二人の自殺者たちの最終のヴィジョンの、どちらがより強く鋭く、われわれに未来の眺めをあらわすかは、単に時の新旧によってあらかじめ想定することが無意味であるということであろう。あくまでも具体的に、かれらの最終のヴィジョンに向ってゆかねばならぬ。その努力を要求し、かつ可能ならしめようとしてこそ、死にゆく作家たちは、かれらの最終のヴィジョンを書きのこしたのではなかったか？　しかもなお、たとえそれがいかに、ある作家個人に恣意的に閉塞しているヴィジョンであれ、われわれが単純に政治的な、あるいは、いわゆる科学的な見とおしによって、その意味の全体を切り棄ててはならぬのも、あらためていえば、それはやはり一度かぎりの死にあたって、作家が書きのこしたヴィジョンだからである。

いうまでもなく、そうしたわれわれの態度が、すべての死にゆく作家たちの最終のヴィジョンの意義を、相対化するというのではない。われわれが、ほかならぬ自分自身の最終のヴィジョンにかさねあわせるようにして、そのいちいちを受けとめるのである以上、どうして誰にも寛容な、相対化の態度が可能だろう。もっとも自分の最終のヴィジョンといっても、一般にわれわれは、なお生きつづけて自己のヴィジョンをつねに更新するのでもあるから、むしろ、われわれの、黙示録的・終末観的ヴィジョンに、かさねあわせるようにして、死にゆく作家たちの最終のヴィジョンを受けとめるというべきかもしれない。しかし、いまわれわれが生きている時代は、個人が自分の独自の黙示録的・終末観的ヴィジョンを内部にむけて深めれば深めるほど、人類共通の、それも目前に迫っている、唯一無二の最終のヴィジョンこそを見てしまわずにはいられぬ時代である。

《うとうとと睡りかかつた僕の頭が、一瞬電撃を受けて、ヂーンと爆発する。がくんと全身が痙攣した後、後は何ごともない静けさなのだ。僕は眼をみひらいて自分の感覚をしらべてみる。どこにも異状はなさそうなのだ。それだのに、さつき、さきほどはどうして、僕の意志を無視して僕を爆発させたのだらうか。》と、まことに穏やかで微妙なユーモアの響きすらくわえながら、原民喜は書いた。《あれはどこから来る。あれはどこから来るのだ？　だが、僕にはよくわからない。……僕のこの世でなしとげなかつた無数のものが、僕のなかに鬱積して爆発するのだらうか。それとも、あの原爆の朝の一瞬の記憶が、今になつて僕に飛びかかつてくるのだらうか。僕にはよくわからない。僕は広島の惨劇のなかでは、精神に何の異状もなかつたとおもふ。だが、あの時の衝撃が、僕や僕と同じ被害者たちを、いつかは発狂ささうと、つねにどこかから覘つてゐるのであらうか。

ふと僕はねむれない寝床で、地球を想像する。夜の冷たさはぞくぞくと僕の寝床に侵入してくる。僕の身躰、僕の存在、僕の核心、どうして僕は今こんなに冷えきつてゐるのか。僕は僕を生存させてゐる地球に呼びかけてみる。すると地球の姿がぼんやりと僕のなかに浮ぶ。哀れな地球、冷えきつた大地よ。だが、それは僕のまだ知らない何億万年後の地球らしい。僕の眼の前には再び仄暗い一塊りの別の地球が浮んでくる。その円球の内側の中核には真赤な火の塊りがとろとろと渦巻いてゐる。あの鎔鉱炉のなかには何が存在するのだらうか。まだ発見されない物質、まだ発想されたことのない神秘、そんなものが混つてゐるのかもしれない。そして、それらが一斉に地表に噴きだすとき、この世は一たいどうなるのだらうか。人々はみな地下の宝庫を夢みてゐるのだらう、破滅か、救済か、何とも知れない未来にむかつて……。

だが、人々の一人一人の心の底に静かな泉が鳴りひびいて、人間の存在の一つ一つが何ものによつても粉砕されない時が、そんな調和がいつかは地上に訪れてくるのを、僕は随分昔から夢みてゐたやうな気がする。》

この章節につづいて、電車の踏切に思いをよせながらの一節がある。《人の世の生活に破れて、あがいてももがいても、もうどうにもならない場に突落されてゐる人の影が、いつもこの線路のほとりを彷徨《さまよ》つてゐるやうにおもへるのだ。だが、さういふことを思ひ耽りながら、この踏切で立ちどまつてゐる僕は、……僕の影もいつとはなしにこの線路のまはりを彷徨つてゐるのではないか。》原民喜は、ほかならぬこの線路に横たわって自殺したのであったし、いま僕がそこから引用をかさねている『心願の国』は、かれの遺作である。自殺はおおかれすくなかれ、ある一瞬の投企としての性格をそなえているのであるから、永く計画された自殺という、あいまいな言葉はさけたいが、この美しい小品において、地球の総体をめぐるヴィジョンをくりひろげつつ、原民喜がこの線路に横たわっての自殺を、現実のひそかな約束として思いえがいていたであろうことは、やはり疑うわけにゆかない。作家は、かれの生涯の最終のヴィジョンをついに描きあげ、それから周到な遺書を準備し、死の国へとおもむいたのであった。

《まだ僕が六つばかりの子供だつた、夏の午後のことだ。家の土蔵の石段のところで、僕はひとり遊んでゐた。石段の左手には、濃く繁つた桜の樹にギラギラと陽の光がもつれてゐた。陽の光は石段のすぐ側にある山吹の葉にも洩れてゐた。が、僕の屈んでゐる石段の上には、爽やかな空気が流れてゐるのだつた。何か僕はうつとりとした気分で、花崗石の上の砂をいぢくつてゐた。ふと僕の掌の近くに一匹の蟻が忙しさうに這つて来た。僕は何気なく、それを指で圧へつけた。と、蟻はもう動かなくなつてゐた。暫くすると、また一匹、蟻がやつて来た。僕はまたそれを指で捻り潰してゐた。蟻はつぎつぎに僕のところへやつて来るし、僕はつぎつぎにそれを潰した。だんだん僕の頭の芯は火照り、無我夢中の時間が過ぎて行つた。僕は自分が何をしてゐるのか、その時はまるで分らなかつた。が、日が暮れて、あたりが薄暗くなつてから、急に僕は不思議な幻覚のなかに突落されてゐた。僕は家のうちにゐた。が、僕は自分がどこにゐるのか、わからなくなつた。ぐるぐると真赤な炎の河が流れ去つた。すると、薄闇のなかで僕の方を眺め、ひそひそと静かに怨じてゐた。僕のまだ見たこともない奇怪な生きものたちが、薄闇のなかで僕の方を眺め、ひそひそと静かに怨じてゐた。(あの朧気な地獄絵は、僕がその後、もう一度はつきりと肉眼で見せつけられた広島の地獄の前触れだつたのだらうか。)

僕は一人の薄弱で敏感すぎる比類のない子供を書いてみたかつた。一ふきの風でへし折られてしまふ細い神経のなかには、かへつて、みごとな宇宙が潜んでゐさうにおもへる。》

作家は、一九四五年一月に広島へ移り住み、八月、核爆弾を被爆した。《まるで広島の惨劇に遭ふために移つたやうなものだつたが》という、かれ自身の言葉は穏和な苦い味をたたえた、自己嘲弄の意味あいをあらわしもするけれども、繰りかえし読むうち、しだいにもうひとつの決然とした意味が、この一行から頭をもたげてくるように感じられる。作家は、いったん不意うちの原爆攻撃にさらされて生き残ると、そうだ、自分はこの被爆の体験の全体を人間としてよくになうためにのみ、広島へ帰ってきていたのだ、と意識することによって、いかにもはっきりとその原爆体験を、主体的にひきうけたのではなかったであろうか? 自分が望んだのでない悲惨の淵に突きおとされて、なお主体的にそれをひきうけるなどということがあるものか、と反撃されるかもしれない。しかし、じつはわれわれの生のありよう自体が、本質的にそのようなものである。われわれは自分の意志によるのではなしに、憐れな悲鳴をあげつつ、この世に生れ出た。そしてまたおおくは、自分の意志に反して死なねばならぬ。しかもその生をなんとか主体的にひきうけて生きている者らが、われわれである。

現実に原民喜は、被爆の悲惨をのりこえて生き延びようと決意し、生き延びつづけた。それはおよそ現実家的生活力に欠けた詩人にとって、まことに生やさしいことではなかった。それはかれ自身が、《広島での遭難、それにつづく飢ゑと屈辱の暮し》と書くとおりの生き延びかたであっただろう。しかもなおかれは、その現実を生き延びたのみならず、作家としての決意を新たにいだいて、それを実現してゆきもしたのである。かつて《もし妻と死別れたら、一年間だけ生き残らう、悲しい美しい一冊の詩集を書き残すために》と書き、すなわちもし原爆を被災することなしにあの夏がすぎされば、一九四五年九月こそが、妻と死別れて生き残るべき月日の、最後の区切りであったはずの詩人が。かれにかくのごとき勇猛心をふるいおこさせたところのものについては、作家自身の言葉がひかれるべきであろう。

《原子爆弾の惨劇のなかに生き残った私は、その時から私も、私の文学も、何ものかに激しく弾き出された。この眼で視た生々しい光景こそは死んでも描きとめておきたかつた。……

たしかに私は死の叫喚と混乱のなかから、新しい人間への祈願に燃えた。薄弱なこの私が物凄い飢餓と窮乏に堪へ得たのも、一つにはこのためであつただらう。だが、戦後の狂瀾怒濤は轟々とこの身に打寄せ、今にも私を粉砕しようとする。……

まさに私にとつて、この地上に生きてゆくことは、各瞬間が底知れぬ戦慄に満ち満ちてゐるやうだ。それから、日毎人間の心のなかで行はれる惨劇、人間の一人一人に課せられてゐるぎりぎりの苦悩——さういつたものが、今は烈しく私のなかで疼く。それらによく耐へ、それらを描いてゆくことが私にできるであらうか。》

いわゆる『夏の花』三部作は、いうまでもなく、広島の原爆被災の体験をとらえて、最も秀れた文学に結晶したものであるが、その文学的な様ざまの特質のうち、いかにも独自に原民喜的なるそれを、僕はとくに強調したい。それはいわば、予感の想像力である。原爆は現実に、いかなる広島市民にとっても予感されうべくはない災厄であった。人類の歴史にはじめてあらわれた、人類絶滅の危機の具体化である原爆の威力については、わずかな数のアメリカの科学者たち、政治家、軍人たちのみが、事前に知っていた。そして、原爆の人間的悲惨の全体については、人類のたれひとりそれをあらかじめよく知ってはいなかったのである。しかもなお『夏の花』三部作に、原爆の悲惨への予感が、まことに濃密に描きあげられてゆくのはなぜであろう？　それはいったん投下されてしまった原爆を、文章の時の領域において、なお投下されず、しかしかならず投下されるであろうものとして、あらためてそのきっかけを導入しておくための、サスペンスの技術にすぎないのか？

しかしこの作品を熟読する者には、ことがそういう次元の話ではありえぬと、しだいに感得されるだろう。この予感にむけて、濃密に集中してゆく想像力の発揮こそに、「原爆後」の原民喜の文学の、本質的な特性があったと僕は考えるものである。原民喜は、たしかに偶然のように広島に戻り、原爆をうけた。そして原民喜は、この被爆体験を主体的にひきうける決意をした。その決意に立って、かれは戦後の狂瀾怒濤のさなかをひそやかに生き延びつづけ、ついにその原爆体験を確固たる文学に築きあげた。その時、すなわち戦後の『夏の花』三部作執筆の一時点において、原民喜があらためて一九四五年八月六日に、その想像力を集中するとき、かれの生涯の全体が、原爆体験というピーク(それがいかに忌わしいピークであれ)にむけて磁気をおびるとして、それは当然ではないか？　われわれは、ある一時点、一時点に、自分の人間としての全体をあらわそうとしつつ生きる存在である。戦後のいかなる時点においても、原民喜がかれの原爆体験について、新たに想像力を集中しはじめる時、かれの生涯のすべての細部は、ヒロシマの核の火に向かって磁気をおびたであろう。原民喜がそれからなお生き延びるはずであった短い残りの生涯の細部もまた……、そこでかれの指のにぎりしめたペンが、八月六日の原爆被災時に向う時、それはしだいに濃密になる予感を、くまぐままであらわさぬわけにはゆかない。

　それにくわえてかれ自身の、もって生れた資質ということもあった。じつにかれは並なみならぬ予感の資質をそなえた人間であった。かれは原爆を体験するはるか以前に、

　　山近く空はり裂けず山近く

という一句を、杞憂と号してよんだことがあったのだ。そして、原爆を体験した原民喜の「再現」する予感は、われわれにとって（おそらくはまことに酷たらしくも作家自身にとってすら）、ほかならぬわれわれ自身の未来の、黙示録的・終末観的ヴィジョンへの予感とあいかさなり、ほとんど同一のものとして、鋭く重くあらわれるのである。

《想像を絶した地獄変、しかも、それは一瞬にして捲き起るやうにおもへた。さうすると、彼はやがてこの街とともに滅び失せてしまふのだらうか、それとも、この生れ故郷の末期の姿を見とどけるために彼は立戻つて来たのであらうか。賭にも等しい運命であつた。》

《私は街に出て花を買ふと、妻の墓を訪れようと思つた。ポケットには仏壇からとり出した線香が一束あ

つた。八月十五日は妻にとつて初盆にあたるのだが、それまでこのふるさとの街が無事かどうかは疑はしかつた。

……原子爆弾に襲はれたのは、その翌々日のことであつた。》

予感の想像力のなまなましいあらわれは、『夏の花』三部作のみにとどまらない。われわれは妻の死を描いた作品群のうちに(すなわち、妻と死別れたあと詩人のつくる、悲しい美しい、一冊の詩集にもあたる散文群のうちに)、次のような動かしがたい予感のもとにある人間を、実在感とともに見出す。

《それから少しづつ穏かな日がつづいた。いつも彼の皮膚は病妻の容態をすぐ側で感じた。些細な刺戟も天候のちよつとした変動もすぐに妻の体に響くのだつたが、脆弱《もろ》い体質の彼にはそれがそのまま自分の容態のやうにおもへた。無限に繊細で微妙な器と、それを置くことの出来る一つの絶対境を彼は夢みた。静謐が、心をかき乱されることのない安静が何よりも今は慕はしかつた。……だが、ある夜、妻の夢では天上の星が悉く墜落して行つた。

「県境へ行く道のあたりです。どうして、あの辺は茫々としてゐるのでせう」

妻はみた夢に脅え訝りながら彼に語つた。その道は妻が健康だつた頃、一緒に歩いたことのある道だつた。山らしいものの一つも見えない空は冬でもかんかんと陽が照り亘り、干乾らびた轍の跡と茫々とした枯草が虚無のやうに拡つてゐた。殆ど彼も妻と同じ位、その夢に脅えながら悶えることができた。妖しげな天変地異の夢は何を意味し何の予感なのか、彼にはぼんやり解るやうにおもへた。だが、彼は押黙つてそのことは妻に語らなかつた。……寝つけない夜床の上で、彼はよく茫然と終末の日の予感にをののいた。焚附を作るために、彼は朽木に斧をあてたことがある。すると無数の羽根蟻が足許の地面を匐《は》ひ廻つた。白い卵をかかへて、右往左往する昆虫はそのまま人間の群集の混乱の姿だつた。都市が崩壊し暗黒になつてしまつてゐる図が時々彼の夢には現れるのだつた。》

　中国山脈をへだてたふたつの地方から、ほぼおなじころにあたえられた、それぞれに独立している通信によって、僕はそれらの地方で人の死ぬことを、ひろしまにゆくという習俗があるのだと教えられたことがあった。おそらく浄土信仰とむすんで考えるならば、他の土地には他の地名をいれた、おなじ意味あいの習俗の言葉があろう。ひろしまにゆくという言葉から、直接原爆にむけて意味のベクトルをひくことに、現実的な価値があろうとは思えない。

　しかし原爆を体験し、かつ生き延びている人々が、あらためてその経験にたって、ひろしまにゆくという言葉にむけて、深く濃密にその意識を集中しはじめる時、そこにあらわれる集団的想像力の重みは、動かしがたいものとなろう。原爆被災者のぞくぞくと避難してくる群れを見て『往生要集』を現実にむすぶ想像力をはじめていだいた婦人の証言についてはすでに書いた。しかしどのような個人の想像力も、また集団的想像力も、日々それを対象にむけて更新することがなければ、たちまち鈍化し衰弱してしまう。原爆体験は、日本人の一般的な個人の想像力において、また全日本人的規模の集団的想像力において、いったいどれほどの実在で、ありつづけているだろうか？　それは実のところ問うだけむなしいほどのことではないか？

　しかし原民喜は、原爆を体験しかつ生き延びた後、その想像力の核心に原爆の悲惨をすえて、そこから発する磁気を主体的にくみとりつつ、かれの全生涯のすべての細部を、原爆体験に発するベクトルによって統一した。その想像力のベクトルにつらぬかれて、かつて死のまぎわの妻の見た夢をふたたび思いかえす時、そこには予感の重い力をそなえて、《妖しげな天変地異の夢》が再現され、その勢いはなだれるように一九四五年八月六日へとむかうのである。そしてその予言の力は、いうまでもなく過去の一時点をさすのみでない。原民喜の想像力にみちびかれ、かれの予感におなじくひたされるわれわれの、現在の時点での想像力は、まぎれもなく未来にむかっている。未来の「終末の日」への予感こそに、まさにおののいている。妻の夢にうながされて、原民喜がくっきりと想像力の前面に浮びあがらせた、羽根蟻になっている予感を、かれの少年時の、蟻を潰し潰しした日の、《真赤な炎の河》の予感にかさねあわせよ。原爆体験後、原民喜はいかに全生涯を、ひとつの方向づけの磁気によって統一しつつ、その日、その日を生きたことか。そのありようがまことに明瞭となるであろう。しかもその磁気は、原爆の日に発して、「終末の日」へとむかうわれわれすべてへの予言的ベクトルをそなえている……

そして一九五一年春、まぢかな死をのぞむ原民喜の、最終のヴィジョンをみたしていたのは、死にたえた地球であり、もうひとつの地球、《破滅か、救済か、何とも知れない未来にむかつて》むなしくあがいている、地表の人類すべてを焼きつくすかもしれぬ、地核の火をひそめた地球であった。原民喜は原爆を体験し、その地獄図を日々想像力によみがえらせること激しかった。それは「終末の日」を現前させる想像力であり、すなわち黙示録的・終末観的想像力であった。そしてその地獄の泥水にどっぷりひたっているがゆえに、なお作家の渇望すること切実であるのは、《人々の一人一人の心の底に静かな泉が鳴りひびいて、人間の存在の一つ一つが何ものによっても粉砕されない時が、そんな調和がいつかは地上に訪れてくる》ことであった。
しかしそのような最終のヴィジョンの主は、一九五一年三月十三日深夜、自殺してしまった。われわれは地上にとりのこされた。いまわれわれは、かれの《死の叫喚と混乱》のヴィジョンに、想像力によって十分に迫りえているか？　われわれはそのヴィジョンにもとづく《新しい人間への祈願》に、かれとおなじく燃えているか？　もしそうでなければ、われわれの文学のみならず、われわれの現実政治も、またより根柢において、人間としてのわれわれ自身すらも、未来の「終末の日」にたいして、一九五一年三月十三日深夜の原民喜の最終のヴィジョンから、一歩を出ているといいがたいのである。その真夜中、鉄路にみずからを横たえる、摩滅した靴に、よれよれの外套の男の内部には、遺書に書きのこすことのなかった、もうひとつの感情、すなわち《愚劣なものに対する、やりきれない憤り》が沸きたっていたのではないかと恐れられる。それはあの原爆の日に、かれの心と、死にゆく兵士との心とをむすんだ憤りであって、じつはそれは、今や、生き残っているすべてのわれわれに向けられている憤りであろう。

《私達は小さな筏を見つけたので、綱を解いて、向岸の方へ漕いで行つた。筏が向うの砂原に着いた時、あたりはもう薄暗かつたが、ここにも沢山の負傷者が控へてゐるらしかつた。水際に蹲つてゐた一人の兵士が、「お湯をのましてくれ」と頼むので、私は彼を自分の肩に依り掛からしてやりながら、歩いて行つた。苦しげに、彼はよろよろと砂の上を進んでゐたが、ふと、「死んだ方がましさ」と吐き棄てるやうに呟いた。私も暗然として肯き、言葉は出なかつた。愚劣なものに対する、やりきれない憤りが、この時我々を無言で結びつけてゐるやうであつた。私は彼を中途に待たしておき、土手の上にある給湯所を石崖の下から見上げた。すると、今湯気の立昇つてゐる台の処で、茶碗を抱へて、黒焦の大頭がゆつくりと、お湯を呑んでゐるのであつた。その尨大な、奇妙な顔は全体が黒豆の粒々で出来上つてゐるやうであつた。……暫くして、茶碗を貰ふと、私はさつきの兵隊のところへ持運んで行つた。ふと見ると、川の中に、これは一人の重傷兵が膝を屈めて、そこで思ひきり川の水を呑み耽つてゐるのであつた。》

自殺する人間の意識が、肉体にあらがって、死を予感あるいは予知しているとすれば、病死する人間の肉体は、意識にあらがって、死を予知あるいは予感しているように思われる。そしてその知っている肉体から、知らない意識への通信は、おそらく《憂鬱と悲哀の情緒》なのであろう。

一九六三年の夏、吐血し、翌年、肝臓癌の疑いもある病状を発し、しかもなお最終のヴィジョンを確実に結晶させるべき『幻化』を完成して、一九六五年に肝硬変で死んだ梅崎春生の肉体は、すでに鋭く逃れがたく、死を予知・予感していたはずである。壊れれば再生しない肝臓の細胞は、われわれの肉体のうちの、もっとも端的な、育ちゆく死のメーターだから。

『幻化』の男は、睡眠治療の精神病棟を脱け出して、思いつきのように、九州へむかう飛行機に乗ってしまった。かれはそれまでどのような発作を、睡眠治療によって克服しようとつとめてきたのであったか？

《まだ憂鬱と悲哀の情緒が、彼の中に続いていた。牙をむいて、闘いを求めていた。情緒が彼に闘いを求めているのか、彼が闘いを求めているのか、明らかでなかった。その状況を半年ほど前から、五郎は気付いていた。ある友人と碁を打っている時、急に気分が悪くなった。何とも言えないイヤな気分になり、痙攣のようなものが、しきりに顔面を走る。それでも彼はしばらく我慢して、石をおろしていた。痙攣は去らなかった。彼は石を持ち上げて、そのまま畳にぽろりと落した。友人は驚いて顔を上げた。

「へんだぜ。顔色が悪いぞ」

「気分がおかしいんだ」

座布団を二つに折って横になった。やがて医者が来る。血圧がすこし高かった。根をつめて碁を打ったせいだろうと医師は言い、注射をして帰る。痙攣は間もなく治った。それに似た発作が、それから何度か起きた。……

いつ発作が起きるかという不安と緊張があった。常住ではなく、波のように時々押し寄せて来る。押し寄せるきっかけは、別にない。気分や体調と関係なくやって来た。すると五郎は酒を飲む。ベッドの中で、あるいはテレビを見ながら。ふっと気がつくと、考えていることは『死』であった。死といっても、死について哲学的省察をしているわけでない。自殺を考えているのでもない。ただぼんやりと死を考えているだけだ。酒を飲み、卓に肱をついて、歌を口遊《くちずさ》んでいる。よく出て来るのは、軍歌の一節であった。》

そしてかれは病院を脱け出し、敗戦近く暗号兵として勤務した場所、枕崎へとやって来たのである。そこへたどりつくと、あたかも戦後二十年が一瞬に凝縮してしまうかのように、かれを戦時の現実にむけて跳びわたらせるものは、周辺にみちみちていた。実在はもとより非実在すらもが、まぎれもない喚起力をそなえている。

《……チャンポンに箸をつけた。豚脂をふんだんに使って、ぎとぎとし過ぎていたけれども、空腹には案外らまかった。二十年前は物資が乏しく、こんな店もなかったし、鰹節も干してなかった。貧寒な漁村であった。しかし彼はその頃鮮烈な生のまっただ中にいた。》

事実、その場所にかれの生の核心がかつて燃えあがったのであるし、二十年をへだてて再訪したいまも、かれはその想像力の世界に、燃えあがる生をその全体においてよみがえらせるのである。よみがえらせるという、作為のまじった言葉を超えて、それはむしろ、生のほうからかれの想像力の世界の全域を侵犯するかのように襲いかかって、そこいっぱいに充満するのだ。

《忽然として、視界がぱっと開けた。左側の下に海が見える。すさまじい青さで広がっている。右側はそそり立つ急坂となり、雑木雑草が茂っている。その間を白い道が、曲りながら一節通っている。甘美な衝撃と感動が、一瞬五郎の全身をつらぬいた。

「あ！」

彼は思わず立ちすくんだ。

「これだ。これだったんだな」

数年前、五郎は信州に旅行したことがある。貸馬に乗って、ある高原を横断した時、視界の悪い山径《やまみち》から、突然ひらけた場所に出た。そこは右側が草山になり、左側は低く谷底となり、盆地がひろがり、彼方に小さな湖が見える。

〈何時か、どこかで、こんなところを通ったことがある〉

頭のしびれるような恍惚を感じながら、彼はその時思った。場所はどこだか判らない。おそらく子供の時だろう。少年の時にこんな風景の中を通り、何かの理由で感動した。五郎の故郷には、これに似た地形がいくつかある。その体験がよみがえったのだと、恍惚がおさまって彼は考えたのだが——

「そうじゃない。ここだったのだ」

五郎は海に面した路肩に腰をおろし、紙コップに酒を充たした。信州の場合とくらべると、山と谷底の関係は逆になっている。それは当然なのだ。二十年前の夏、五郎は坊津を出発して、枕崎へ歩いた。枕崎から坊津行きでは、風景が逆になる。五郎は紙コップの酒を一口含んだ。

「ああ。あの時は嬉しかったなあ。あらゆるものから解放されて、この峠にさしかかった時は、気が遠くなるようだった」

その頃もバスはあったが、木炭燃料の不足のために、日に一度か二度しか往復していなかった。坊津の海軍基地が解散したのは、八月二十日頃かと思う。五郎はまだ二十五歳。体力も気力も充実していた。重い衣囊をかついで、この峠にたどりついた時、海が一面にひらけ、真昼の陽にきらきらと光り、遠くに竹島、硫黄島、黒島がかすんで見えた。体が無限にふくれ上って行くような解放が、初めて実感として彼にやって来たのだ。

〈なぜこの風景を、おれは忘れてしまったんだろう〉

感動と恍惚のこの原型を、意識からうしなっていた。いや、うしなったのではない。いつの間にか意識の底に沈んでしまったのだろう。今朝コーヒーを飲んだ時、突如として坊津行きを思い立ったのではない。ずっと前から、意識の底のものが、五郎をそそのかしていたのだ。それを今五郎はやっと悟った。》

戦争から解き放たれ、ついで完全に個人へと解放された時、その自己解放の情動を、外にあらわしたヴィジョンのような風景に喚起されて、兵士は真の生の昂揚を経験した。戦後のおとずれとともに、はじめてかれの生は爆発的に昂揚したのである。いうまでもなく二十五歳という年齢が、戦争のさなかの兵士のかれをも、《鮮烈な生のまっただ中に》いさしめたことを忘れるわけにはゆかない。しかし、それは全的に解放された生ではなかった。たわいない事故のように頻発する死の契機が、その生にむしくっているかのごとくでもあったのだ。ある深夜、松林のなかで航空用アルコールを飲み、酔った兵士たちは泳ぐ。

《しばらく海の浅さがつづき、急に深くなった。五郎は平泳で前進し、そして背泳ぎに移り、やがて手足の動きを中止した。顔だけを空気にさらし、全身から力を抜く。水はつめたくなかった。生ぬるくねっとりとして、彼の体を包んだ。彼は『母胎』という言葉に似たものを感じながら、十分間ほどゆらゆらと海月《くらげ》のようにただよっていた。空には雲がなく、一面に星が光っていた。……

〈何ならここで死んでもいいな〉

倦怠と虚脱感がそこまで進んだ時、五郎は突然ある危険を感じて、姿勢を元に戻した。》

そして実際に、かれと一緒に泳いでいた兵士は、翌朝死体として発見されたのである。

さてその再訪した場所においてかれは、生の原点をつきとめた。二十年間のかれの戦後の生は、その昂揚した原点こそを水源として、流れつづけてきたものであったのだ。しかし新たに生の原点に立ち戻っても、すでに戦後二十年を生き延びた肉体の内部に、予感され予知される死の気配が薄らぐのではない。二十年間をへだてて、むしろ生と死とが、ともにくっきりと見えることにすらなったのである。あくまでもくっきりと動かしがたくあきらかに。いまかれは二十年間をへだてた生と死のヴィジョンを、かさねて透視するかのごとき枕崎の再訪者である。そこでかれの現実の肉体は、いま生のがわに根をおろしているのか、むしろ死の極点に近いのか?

《やがて家がぽつぽつと見え始めたと思うと、その屋根のかなたに海の色があった。さきほどの広闊とした海でなく、湾であり入江である。その入江を抱く左手の山から、鴉の声が聞えて来る。それも一羽ではなく、数十数百羽の鴉が、空に飛び交《か》いながら鳴いていた。

——冥府。

町に足を踏み入れながら、ふっとそんな言葉が浮んで来た。》

かれは、肉体の暗い核心での共鳴音をつうじて、冥府の響きを聞きとっているのである。そして二十年前の、いまあざやかなヴィジョンとして綜合的に、把握しなおしたばかりの昂揚した生にむけて、苛だたしく懸命に足掻くようなこともする。行きずりの女と樹の下に坐って紙コップの酒を飲むうちに、かれは女を犯す。その異様な violence の印象は、かれのうちにあって治療されるべきであり、ついに治療されなかった、すべての異常なもの、狂気、死への傾斜、それらを端的に提示するであろう。

その後かれは、自分の性衝動にともなった「屁理屈」を恥知らずだと自責するのだが、しかしその violence への移行のさなかで、かれが女に語りかけた言葉は、やはり自身の内部をよく語っているだろう。

《「おれたちは同じ汽車に乗り合わせたようなものさ。前に乗り込んだ人が次々に降りて行く。新しいのが次々乗り込んで来る。途中下車をするやつもいるしさ。……同行者としての責任感は、たしかにある。いや。同行者の責任なんて、一体あるものかな。連帯感はあるが——」

押えていた歪んだ情念が、しだいに彼の体の中で高まって来た。女の肩の丸みやあたたかさが、彼を刺戟した。

「その後、同行者としての連帯感が、だんだん信じられなくなって来た。酒を飲んでも、勝負ごとにふけってもだめだった。それでとうとう病院に入って、治療を受けた。……」

…………

「どうしてもこの土地を見たい。ずっと前から、考えていたんだ。今はうしなったもの、二十年前には確かにあったもの、それを確めたかったたんだ。入院するよりも、直接ここに来ればよかった。その方が先だったかも知れない」

…………

「おれは今、何かにすがりたいんだ」

五郎は女にささやいた。その言葉は、全然うそではない。四分の一ぐらいはほんとであった。彼はさらに腕に力をこめた。

「つながりを確めたいんだ。死んだ福や、双剣石や、その他いろんなものとの――」

「ああ」

女は胸を反らしながら、かすかにうめいた。それはやや絶望的な響きを帯びた。

「いいだろ」

相手をもどろどろしたものの中に引きずり入れたい。今はその嗜欲だけしか五郎にはなかった。》

数日後、かれは阿蘇のいただきにあって、ひとりの他人が、自殺の危機の、そのとっさきに立つようにして火口をめぐるのを眺めている。小さな賭けが男とかれを結んでいるのみなのだが、すなわち、かれらはほとんど無関係なのだが、それゆえにこそかれは、決して相手の耳には聞えぬところの切実な叫び声を発する。《しっかり歩け。元気出して歩け！》と。なぜなら、火口に跳びこむか、跳びこまぬか、まことに微妙なバランスにたって歩いているのは、かれ自身にもほかならぬのであるからだ。《また立ちどまる。汗を拭いて、深呼吸をする。そして火口をのぞき込む。……また歩き出す。……立ちどまる。火口をのぞく。のぞく時間が、だんだん長くなって行くようだ。そしてふらふらと歩き出す。——》

かれは肉体と意識のはざまに、そのどちらに属するとも知れぬ死を大きく胎んでいる。かれはそれを明瞭に自覚している。かれはいま、二十年をさかのぼる昂揚した生の原点に立ちもどってきたところだ。かれの現在のヴィジョンいっぱいに、戦後のはじめ強く解放された生の昂揚の光が照りかえしてくる。しかし、そのヴィジョンは、冥府の暗闇をも、その光にかさねるようにやどらせている深い奥行のものなのである。この光と闇のあいだに、二枚のガラス板にはさまれた顕微鏡標本のようにも、「戦後」のすべての時は、一箇の人間の肉体のかたちをとって、くっきりと見さだめることができる。その人間にむかって、《しっかり歩け。元気出して歩け！》と、いかに熱っぽく呼びかけても、肉体か、意識に根ざす死のヴィールスは、すでに消滅してしまうことはないだろう。それでもなおかれは、戦争の災厄のただなかから解放され昂揚した、生の出発点をはっきり見てきたのだし、それにかさねて二十年後の今日の、自分の肉体と意識とをもつかみなおしたのだし、それこそ、見るべき程の事は見つ、という根本的な態度をかちえるにいたっている。この二十年間の「戦後」は、まことに悪しき時代であったと嘆き、戦後の出発点の生の昂揚を懐かしむ、というセンチメンタリズム操作を、かれがいまおこなっているのではあるまい。かれはむしろ死を、自分の一箇の死なりに、全体において主体的にひきうけるために、その生の原点をもまた、あらたにかれの想像力いっぱいに喚起したのである。もしなお肉体と意識にその余力があれば、《しっかり歩け。元気出して歩け！》という自分の声は、自身の生への励ましであろう。しかしそれはまた、全体的に自覚された死への、死に向かっての、《しっかり歩け。元気出して歩け！》という声でもあろうではないか？　かれはまさに赤裸の人間の、いかなる思わせぶりもあてこみもない、人間的に憐れで、人間的に自立した、もののように即物的な誠実さにたって、二十年の両極とそのあいだを埋めるすべてを、すなわち一箇の人間としての、かれ自身の生き方の全体を眺めている。それこそは、作家の最後の中篇小説における、最終のヴィジョンということでもまたあるであろう。

梅崎春生自身と『幻化』のヒーローを、重ねあわしてみることは必要でないにちがいない。ただ、われわれはこの作品に、梅崎春生の、肉体の核心における死の予感・予知によってなおさらとぎすまされた、透明な生と死のヴィジョンを見ぬわけにはゆかないのである。この時、作家が現実に死にのぞんでいる澄明な眼に、戦後のはじまりの生の昂揚と、二十年後の、かれの肉体と意識をおかしているのみならず、時代全体をも覆っている猛《たけ》だけしい死の翳をもまた、その最終のヴィジョンとして一望したであろうことを、誰が否定しうるであろうか？

そしてわれわれが、戦後二十年を通過して梅崎春生の到達した、即物的なほどの誠実さに、ついに及びえぬ自己を、この時代のさなかに発見するほかないとしたら、われわれは、われわれの戦後の出発点と、今日の現実とを見る想像力の眼の澄明において、ついに梅崎春生の文学の、その肉体の死にきざまれた最後の到達点より、一歩を前に出ているとはいいがたいであろう。

梅崎春生は戦後すぐ、その文学的出発をあきらかにした短篇において、やはり九州の軍隊生活を背景に、ひとりの自殺兵士について、激しく言葉をきざんだモラリストでもあった。

《滅亡の美しさを説いたのも、此処で死ななければならぬことを自分に納得させる方途ではなかったのか。不吉な予感に脅えながら、自分の心に何度も滅亡の美を言い聞かせていたに相違ない。自分の死の予感を支える理由を、彼は苦労して案出し、それを信じようと骨折ったにちがいなかったのだ。

(滅亡が、何で美しくあり得よう)》

すでに引用したが、梅崎春生が死んだ時、たまたまパリの宿舎にあった堀田善衛にむけて、埴谷雄高は、戦後文学者たちすべての心においてこう書いてやったのだった。かれは《われわれのなかでの最初の出発者として先行して行った》と。

それでもなお、いや滅亡は美しい、おれが自分一箇の滅亡を美しい花とひらかせよう、という人間はいる。かれはその滅亡にいたる美の大構造を、死にいそぐまま性急に、様ざまな不整合と、常人ならばそれだけで意気阻喪するはずの破綻を、いくつも積みかさねつつ、なんとかくみたててゆく。やわな氷菓子じみた構造を早く固まらせるためには、他人の批判の指先で、搦《から》め手からいじくられることを避けねばならぬ。かれは極度に自己閉鎖的になり、穿山甲《せんざんこう》の鎧《よろい》がかれを、他者のまなざしから遮蔽することになる。

他人の醒めた眼から見れば、かれは黒いユーモアのかたまりともいうべき、滑稽で悲惨な穿山甲である。利口な穿山甲は、かれ自身それを知っている。最初からかれは他人の眼を拒否しているのである。他人の眼は、そのまなざしの毒気がかれの肉体・意識にまで反射してくることのない条件で、たとえば無数のブラウン管のまえで、かれの滅亡の光景に見呆けるためにのみ存在を認められるだろう。ついに穿山甲は疾走して死のただなかに奔入する。鎧の響き、爪の引っ掻く音もすさまじく、かれは自爆する。そしてそれこそが、この滅亡劇の焦点だが、当のガサガサ、ガリガリいう響きのうちに、オレハ自分一箇ノ滅亡ヲ美シイ花トヒラカセタゾ、と山穿甲が金切声をあげているのを聴き、われわれは、そうだ、確かにいまのきみの想像力がそう主張するなら、それにおれたちの側から反対することはできないね、きみの行為はその自殺までをもふくめて、言葉の真の意味で犯罪的だが、想像力はいかなる犯罪者においても自由を制限されてはならぬし、制限されえぬものだから、と応じるほかにないのである。もちろんその声は、疾走する穿山甲に聞こえはしない。かれはみずから爆発する。血まみれの頭が、胴から切りはなされて床に立つ。もうすでに、これがきみの美しい滅亡の実態か、とかれに問いかけることはできない。かれは自爆しおえたのだから。すべての汚辱と穢《けが》れは、生きているわれわれの労働によって、それをきよめるほかにない。いや滅亡は美しい、おれが自分一箇の死を美しい花とひらかせよう、と叫んで自爆した人間の、同時代への大いなる侮辱をひきうけ、それを乗りこえてゆくことが、生き残っているわれわれの、有難迷惑な苦しい仕事となる。しかし、結局は、戦後の四半世紀が、すなわちわれわれの同時代こそが、この自爆する穿山甲を生み出したのである。われわれはその清掃の仕事を、自分たちの状況の本質にかかわっているものとして、ひきうけ、なしとげぬわけにはゆかないだろう。そしてそれは、自爆する穿山甲がまことに周到な構想力によって、その一箇の死を、日本人の伝統的なるもの（あるいは、伝統的なるものと僭称されるところのもの)の根柢にからみつかせ、また、からみついているかのように見せて、日本人一般をひきよせる、いかがわしい撒き餌をまきちらしていったのである以上、永く持続的な努力によって続けねばならぬ、批判の努力である。サルトルを例にひいても、作家は生きているかぎり、政治的な組織者としては、小さく局部的な、思いつき的に揺れうごく役割しかもちえぬものだ。しかし、血みどろの床にころがった作家の死体は、政治的な翳を時代全体におとしかねないのである。僕がこれから検討しようとする作家の死体は、同時代としての戦後の全体を、その黒い影で覆いつくしている忌わしくも大きい死体なのだ。かれの残した最後の作品群は、その死体の流した血にまみれたまま出版されるようにして読みとられることを、みずから主張する。

一九七〇年冬、印度ベナレスのホテルで聴いたBBC放送によって、僕は三島由紀夫の割腹自殺を知った。翌日からの、これにまつわる新聞報道の洪水のなかで、僕がもっともはっきりした感銘を受けたのは、カルカッタやニュウ・デリーの印度人記者の書いた、いわば世界的には地方記事とよぶべきものであった。そこには、実際に数年前、作家が印度をおとずれたさいに、かれと会って好意をいだいた記者たちの、心貧しいとでもいうか、異様なほどに謙虚で誠実な、自分たちにはこの作家の死が理解できぬ、という嘆きがのべられていた。輪廻転生《りんねてんしょう》について、作家と話したことがある、デリーの路上で、というふうに記者は書くのだった。かれはデリーの陽光のもとで、日本の作家に、自分はあなたを理解しません、とつつましく頭をふったとおりに、そして、おそらく暗く悲しげな、あの印度知識人特有の微笑をうかべもしたとおりに、割腹自殺した作家にむけて、あらためて弱よわしく頭をふっているのであった。

　僕はそれらの印度の記者たちに、そうです、あなた方が、つつましく、自分たちにはわからぬ、といわれるのがもっとも正しいのです、と申しのべたいと思った。なぜなら、これは本質において日本人の問題だからです。この作家がおそろしく徹底的に侮辱したのは、われわれ生き残った日本人すべてをであって、そのかたをつけるのもまた、われわれ日本人の仕事でなくてはなりません、と。僕は東京へ向う旅行をつづけつつ、ヨーロッパの新聞を読み、日本からの新聞も読んだが、僕がこの自殺した作家と「愛国心」をわけもつことはありえぬのであったにもかかわらず、ヨーロッパからの物見高い嘲弄の気分には（この作家にはみずから物見高い見物人を、それも外国の見物人をあつめたがる癖《へき》が生涯つきまとったのであったにしても）、どうかお引きとりください、これは日本人の解かねばならぬ侮辱の呪縛なのです、われわれはいまとりこみ中なのです、といいたい気持があった。そして日本のジャーナリズムの反応には、どうしてこれが日本人全体への大規模な侮辱だという陰鬱な怒りが、そこいちめんに湧きおこらぬのかと疑った……

　そして僕は、巨大な侮辱の余波に身がまえるようにしながら、その波にむかってゆくようにして日本にたどりついたのであったが、その旅のあいだにも、もっとも理解しがたい問題として、僕の意識にひっかかっていたのは、なぜこの作家が、ひとりの青年を巻きぞえにして割腹自殺したか、という疑問だったのである。もしかれが現実に起ったあの結果をのぞまなかったとすれば、周到なかれは、青年を説得しえる機会と、それに十分な狡智をそなえていただろう。しかし作家はあのようになることを許容したのだし、そもそもの作家の私兵集団（あるいは擬似私兵集団）が、かれの構想と実践によって、作家内部の幻を具体化させたものであるとすれば、作家がこの青年の、かれと同時におこなう割腹自殺を企画すらもしたのだ。しかしそれがこの作家の、日本人全体への侮辱的な挑戦の道すじにおいてなぜ必要であったかを、僕は理解しえなかったのである。

日本に帰りつくと、高い声や低い声で、作家の男色説がおこなわれていた。僕は男色の実行を望まぬが、真摯な男色家の自由が社会的に妨げられることも希望しない。かれらにはかれらの自由があるし、かれらの想像力は、現実に多くのものを人類にあたえてきた。そこでこの作家の男色家としての資質(それはやはりサルトルが分析したように、資質の問題より、おおく実行の問題であるが)を、実際にそうであったと認めるとして、それが本質的にどれほどのことを意味するとも考えられなかったのである。男色の花は、この作家に青年たちと近づくきっかけを、情動の側面でつねに準備し、補給しつづける標識だっただろう。また、青年たち、あるいは特定された青年との共通の行動に、かれらの眼には色合いのあざやかな花かざりを冠しもしただろう。しかし本質に立って、この作家の割腹自殺の土台を、ただ男色家であることがになっているとどうしていえようか？　冗談めくが、我が国の切実なねがいにつきうごかされている男色家たちの数は、百万をくだらぬだろう。なぜ百万の男色家たちが、五十万組の割腹自殺コンビをつくって決起しないか。この単純な算数が、作家と青年によって同時に行なわれた割腹自殺の、かれらにとっての(すくなくとも作家自身にとっての)本質的な意味あいは、より他の場所にあることを示している。

そこで僕はなぜ、三島由紀夫の割腹自殺が、ひとりの青年の死をともなっておこなわれたのかを理解しえなかったのであった。それを理解すれば、この作家の投げかけてきた侮辱の毒が薄まると夢想したのではない。僕は、敵の行動の全体を理解することから、永つづきする災厄をあたえられている者の、抵抗の方途をさぐる必要に動かされていたのである。僕は三島由紀夫がまことに異様にも性急に、崩れかかるものを脇から支えて、なお危うくその上に積みかさねるようにして書いた、『豊饒の海』四巻を読んだ。そして僕は、血みどろの床に、胴体から離れた頭の脇に、やはり血にまみれてものとして置かれてのみ、独立した作品として、喚起力をそなえてくる作品『奔馬』によって、作家がその割腹自殺に青年をともなうことを必要とした意味あいを、はじめて理解したのであった。

しかしいうまでもなく、この作家は、『奔馬』を最後の仕事のひとつに書いたが、その創作を支えた想像力が、そのまま地続きの下り坂を転がすように、作家自身をして割腹自殺にまで歩ませたのではありえぬだろう。かれは多くの大きい裂け目を跳びこえねばならず、かつ死の時のいたるまで、次つぎに困難な裂け目は、かれのまえにあらわれつづけただろう。死にむけての、不整合にみちた、俳優の強引さと観客への強迫、あるいは平土間からの抗議の無視によってなりたつ、この自殺劇が、とうに分別盛りをすぎた主演の作家に、ある瞬間から、それこそ奔馬のように、ひとつの独立した勢いをかちとらしめたことを、むしろ僕は酷たらしい死者のために祈る。批判はそれにつづくだろう。作家自身が『奔馬』においてあらかじめ、そのような死へのとどめようもない勢いの獲得を祈願したと思えるから。次に引く一節は、実際その祈りのかわりとでもみなさぬかぎり、この小説に插入されねばならぬ必然性のない、やわなラブ・シーンである。

テロリズムを現実に企画した青年が、かれらのグループの穏やかなシンパサイザーであり、ついには裏切って決行まえの青年たちを密告する娘と抱き合う。《抱いたのは、しかし、羽織の下の、嵩ばつた帯のお太鼓の固い帯芯の張りにすぎなかつた。それは抱く前の槇子よりももつと疎遠な物質だつた。が、この触感が勲に与へたのは、女の体といふものに彼が着せてきたあらゆる観念の如実のすがたで、裸かよりももつと裸かな或るものだつた。

そのときから酔ひがはじまつた。酔ひは或る一点から、突然、奔馬のやうに軛を切つた。女を抱く腕に、狂ほしい力が加はつた。抱き合つて、檣のやうに揺れてゐる自分たちを勲は感じた。》

さて『奔馬』の構造は、終生を擬古典主義に終始した作家の仕事として、いかにも風変りな、奇妙なものだ。否定しえぬ秀れた観察力をもち、いかなるたぐいの滑稽さをも、対象から鋭く抽出する批評力をそなえていた三島由紀夫は、かれ自身がなんとか完全なものにつくりあげようとつとめる『奔馬』のヒーローに、つい過失からのように、異様に爆発的な滑稽さの影をあたえてしまう。その黒いユーモアにわれわれは哄笑する。実際そこが、この異様に人工的な枠組のなかで、散文自体が自立して生きいきと輝やく、数すくないところなのである。われわれは哄笑のあと、作家が、神がかりの重装備ではあるが、手のこんだ滑稽小説をつくりあげようとしているのか、という小さな希望をもつ。しかしついに小説の末尾にいたると、ヒーローはかれ自身の滑稽さをいささかも修正しないまま、作家の散文自体の(その散文というのも、さきにのべた、過失からのような散文性を赤裸にあらわして、小説の仕組みの人工性を揺さぶる部分に、わずかに実質が存在しているのであって、その跳び石より他の、いわばい、い、地の文は、作家の擬古典主義散文のうちでも、もっとも衰弱した痛ましい実例であるが、それでもその)批評性にしっぺ返しする激しい勢いでもって、とたんに暗黒へと消え去るのである。茫然としたわれわれは、あっ！　と疑いの声を発する。そのわれわれに、自己への批評性が第一の特徴である、あの散文自体の批評性をもった作家三島由紀夫とは別の人格が、すなわちやがてかれに割腹自殺をとげせしめる、およそ人工的な大きい仕組みの構想者が、こういう冷然たる棄台詞を投げかける。シカシ、コノ青年ハ自決シタダロウ？　カレハ本当ニコウ信ジテイタシ、信ジタトオリニ行動シタンダヨ。生キ残ッテイル不幸ナキミタチガ、幸福ニ死ンダカレノコトヲ、アレコレ疑ッテドウナルモノカネ？　そしてこの構想者は、突然に暗黒に去った美しい青年によりそうように立ち、最後まで三島由紀夫のうちに消えずに残った、真の作家としての小さな核心をも嘲笑するかのようなのだ。

さてこの小説は、四巻の輪廻転生の物語の運営のために、厄介な大仕事をにないこまされている狂言廻し、本多繁邦を、あらたな転生のヒーローに接近させるため、人工的な、やりくり算段にみちた舞台造りをすることに始まっている。僕は、いかなる作家が輪廻転生の物語を書いても、それ自体を非難しはしないし、文学となったどれほど奇想天外な輪廻転生にも、そこへ自分の想像力をもって参加することをおっくうには思わない。しかし、この小説における本多とヒーローとの出会いまでのページの、なんとぎくしゃくして、拙劣に人工的であることだろう。ちょっとした思いつきによる様ざまな伏線の張りかたときては、これは作家の人格を疑わせるほどの陋劣さである。しかし今となっては、この作家は最後の厖大な仕事において異様に急いだのだ、というほかにはあるまい。ともかく判事本多は、この小説全体を覆う、そのかぎりでは巧みな背景である、神事が繰りひろげられる神社の庭で、奉納試合に勝ちすすむ学生剣士にめぐりあう。しかもこの苦労多い狂言廻しは、その出会いに輪廻転生のしるしを目撃するまでは役目をはたせないのであるから、気の毒なことに水垢離《みずごり》までとらせられることになる。

《滝を浴びてゐるパンツ一枚の三人の若者は、身を倚せ合ひ、その肩や頭上で水がわかれて四散してゐる。滝音のうちに若い弾力のある肌を叩く水の鞭の音が入りまじり、近寄ると、打たれて紅らんだ肩の肉が滑らかに水しぶきの下に透いて見える。

本多の顔を見るや、一人が友をつついて、滝を離れて、おのがじし丁寧に頭を下げた。滝を譲らうとしたのである。

本多はその中に飯沼選手の顔をすぐに認めた。譲られるままに滝へ向つて進む。すると、棍棒で打ちのめされたやうな水の力を、肩から胸に感じて飛び退いた。

飯沼は快活に笑つて戻つて来た。本多を傍らに置いて、滝に打たれる打たれ方を教へようとするのであらう、高く両手をあげて滝の直下へ飛び込み、しばらく乱れた水の重たい花籠を捧げ持つたやうに、ひらいた手の指で水を支へて、本多のはうへ向いて笑つた。

これに見習つて滝へ近づいた本多は、ふと少年の左の脇腹のところへ目をやつた。そして左の乳首より外側の、ふだんは上膊に隠されてゐる部分に、集まつてゐる三つの小さな黒子をはつきりと見た。

本多は戦慄して、笑つてゐる水の中の少年の凛々しい顔を眺めた。水にしかめた眉の下に、頻繁にしばたたく目がこちらを見てゐた。

本多は清顕の別れの言葉を思ひ出してゐたのである。

「又、会ふぜ。きつと会ふ。滝の下で」》

《群がる謎に惑ひながらも、一方では、本多の心には、しみ出す地下水のやうな歓びが生じた。清顕はよみがへつた！　あの生半ばに突然伐られた若木は、ふたたび緑の蘖《ひこばえ》を萌え立たせた。そして十八年前には、二人の友は二人ながら若かつたが、今では本多は若さを失ひ、友は依然若さの端緒にかがやいてゐる。

飯沼少年には、清顕の美しさが欠けてゐる代りに、清顕に欠けてゐた雄々しさがあつた。わづかの観察ではわからないが、清顕の傲慢の代りに、清顕の持たなかつた素朴と剛毅があつた。この二人は光りと影のやうにちがつてゐたが、相補つてゐる特性が、それぞれを若さの化身としてゐる点では等しかつた。

本多はかつて清顕とすごした日々を想ひ、なつかしさと悲しみに入りまじつて、又、不測の希望を感じた。こんな心のをののきを手に入れたからには、今まで自分の理性に縛しめられてゐた確信を、のこらず擲《なげう》つても悔いない心地がした。

それにしても、清顕とゆかりの奈良の地で、この転生の奇蹟に触れたのは、何たる奇縁だらうか。》

いや、まことに奇縁で、というような挨拶が喉もとまでこみあげてきはするが、それでもこのあたりまでは、いかに人工的なやりくり算段にみちているとはいえ、作家が、その道具だてと構造を信じてくれというなら、信じて小説を読みすすもう、と思わしめる力はある。とくに「三島美学」のファンであれば、いやこれこそが三島由紀夫の世界にほかならぬ、そこにはどんな不都合もない、と強弁する者もいようし、ともかくわれわれは、なお小説の展開についてゆくことができる。

しかしただちに青年ヒーローは、もしそれを「三島美学」の枠内におさめようとするならば、黒いユーモアの小説に仕立てあげるほかはないほどの、臆面もなく純粋なしたたかさを発揮しはじめるのである。僕は作家がまさにこのとおりの若者と、あるいはボディ・

ビルや拳闘のジムで、自衛隊で、またかれの「私兵集団」で、現実に出会っただろうと思う。そしてこれらの若者に対する作家の端的な反応は、無神経な他人に自分を犯される怯えであっただろうと思う。それは、つづく段階でかれの知的な反撥力にたぐりこまれると、黒いユーモアの味のする、作家得意の哄笑にかわることもありえたにちがいない。僕は次の章節の、押しつけがましく純粋な青年の描写の裏側に、あきらかにその黒い笑いのなごりが響くのを聴くのである。一般に作家は、このような黒い笑いにいたれば、そこからなおヒーローを生かしつづけ、かつ作家としての自由をも阻害されぬように、唯一の道である滑稽小説へとむかうのであるが、三島由紀夫のなかの、すでにわれわれが、その構想の現実的な結果を知っている構想者は、ひとつの肉体をわけもつ作家にその転換、発展を許さなかった。


《「君は今どんな本を読んでゐるんだね」

「はい」

とたまたま鞄を詰め直してゐた勲は、そこから一冊の薄い仮綴本を引き出して、本多に示した。

「先月友達にすすめられて買つた本で、もう三回読み返しました。こんなに心を搏たれた本はありません。先生は読まれましたか」

本多はその簡素な装幀に、隷書体で、

「神風連史話　山尾綱紀著」

と書かれてゐる、本といふよりは小冊子と云つたはうが近い書物を引つくりかへして、著者の名にも、巻末の版元の名にも馴染のないのをたしかめてから、黙つて返さうとしかけた手を、竹刀胼胝《だこ》のある少年の岩乗な手で押し戻された。

「よろしかつたらぜひ読んで下さい。非常に立派な本です。お貸しします。あとで送り返していただければ結構です」

…………………

「君がそれほど大事にしてゐる本をすまないね」

「いや。先生が読んで下されば嬉しいのです。きっと先生も感心されます」

と力をこめて言ふ勲の口調から、本多は、その年齢特有の、自他の感動の質の区別がつかない、丁度きめの粗い紺絣の、どこまでも同じ形の飛白《かすり》がつながつてゆくやうな、辿りやすい精神世界を瞥見して、それを羨んだ。》

確かに、それから插入される『神風連史話』は、三島由紀夫が書いた、もっとも秀れた散文のひとつであるだろう。作家はそこに多様な方向性をもった、いわば実存的な賭けとも比較される、大きい構造を導入している。それは後にのべる二つの箇所においてと同じく、作家の劇作家としての実力をあらわすものだ。そこには他者が実在する。他者との葛藤によって、作家自身が、暗闇に踏み出すようにして前へ進む、劇的緊張もある。それらの諸点を踏まえて、もし三島由紀夫が『奔馬』を劇化することをしたなら、かれは生涯に初めて、「三島美学」に冷淡な者らをも感動させる作品を達成したかもしれない。『神風連史話』の主題は「宇気比」の賭けである。

《この神事を以て神の訓を請ひ、あるひは神の御心を知りうるのであるのに、中古以来絶えてゐたのを、桜園はこの混迷の世に復活せしめようとしたのである。

かやうに宇気比は「いともいとも尊くかしこき神の道」であるが、皇御国《すめらみくに》はそもそも言霊の佐け幸ふ国であつて、言挙《ことあげ》すれば、くしびなる言葉の妙用によつて、天神地祇の助を蒙ること明らかであるから、ここを以て「宇気比の神事は言霊の道とはいふ」のである。》

神風連の人々は、《死諫を当路に納れ、秕政《ひせい》を釐革《りかく》せしむる事》、および《闇中に剣を揮ひ、当路の姦臣を仆す事》というふたつの「御伺」を神にたてて、ふたつながら「宇気比」によって否定される。時をおいて、あらためての「宇気比」がおこなわれ、今度はそれが神に認められて、神風連は決起するが、《……神風が吹かず……宇気比が破れ》ることに終った。この『神風連史話』が、ストイックに書かれつつ多様なひろがりをもつのは、実存的な賭けにおける人間の自由の課題とおなじように(僕は三島由紀夫が、サルトルを嫌厭しつつ、その劇作術にひそかに深く学んだであろうことを推測する根拠をもつ)、神による「宇気比」にたいする、人間の自由の命題が、豊かにとりあつかわれているからである。そしてそれは「三島美学」の閉鎖した世界に、神風連の歴史的事実がつきあたって、弁証法的にもたらした豊かさにほかならない。

そこで一般の創作の場合ならば、作家はその豊かさこそを作品全体にひろげて、当初の閉鎖的思いこみを自己否定することをつうじ、その小説を真の小説にと、つくりあげてゆくだろう。現に、この小冊子を読んだ判事本多が、若者へ書く手紙は、いわばその一般的な作家の態度にそくしている。ところがヒーローの感想として三島由紀夫は、《この人は、日本人の血といふことも、道統といふことも、志といふことも、何もわかりはしないんだ》と書いて、一挙にかれ自身の多様さへの通路を、ヒーロー自身によって臆面なく閉じさせるのである。しかもかれは、それによってヒーローを滑稽小説の黒い笑いのなかに、より深く置くのではない。むしろこのヒーローを、まともな存在として弁護するために、神風連が単純化されるのである。《勲はスローガンを拵へた。「神風連の純粋に学べ」といふ仲間うちのスローガンを。》、そしてかれは自分たちを《死なせてくれる》人であるとみなしている青年将校をおとずれて、その「理想とするところ」をのべる。

《『昭和の神風連を興すことです』

「神風連の一挙は失敗したが、あれでもいいのか」

「あれは失敗ではありません」

「さうか。では、お前の信念は何か」

「剣です」

勲は一言の下に答へた。中尉は一寸黙つた。次の質問を心の中で試してゐるやうである。

「よし。ぢや訊くが、お前のもつとも望むことは何か」

…………………

口ごもつたまま、思ひ切つて言ひだした。

「太陽の、……日の出の断崖の上で、昇る日輪を拝しながら、……かがやく海を見下ろしながら、けだかい松の樹の根方で、……自刃することです』》

若者たちのテロリズムの計画は、若者が抱きしめた、年長の出戻り娘の密告をきっかけにもれて、かれとその同志たちは逮捕される。狂言廻しの本多は、当然に判事の職を投げうって、弁護の役割をひきうける。三島由紀夫の、劇作家としての実力がなおもあきらかに示されるのは、このテロリズムの計画にまきこまれそうになった「宮」と、弁護士本多との対決のシーンと、裁判で将軍の娘が偽証するシーンである。これらのどちらの場合も、小説のヒーローの「思想」と、それにつらなる絶対的天皇制とを、客体化し、相対化する実在として、本多と将軍令嬢との意味あいがふくらむ構造をなしていることに、注目すべきであろう。繰りごとめくが、作家三島由紀夫が、この構造をなお拡大して、ヒーローを黒い笑いのただなかに追いつめてしまったならば、かれは劇的な滑稽小説の秀作を、しかも日本人一般の肺腑を咬む切実さ、即物感をそなえたそれを、達成しえたのである。その場合にならば、次にひくこの小説の結びの、いかに批評的な効果をあげたことだったろうか？　弁護士本多の尽力によって、刑を免除された若者はひとりテロリズムへとむかう。

《「何者だ。何をしに来た」

と嗄れた無力な声が言つた。

「伊勢神宮で犯した不敬の神罰を受けろ」

と勲は言つた。その声の高からぬ低からぬ朗らかな調子に、勲は自分が落着いてゐるといふ自信を持つた。

「何？」

蔵原の顔には全く正直に、理解しかねる表情が泛んだ。一瞬の裡に記憶を手さぐりして、何一つ思ひ当らぬといふ心持ちがありありとわかつた。それと同時に、忌はしい隔絶した恐怖が、はつきり狂人を見る目で勲を見てゐる心を語つてゐた。おそらく背後の火を除けたのであらう。蔵原が煖炉のそばの壁へ背をずらしたことが、勲の動きを決定した。》

もしこの小説が、僕のむなしく主張してきたように、滑稽小説の黒い笑いのもとに統一されていたならば、被害者の「恐怖」の眼は、作家とわれわれの眼にあいかさなっただろう。テロリズムは完了させられ小説も閉じられる。

《『日の出には遠い。それまで待つことはできない。昇る日輪はなく、けだかい松の樹蔭もなく、かがやく海もない』

と勲は思つた。

シャツを悉く脱いで半裸になると、却つて身がひきしまつて、寒さは去つた。ズボンを寛ろげて、腹を出した。小刀を抜いたとき、蜜柑畑のはうで、乱れた足音と叫び声がした。

「海だ。舟で逃げたにちがひない」

といふ甲走る声がきこえた。

勲は深く呼吸をして、左手で腹を撫でると、瞑目して、右手の小刀の刃先をそこへ押しあて、左手の指さきで位置を定め、右腕に力をこめて突っ込んだ。

正に刀を腹へ突き立てた瞬間、日輪は瞼の裏に赫奕《かくやく》と昇つた。》

しかし、『奔馬』を黒い笑いの滑稽小説とすることに、三島由紀夫は抵抗しおおせた。それは作家三島由紀夫を、あの現実的な事件の構想者三島由紀夫が圧倒して、作家内部の弁証法をおしつぶし、当然な展開を妨害したことではなかったであろうか？　構想者は、小説のはじめからずっと、無邪気な反思索家として実在しつづけてきた若者に、獄中では、一転して筋のとおっている「思想」を思索せしめ、底にひめられた構想者自身のもくろみへの下工作をおこなっていた。

《『何故なんだ、何故なんだ』と勲は歯噛みをして思つた。『人間にはどうしてもつとも美しい行為が許されてゐないんだ。醜い行為や、薄汚れた行為や、利のためにする行為なら、いくらでも許されてゐるといふのに。

殺意の中にしか最高の道徳的なものがひそんでゐないことが明らかな時、その殺意を罪とする法律が、あの無染の太陽、あの天皇の御名によつて施行されてゐるといふことは、（最高の道徳的なもの自体が最高の道徳的存在によつて罰せられるといふことは、）一体誰がことさら仕組んだ矛盾だらうか。陛下は果してこんな怖ろしい仕組を御存知だらうか。これこそは精巧な〈不忠〉が、手間暇かけて作り上げた瀆神の機構ではないだらうか。

俺にはわからない。俺にはわからない。どうしてもわからない。しかも殺戮のあと、直ちに自刃する誓にそむく者は、誰一人ゐなかつた筈だ。さうなつてゐれば、われらは裾の端、袖の片端でも、あの煩瑣な法律の藪の、下枝の一葉にさへ触れることなく、みごとに藪をすり抜けて、まつしぐらにかがやく天空へ馳せのぼることができた筈だ。神風連の人々はさうだつた。もつとも明治六年の法律の藪はまだ疎らだつたにちがひないが……。

法律とは、人生を一瞬の詩に変へてしまはうとする欲求を、不断に妨げてゐる何ものかの集積だ。血しぶきを以て描く一行の詩と、人生とを引き換へにすることを、万人にゆるすのはたしかに穏当ではない。しかし内に雄心《をごころ》を持たぬ大多数の人は、そんな欲求を少しも知らないで人生を送るのだ。だとすれば、法律とは、本来ごく少数者のためのものなのだ。ごく少数の異常な純粋、この世の規矩を外れた熱誠、……それを泥棒や痴情の犯罪と全く同等の〈悪〉へおとしめようとする機構なのだ。その巧妙な罠へ俺は落ちた。他ならぬ誰かの裏切りによつて！》

法廷での若者は、まったく不自然な唐突さにおいて、構想者のためには好都合な、いやがうえもの雄弁の力をさずけられる。

《あそこに太陽が輝やいてゐます。……その太陽こそ、陛下のまことのお姿であり、その光りを直に身に浴びれば、民草は歓喜の声をあげ、荒蕪の地は忽ち潤うて、豊葦原瑞穂国の昔にかへることは必定なのです。

………………

誰が天へ告げに行くのか？　誰が使者の大役を身に引受けて、死を以て天へ昇るのか？　それが神風連の志士たちの信じた宇気比であると私は解しました。

天と地は、ただ坐視してゐては、決して結ばれることがない。天と地を結ぶには、何か決然たる純粋の行為が要るのです。その果断な行為のためには、一身の利害を超え、身命を賭さなくてはなりません。……

もちろん大ぜいの人手と武力を借りて、暗雲の大掃除をしてから天へ昇るといふことも考へました。が、さうしなくてもよいといふことが次第にわかりました。神風連の志士たちは、日本刀だけで近代的な歩兵営に斬り込んだのです。雲のもつとも暗いところ、汚れた色のもつとも色濃く群がり集まつた一点を狙へばよいのです。力をつくして、そこに穴をうがち、身一つで天に昇ればよいのです。

　私は人を殺すといふことは考へませんでした。ただ、日本を毒してゐる凶々しい精神を討滅ぼすには、それらの精神が身にまとうてゐる肉体の衣を引き裂いてやらねばなりません。さうしてやることによつて、かれらの魂も亦浄化され、明《あか》く直《なお》き大和心に還つて、私共と一緒に天へ昇るでせう。その代り、私共も、かれらの肉体を破壊したあとで、ただちにいさぎよく腹を切つて、死ななければ間に合はない。なぜなら、一刻も早く肉体を捨てなければ、魂の、天への火急のお使ひの任務が果せぬからです。

大御心を揣摩することはすでに不忠です。忠とはただ、命を捨てて、大御心に添はんとすることだと思ひます。暗雲をつんざいて、昇天して、太陽の只中へ、大御心の只中へ入るのです。

……以上が、私や同志の心に誓つてゐたことのすべてであります。》

　現実の蓋然性に立っていえば、自殺をためらわぬテロリストの若者は、われわれのまわりに少なからずいるだろう。実際それはいた。三島由紀夫はそのような若者を、「私兵集団」から選びだすことができたのでもあった。しかし、そのテロリストの若者が、右のようにもねりあげられた雄弁をふるいうるということは、やはり現実の蓋然性に立ってありえぬであろう。そこで構想者は、「素朴と剛毅」をそなえた美しい若者のすぐわきに、異様な雄弁の舌をそなえたもうひとりの割腹自殺者、ほかならぬかれ自身をおくことを考えたのではなかったか？　この構想者の、まぢかな死をひかえての「伝統」「政治」「天皇」論は、最後の「檄」にいたるまで、現実そのものの弁証法にうちあてれば齟齬をきたす言葉、「物ニ向ッテ違ウ」言葉、すなわち現実につきつければボロをだすたぐいの言葉を、丹念にさけつつ語られていた。それはすなわち「他者」を、「現実」を、「物」を予想せぬ理論であった。それはさきにひいた雄弁なテロリストの、法廷での陳述と、そのまま置きかえても、重要な異同は生じぬ体のものである。それは《人生を一瞬の詩に変へてしまはうとする欲求》と要約することもできただろう。しかも、この場合の詩という言葉が、およそ文学の専門的用法ではないことに注意しなければならない。文学の専門家にとって、詩とは、それこそもの自体のように現実をあらわしている言葉の謂である。構想者は、かれの軽蔑した俗衆のもちいる用法にしたがって、詩という言葉を使ってみせることで、文学そのものをも軽蔑したのであった。

　さて構想者は、そのような《人生を一瞬の詩に変へてしま》う瞬間に、美しい若者を中心にすえ、脇にその論理の体現者をおいた。かれらは「恋闕の情」にむすばれた同志であった。ここでも僕は、男色家へのあてこすりなどしのばせようとは思わない。批判する相手を、最低の鞍部で超えてどうなるものでもあるまい。しかも批判の対象は、すでにその構想を展開して死んでしまっているのである。したがってわれわれの批判の真の敵は、いまなお生き続けているところのもの、当の構想の種子が芽を出したところの、現実的結果すべてではないか？　僕がここで、そのグロテスクな構想を分析しようとするのは、男色家の問題とは大きさにおいてへだたりのある、一般的な人間の関係である。

　すなわち構想者は、かれ自身の意識のつくりあげた

「理論」と「情念」のすべてにたいして、それをつくりだした者には当然の疑い、ためらいをもち、自分自身ではすっかり信じきることのできぬところを見出している。それゆえにこそ、かれはそれを他者の批判にゆだねず、ものとつきあわせることをせず、自分の発した声のコダマすら返ってこぬうちに、ひとりすみやかに自殺しようとしたのであろう。「檄」に示されていた、一応の「現実的」要求が、いかに現実的に解答を提示しにくいもの、すくなくとも短時間に答えることはできぬものであったことかを思い出せ。このようなクウデタに近い要求が、現実に表面に出される前には、下準備がしくまれるべきであることを思えば、なおさらに、この降って湧いた要求は、狂人のそれのようにも、現実的に答えられることをみずから拒否している。

しかし、この構想者の脇によりそって立つ、「恋闕の情」に結ばれた若者には、その「理論」「情念」が、まるごと信じられているのであって、かれはものそのもの、いわば être-en-soi として、この「理論」「情念」を体現する存在である。しかもかれはそのようなものそのもの、être-en-soi としてみずから充足し、他者からの批判も疑いもよせつけず、まっしぐらに割腹自殺へ向おうとしている。そこで構想者の最終のヴィジョンいっぱいに映っていたのは、ほかならぬ美しいものそのもの、être-en-soi としての若者であり、《臉の裏に赫奕と昇った》(といってもこの誇大ないいまわしは、アカアカと昇ったという意味よりほかのなにものもつけ加えぬが、)死にのぞんでのヴィジョンとは、自分こそが、かの構想者の「思想」「情念」の、完全に現実化している人間に、しかも美しい若者に同一化しているという、単純明快なヴィジョンであっただろう。そしてかれら＝かれは猛スピードで割腹自殺をとげ、血みどろのふたつの首は床に立ったのだ。構想者へのヴィジョンの到来のさなかに、オレハ自分一箇ノ滅亡ヲ美シイ花トヒラカセタゾ、という声は、腹につき立てられた刀の痛みほどにも、確かに湧きおこったにちがいない。死者を地獄に追いかけるようにして、その声の取り消しをもとめることはできぬ。したがって僕が闘いつづけることを回避しようと思わぬのは、その死の一瞬の、声の無い叫び声が、今なお生き続けるわれわれの間に、喚起しつづけているコダマに対してだ。そのコダマは、直接にこの戦後を同時代として、みずから引き受けて生き延びつづけようとする者への、侮辱を胎んだコダマであり、そしてその効果こそは、明敏な頭脳と権力への意志をそなえた、東京帝国大学法学部出身の構想者の、つとに企画していたところであった。

僕の反応とは逆に、割腹自殺した作家の発したコダマを、みずからの肉体＝意識に反響させるためにこそ生きることを決意している若者は多いだろう。かれらの志は、マス・コミュニケイションの表層の浮き草ども移り気とはちがう、黙りこんだ執拗さで実在しつづけているだろう。構想者の遺骨が盗まれた事件を、新しい記憶からよみがえらせてもらいたい。あの事件は、神道とはことなった神の福音書のいいまわしをかりれば、《預言者たちの聖書の言葉が成就するためにおこったのである。》構想者の予言がどれだけ現実の弁証法とは無縁であれ、いやそれゆえにこそ、それを成就させる明日をねがいつづける者らが実在しているのであり、かれらにとっての《預言者たちの聖書》には、次のように書かれていたのである。

《深く頭を垂れる。合掌する。妨げるほどの音はどこにもしない。

瞬間、疑ひやうのない直観が来て、本多は戦慄した。

直観は、この墓の中には誰もゐない、といふことを語つてゐた。》

あらためて僕はもうひとりの、こちらはじつにつつましい自殺をとげた作家の碑が、投石によって、判読不能にそこなわれたことがあったのに注意を喚起したい。投石は、やはりこの原爆戦のあとの戦後を同時代として生きている、しかもほかならぬ広島に生きている日本人によっておこなわれたのであった。壊れて判読不能の碑文は、原民喜の筆跡を次のようにあらわしていたのだが。その花の幻は、赫奕と昇る日輪の幻とはおよそ対極をなす、人間的な花の幻である。

遠き日の石に刻み
　砂に影おち
崩れ墜つ　天地のまなか
　一輪の花の幻

三島由紀夫は、戦後に生き延びつづける、「戦後」を主体的にひきうけて生きる同時代とみなす、すべての人間を侮辱するところの死を、かれのうちなる、構想者の企画にしたがって死におおせた。しかも侮辱の鋭く重い銛《もり》は、戦後文学者たちに、また特にかれらと同時代をわけもつことをねがう者らに向けられていたと、僕は結論している。その侮辱の呪いは、侮辱者自身の自己破壊を梃子にして発せられたから、生き延びつづけているわれわれが、自力で、その侮辱のひろがりと奥行きとをあきらかにして立ちむかうのでなければ、その呪いから十全に自分をときはなつわけにゆかぬだろう。そしてその呪いをとくために、三島由紀夫の侮辱の根柢の力を解明しようとすれば、われわれの眼は、すべての戦後文学者たちの出発点に、一九四五年八月十五日にむかわねばならない。

われわれはいま、あえて思いだすべきであろう。わが国においては、太平洋戦争における文学者の戦争責任の追及が、じつはなされぬにひとしかったことを。セリーヌのように欠席裁判によって死刑を宣告され、永く苦しい亡命生活をつづけることが、すなわちその戦後であった作家はわが国に出なかった。しかしわが国の文学者たちすべてに、まったく戦争責任がなかったと仮りにいうとすれば、われわれの頭上の空は、戦いに死んだ兵士たち、とくに書物を愛した学徒兵たちの暗く酷たらしい笑いにみたされるだろう。

戦後文学者たちは、実際に兵士として侵略軍に加わり、中国におもむいた者がおり、フィリッピン、満蒙に戦った者がおり、南島に特攻隊員として死を待機した者すらもいるが、あきらかにそれゆえにこそ、かれらは根本的に、戦争責任のない文学者たちとして、敗戦の後、新しい言葉の時代をつくり始めたのであった。戦争における、天皇を頂点とする無責任体系がもたらしたところのものを、泥水を啜《すす》らねばならず、しかも侵略者として人殺しをしなければならぬ戦場で、その肉体によって責任をひきうけたかれらが、たまたま生き延びて、戦後に自己解放をとげ、戦後文学者となったのである。

筋みちからいえば、戦後文学者たちこそは、当の仕事の場所で、専門家の技術で、かつ文学的エネルギーを集中する未来のヴィジョンの光に照して、日本の文学者全体の戦争責任を追及しうる人々であった。しかし『新日本文学』での、文学者の戦争犯罪の提示ということがあるにはあったが、いま戦後二十七年の全体をふりかえって、実質的な戦争犯罪を、文学の現場において追及する努力はなしくずしに中絶したと、そしてさすがに当時は逼塞していた者らも、いまや大威張で開きなおっていると、荒涼たる心において僕は観察する。

この情況は、どういう事情にもとづいてうまれたのか？　それについて、日本人とはなにかという綜合的な課題として、多様な社会的ひろがりをもつ検討がなされねばならない。しかもいかなる場合にも、単純化は拒まれねばならぬだろう。そこで僕がここに記すひとつの考え方は、ありうべき多様な省察群の試論にすぎない。しかしそれは、やはりひとりの作家として仕事をしている現実生活の、もっとも根柢にある考えをのべるものである。なぜ戦後文学者たちは、かれらが見とどけた、日本の文学者たちの戦争責任を、持続的に、ねばりづよく戦闘的に、追及しつづけることをしなかったか？　それは、まことに大きく暗いあきらめのかたまりのもとに、思い屈することがあったからではないだろうか。天皇制を頂点とする、日本の文化、あえてこの言葉をつかえば、伝統的文化の全体が、巨大積雲のように暗くおしかぶせてくるあきらめを、もたらしたのではなかったか？　しかも、そのあきらめは文学者をとらえる情念として、二重の意味をそなえていたのである。

戦時の、ファナティックに協力的だった文学者たちの「言葉」を読みかえすと（そしてすべての抵抗しなかった文学者たちが、先導する「言葉」の牽引力に、多かれ少なかれ積極的な反応を示していたように観察されるが）、それらの神がかりの「言葉」は、すべてが現実の事物の弁証法につきあてることなしですませられる、本質においてあいまいな「言葉」である。批判者が努力しても、その「言葉」自体においては、なかなか「物ニ向ッテ違ウ」ことをつきとめがたい言葉である。文学とは、その言葉がいかに多様に事物をとらえ、なおそれを超えて新しい事物のくみあわせを提示するか、に根本の価値がかかっている。そのような想像力の作業である。それを思えば、戦時の「言霊の佐《たす》け幸《さきは》ふ」国の文学は、本質において衰弱していたのであった。衰弱した文学は、軍部によってこきつかわれ、文学内部の人間によって辱かしめられた。文学は、本来ならばそれ自体において、押しつぶそうとする事物を逆にくるみこみ、それを超えて新しい事物にいたる抵抗力をそなえている。しかし衰弱した文学は、それを侮辱する内外の反文学的な力をはじきとばすべき抵抗力をもちえなかったのである。

戦争協力者の文学の「言葉」は、具体的な事物にそくさず、ただあいまいな、しかも絶対的な気分に立って、高く轟々と響き、むなしいコダマを再生産した。そして天皇制を頂点とする伝統文化の神ナガラノ道は、大衆宣伝の局面において、これらの種類の「言葉」にこそ、もっともよく似あうものであった。しかも軍部を背負った権力が、これらの「言葉」をそのまま丸ごとかかえこむことにおいて、わが国は「言霊の幸《さきは》ふ」国であったのである。

あいまいな神がかりの「言葉」は、事物の弁証法と壊れものとしての人間たる自分を対等におき、自分をいいものとつきあわせてはじめて人間として生きつづけるという、一般的なありようを拒む、あるいは惧れる精神の、自閉的な熱中を助長する「言葉」であった。もしその自閉的な熱中を批判する他者にぶつかれば、臆面なく居丈高になって、おまえは日本人の魂をそなえているのか、と反問するという芸当ができた。この自閉的な熱狂者の脇に「剣」があれば、かれはただちに「言霊の佐《たす》け」をうけるテロリストたりえたのである。そして国家は、テロリズムにはしらぬまでも「剣」に支えられている青年たちの、肉体と魂とをつぎこむ場所に苦しまなかった。

むしろ軍部＝国家権力は、あいまいな「言葉」の網を日本全体にはりめぐらして、すべての日本人をつつみこみ、かれらに対して、眼のまえの事物に自分の内部をつきあわせるより、天皇制を頂点とする伝統文化の、いま指し示している自己破壊の道へかけこめと命令し、その大勢に、自立した「言葉」をとぎすまして抵抗する者には、綜合された「剣」の構造の下部組織がさしむけられて、かれを押しつぶしたのである。あいまいな「言葉」の職業的な発し手たちは、次つぎにあいまいな「言葉」を発しつづけさえすれば、それが軍部＝国家権力の具体的な武器として、買上げられることを知っていた。しかもかれらの得意とする、あいまいな「言葉」は、天皇制を頂点とする伝統文化の方向にガラガラと把手を廻しさえすれば、無限に機械生産されるものなのであった。かれらはそのような「言葉」の濫造に大熱中することによって、みずから文学を侮辱し、そしてかれらの「言葉」は、やはり文学を侮辱する「剣」の党派にわたされて、大量の若者の血がむなしく異国の土をよごした。

　ところが敗戦のあとで、そのような「言葉」の発し手たちを実際に糾弾するとなると、どうだったか？　敵は、事物と対応しあうことのないアブクのような「言葉」である。それは検事側の証拠として固定するには、あまりにも漠然たる呪文のごときものなのである。そいつがなお暗闇の力のように構造のうちにひそめている、絶対的な気分を追及してゆけば、それは天皇制の実体を指すにちがいないが、しかし戦後は、まずおおもとのところで、天皇および天皇制を頂点とする伝統文化そのものから、戦争責任を免除することにおいて始動したのであった……

　そのいきさつの全体を見つめている者に、あらためて大きなあきらめのかたまりが生じたとして、理解不能であろうか？　しかも、いつまた日本人全体が、このおなじ音と響きの「言葉」に駆りたてられて、自閉的な熱狂者の大軍団となりうるやも知れぬことを思えば、あきらめは、いまなお限りなく肥大しているのですらもあるだろう。戦後文学者たちの積みかさねた多様な仕事を一貫するものとして、この巨大な暗いあきらめのかたまりに見張られるようにしながらも、しかし決して自分たちは、天皇制を頂点とする伝統文化に向けて、自閉的な熱狂者をつくりだすところの、あいまいな「言葉」は書きつけまいとする決意があったことを、僕はすでに事実によってあきらかにしてきたと信ずる。

　ところが三島由紀夫は、戦後文学者たちのなかにあってただひとり、まことに臆面なくも、暗く大きいあきらめのかたまりを逆用した。かれは戦後文学者たちにむけてのしかかる、天皇制を中心とする伝統的文化の巨大積雲を、逆に、かれ自身の「美学」をかざる背光のように背負って、立ちはだかったのである。そしてかれの発したあいまいな神がかりの「言葉」、それも明敏な法学部的頭脳とあつかましさによって、わざわざあいまいに神がかりにつくりあげられた「言葉」は、すでに『奔馬』にそくして見たとおりに、戦時のファナティックな戦争協力派が発したところのものと、同じ質の飾りをまとっている言葉なのであった。僕はなお三島由紀夫が生きている間に、「テロは美しく倫理的か？」という文章を書いてかれを批判したが、あの公開論争の特別な愛好者が、反批判をもとめた記者にかえしてよこしたのは、自分は小者を相手にしない、という挨拶であった。確かにかれは、あの暗く大きいあきらめをもたらすものを背後にしていたのだから、それは正直な感想であっただろう。かれのあいまいな「言葉」の総体をうちたおすためには、敗戦から四半世紀のあいだに、日本の知識人を暗く大きいあきらめのかたまりと同居させるにいたった、巨大構造との闘いをやりなおさねばならないのであるから、それを熟知していた三島由紀夫が、巨大積雲の背光をになって傲然としていたのもあたりまえであっただろう。

　かれはその時点においてすでに、われわれを公然と侮辱していた。戦後に、この大きく暗いあきらめに脇から見張られるようにしながら、しかし地道に仕事を積みかさねてきた者らすべてを、またかれらの想像力と生きかたにつらなろうとしている者らすべてを、侮辱していた。侮辱された者らは、刻苦してついには侮辱する者をうちたおすだろう。ところが、三島由紀夫は、あいまいで検証不可能の「言葉」の大群ともども、事物と他人の弁証法による逆襲をかわすようにして、ドンと一発、菊の花火をうちあげつつ割腹自殺してしまったのである。割腹自殺の構想者は、かれの死後、御用ジャーナリズムを舞台に、それぞれ個人的なもくろみに立って奔走する者らの全エネルギーが、結局は、かれの構想のこやしになるであろうことを予知していたにちがいない。かれは、天皇制を頂点とする伝統文化を「防衛」する者として、なお「言霊の佐け幸ふ」国に、割腹自殺したのであった。かれは四半世紀前に、厖大な数の戦争犠牲者の血の洪水によっても、揺らぐことのない堅固な土台に立っていることが実証された、もっとも安全な株を買い置きして去ったのである。しかも割腹自殺するかれの最終のヴィジョンの全体を、美しくかつ雄弁な若者の肉体がみたして、かれはほかならぬその若者と一体化していたのであり、菊花の日輪は赫奕と、最終のヴィジョンのくまぐままで照しだしたのである。かれが、同時代としての戦後を生き延びるわれわれを侮辱して死んだと、僕が繰りかえしいうのは、その意味に発している。われわれが同時代としての戦後をよく生き延びて、ついにあの暗く大きいあきらめをもまたのり超え、真に戦後的な未来に達しうるとすれば、それはこの侮辱の後遺症の疼きに、地道に執拗に抵抗しつづけることによってよりほかにはありえぬだろう。その志に立って僕は、戦後文学者たちと同時代をになうところの、より後進の世代のひとりの作家として、自分の小説の仕事を持続することを望む。ほかならぬ僕自身の、黙示録的認識・終末観的ヴィジョンを、より克明に、より濃密に見きわめるべく努力をかたむけつつ……

〔一九七二―七三年〕

II

中野重治の地獄めぐり再び

「在る」ことと「見る」ことは、いうまでもなく、ひとりの人間の肉体において、かたくむすびつきあっている。「在る」ことと、無関係に、「見る」ことはできない。「在る」ことから自由な条件のもとに、ただ、「見る」ことをゆめみることはおこなわれてきた。ルドンの、薄明のなかの巨大な、生きている剝きだしの眼球が、まことに魅惑的なのは、われわれが、「在る」ことから掣肘《せいちゅう》をうけずに「見る」ことを心の暗部でねがっており、あの絵が恐しいのは、われわれにあらためて、「在る」ことと「見る」ことの、切り離し作業の絶望的なむつかしさを再確認せしめるからであろう。

日本の現代史のもっとも苛酷な時代を、ひとつの戦争の暗闇にむかってゆき、入りこみ、脱けだす時期をはさんで、日本共産党員でありつづけることにおける、「在る」ということ。しかもなお小説家たりつづけることにおける「見る」ということ。このようにして「在る」ことと、そのようにして「見る」ということが、ひとりの人間の肉体＝魂において断ち切りがたくつよく、ほじくり出しがたく深く、むすびつき根づいている時、その人間がかれの経験の総量をあらためて喚起するようにして、すなわちその生涯の全体を死にのぞんですっかり点検しなおすようにして、大きい小説を書く。書きあげられた小説の全体が眼のまえに実在する。それは魅惑的だが恐しい深淵のようにしてそこにある。僕はそこにはいりこんでゆき「在る」ことと「見る」こととの、ふたつの大梁が交叉している、高く広い屋根の構造材を見あげるようにして、じつにしたたかな鋭いものを経験する。

様ざまな人々がこの『甲乙丙丁』について考えをのべるだろう。それぞれの人々が、かれの専門にそくしつつ考えをのべるであろうし、それこそが望ましい。専門に根ざしつつ、しかも人間の普遍的な条件たる、「在る」ことと「見る」こととの、およそ切りはなしがたい結びつきについての、おのおのの深いところでの再発見が語られるというふうに、様ざまな人々の考えの表現がおこなわれることこそが、望ましいのであるし、それは実際になされるでもあろう。

そこで僕は自分の「専門」を、ためらいや恥かしさを押しのけるようにして、小説家たることと考え、そのうえでひとりの小説家として、この大きい小説にどのようにあらためて想像力の喚起をうながされたかを書いてゆくことにしたい。そのさい端的に例をあげれば吉野を、現実の日本共産党の指導者の、誰しらぬものとてない人物にむすびつけることすら僕はしようと思わない。日本共産党史の専門家が、まともにこの小説をその専門とひきあわせつつ検討してゆくことをするであろう。僕にとって吉野は、実在しうる日本人のたれよりも、寸法が巨きいところの、結局は想像力によってつくりあげられた人格である。かれはしだいに傷ついた巨人として、この小説のもっとも大きい三分の一をになうことになる。喜美子は、すでに倒れさって巨人伝説のかなたにはいりこむことにより聖化された、さきの生き延びている巨人に準ずる巨人として、小説の二番目に大きい三分の一をになっている。そして残りの三分の一を、もうひとりの人間が支えているのである。三角形の辺のように、巨人、準巨人(それは天上の巨人だ)の両者に接することで、この小説を構成するもうひとりの存在。それよりほかのまことに数知れぬ人物たちは、いわば幻の破片のごとくである。

もうひとりの、ということがまず問題だ。それは、津田か、田村か。このふたりのうちのどちらか？　あるいは、津田＝田村として、ひとりと数えるのか？　僕は、その両方の考え方をとらない。そしていわば、そのもうひとりの人間の設定の仕方に、この大きい小説の技術と、それにくわえてそれをこえたものをこめての核心があると考えるのだ。津田は津田であって、田村ではない。津田＝田村ということになれば、おそらくこの小説におけるもっとも重要な、緊張関係のひとつが台なしになる。津田あるいは田村の一方を消去することはできないし、まちがってもいる。しかもなお、ここに実在するのは、もうひとりの人間にほかならないと思われるのである。

この大きい小説は、僕にとって音楽を考えるほかにその微妙さをくらべる対象の見出せぬところの、そうした特別な方法と技術によって、そもそもの骨組みがつくられたのであった。はじめ津田がひとつの地獄めぐりというべき経験をする。とくに津田の経験において、その地獄めぐりの単純な道のりの頂点である、共産党本部でのいきさつが、まったく無意味な些事のごときものに終始するのが効果的だ。津田はかえってくる。かれの複雑で豊かな回想と、現在の観察の細部とにみちているが、しかもひとりの具体的な人間の肉体の体験する地獄めぐりとしてまことに単純なひとめぐりであるその道程は、次の感懐によって閉じられる。

《……どんなかの条件の中できりきり舞いしているにちがいないその現場から彼は離れたところにいる。それがわかるがそれをどうかすることは出来ない。死ぬものは死ぬる。それを見ているということもあることはあり得る。しかしそれがこれかどうかは判らない。

やはりべちゃべちゃ降っている。》そして、これはいうまでもなく小説の、それとして具体的に提示されている事実関係に反するのであるが、それを承知した上で、僕の想像力への喚起作用のもたらしたものをそのままのべれば、このようにして津田は死んでしまうのである。巨人たちの物語のかたちにならえば、津田はたとえ死なないまでも、瀕死の状態で地面に倒れていて、もうすでに救助をもとめる哀切な叫び声が、田村から発せられることになっても、この確実な他人にして、また、かれ自身よりもなおかれ自身ともいうべき、もうひとりの瀕死の人間を救助するために立ちあがることはできないのである。

　このような津田の特殊な「死」のあと、田村が小説の、さきにのべた第三の辺を支えるもうひとりの人間としてあらわれる。それからかれは、津田がへめぐったとまさに同一の地獄めぐりの道程にむかうのである。

まったく同じ楽章とひびきながら、確実にことなっている楽章が、つづけて演奏される場合を考えてみよう。それは、楽譜の上でまったく同一であってすらさしつかえない。ふたつの演奏は、それを聴いているひとりの人間における、現実の時間の推移によって峻別される。また演奏する者たちも、聴いている者も、はじめの音楽を経験したあとでの、もうひとつ別の音楽経験である以上、同一の楽曲の受けとり方は、たしかに異なった経験たらざるをえない。すくなくとも第二の経験には、微妙にぶれた二重露出の写真のように、第一の経験が、影をおとしている。

　田村におちている津田の影、田村があらためて津田にむけてさかのぼり、投げかける光。それは「在る」ことの制約を、いかにして小説の方法がきりぬけ、のりこえるかの、ひとつの鋭いきっかけを端的に現実化している。実際、田村の存在が表面に出てくるにしたがって、われわれの内部における津田のイメージは、より鮮明になりつづけるのである。われわれは津田のイメージに、よりそって立って、そしてあらためて津田が田村を見るように、自分が田村を見ているのを感じる。小説がその終結部に近づいてゆき、現実に「在る」田村の恐しい苦渋にみちた、自己の客体化のいちいちに接する時、それまで田村によりそってかれともども周辺を「見る」かたちでこの小説を読みすすめてきた読者は、にがく重い、茫然としたもの思いにおちいらずにはいられない。その時いかに明らかに、われわれは津田が、心強い頼りになる存在として、あらためて田村の背後から、くっきりと浮びあがってくるのを見ることか。そしてあらためて、田村の苦渋の総体が、われわれに受けいれ可能となるのである。このふたりの人物のあいだを不断に飛びかっている、イメージ喚起力の火花こそは、一般化して、想像力の機能の、ほとんど赤裸の核心といいうるものである。

《いや、いや、問題はそんなことではない。問題はお前だ。第八大会での、お前の、お前自身の裏切りだ。すくなくとも、手の平をひらりと返したあの問題だ。そこへ来る……》

このように田村がかれの内部の隘路をつきつめてゆき、苦しげにつきすすんで行って、よくよくのどんづまりにある実体につきあたる。ここまで読み進んできて、僕はおおげさにひびくことを惧れずにいえば、恐怖心にとらえられたものだった。すでに、僕はいったいこのように田村を追いつめて行って、どのように小説の終りかたがありうるのかと、しだいに荷重のましてくる錘りをしっかり支えきれないで、よろめきはじめている自分を感じていたのだ。そしてこのように田村が問題の核心をほじくりだし、緊張にみちた現実感をこめてそれを提示するのに、なおも立ちあわなければならなかったのであった。

《腰を抜かしたのなら、何で抜かしたまんま、泡を吹いてでも「あわわ……」といっていなかった。二人は、何ひとつ言葉として強請に類することを言っていなかった。田村の方でこらえ切れなくなって、へたりこんだまま、躄《いざり》のようにしてしゃしゃり出て、なおも奴隷的に猪口才な真似に出たのだった。彼は、綱領の中央委員会案に留保の立場をとっていたが、今ここで、それに賛成するに近いところへ来たことを表明すると我から発言したのだった。決議権を持たぬ一人として、しかし発言権に最大の効果を持たして、代議員たちがいっせいにこれを採択決定するよう直接にはたらきかけた。あんなことを、殿様のために家来がやってきた。上司を助けるために、気の弱い下僚が自殺してまでやってきた。しかしかれらは養われていたのだったろう。養われていなかった田村がそれをした……》

田村はこのようにも揺がしがたい核心につきささるところの、あらためての自己確認を、周到に、しかしもう押しとどめようもなく、轟ごうと激しい速さで進行するかたちに、確実に積みあげてゆくのであるが、この終章においての奔流のようなスピードの感覚は、津田に焦点をおいた章にさかのぼれば、二十三章の《起きぬけにそれがわかったが、ほんとに未明からしい雨だった。つめたい雨だ。四月にはいって、桜が散ろうというのに春雨といったものでない。その桜も、つめたくべたべたに打たれてしまって、最後まで行きつかぬうちに冷酷にたたかれてしまう。》にはじまり、そしてさきにあげた、べちゃべちゃ降っている雨のなかでの感懐におわる、異様な緊張感のある迅速な進行過程に照応するものである。

この雨のモティーフは、あらためて僕にこの作家の小説家としての最初の仕事である『愚かな女』を思いおこさせる。その一節の、《それに、おれやこのあいだ伝通院の横を夜通ったら、まっ暗で、しかも道路工事をやってて雨降りときてるんだ。それでゴムの長靴をはいてびしやびしや歩いて行くと、その泥みちがどこまでも続いているような気がしてきて、おれのほうじや、それならどこまででもびしやびしや歩いて行くぞという気になって、りんりんとして勇気の生じるのを感じたがね。》という、およそ作家の生涯のモティーフともいうべきものを提示した、予言的な文章を喚起させるのである。

さてこの激しい衝迫力をもって、苦渋にみちた高潮を示す最終章の田村もまた、津田の場合と同じように、かれは死に瀕している。死んでしまうのだと、僕の想像力が受けとめる。それもまた、津田においてとおなじく事実に反するにしても、そのように僕の想像力への喚起作用がおこなわれる、というべきなのであるが。

《「合法主義、その裏返しとしての非合法主義、そこを整理する必要があるだろう。おれなんかが、それに蹤いて走って迷惑をかけた。井上の書いてきたおれの『出世主義』、そんなものはおれにあまりないが、虚栄心のようなものはずっとあったと思う。弱い虚栄心、虚栄心そのものが弱いんじゃなくて、それを満足させるための積極性において弱い虚栄心。それだけに、虚栄心そのものすらが、男らしいものとしておれの場合出てこない……」》という鋭く辛い認識につらなって、次のような着想が一瞬、田村の意識に介入する。もちろん、それを証拠にして僕が田村の死のイメージを前に押し出そうというのではない。それはただ、いわば自然ななり行きのようにして、田村の意識のここにこういう一節がくみこまれることの、その自然さに、読者としての僕の意識もまた抵抗なくひきつけられるということなのである。

《「人は自殺しようとするとき、死のうとする時だったか、一生のことを非常に短い時間内に思い出すとかいったが、あんなこと、死人から聞けたわけじゃあるまいし……」

それは恐怖を押しのけるためだったが完全には行ってしまわない。》

われわれが小説を読む、とくにその小説の主人公の「見る」ところによりそって小説が進行するようなかたちの小説を読む。現実世界における作家のありようが、その主人公の「見る」ところのことに、ほとんど作家の「在る」ことの全体をかさねるようにして、受けとめるほかにないような小説を読む。その時、主人公の死は、われわれの意識の奥深いところに、うらめしい思いの肩すかしをくわせる罠がしかけてあったとでもいうような嘆きをあじあわせる。それによって想像力の、それまでのなめらかな流れに、歪み、裂けめが生じせしめられたと感じる。実際、われわれは、あんなこと、死人から聞けたわけじゃあるまいし、とぶつくさいいたいような気持をあじわう。

この場合、小説の終末にむかって田村の「在る」ところのすべての、まことに激しい悲劇的な行きづまりの切実さは、やはり田村のまったく無念ともなんともいいようのない死、あるいは一歩ゆずって瀕死の状態を、その極点におくことで揺がしがたいものとなる。事実、この大きい小説は死の予兆とでもいうべきものにみちみちている。とくに田村が小説の前面にすすみでてきてすぐに《そして底の方に、癌の怖れがうずくまっている》という鋭い棘のような一行があらわれるのを、読みすごしてしまうことはできないであろう。また、これは僕ひとりの固定観念に偏するという非難をこうむりかねない仮説ではあるが、僕は上巻の末尾の、田村の回想への入り方に（そこに端的にあらわれるように、ほとんどすべての回想が視覚をつうじての記憶の再現としてまず提示されることは、一般化していってこの作家のものの感じとり方の、顕著な特徴をあらわすものであるだろう。そして同時に、僕はそこに、一生のことを非常に短い時間内に思い出す、というスタイルへのこの小説における特別な傾斜をもまた見いだすのである）ひとつの確かな、死の匂いをかぐように思う。しばしば映画作家は、死者が現実世界をひそかに覗きみる、というようなシーンをこうしたかたちでフィルムに表現してきた。

《大きな、がらんとした二階部屋が見えてくる。やはりテーブルが据えてある。そこの片隅のところに六七人の人間が腰かけている。「土地建物売却の件、および会事務所移転の件」というのが問題で、かれらはさっきから同じようなこと、むしろ全く同じことを言いあっている。やはり灰皿に吸殻がつまっている。茶碗の底にも、茶の残りが縁に線を描いたようにして残っている。》

次の夢の記述は、もっとあからさまに死への予感と惧れをおしだしてくるものであるが、この「死」そのものともいうべき女と、政治的なものとの、夢のうちなるむすびつけかたには、やはりこの大きい小説の全体を一瞬に視覚にやきつけるような力とひろがりがある。

《田村はもがいて女から逃れようとしていた。それは、その女が彼を殺そうとしているからだった。その女は、理由は何だかわからぬが、そこにそうやって無言で坐っていて、しかし田村を紐か縄かで首をしばって殺そうとしている。直接の理由はわからない。理由の源まで行くとそれは政治的なもののらしい。女自身は、何も知らないでただ道具につかわれているのかもしれない……

しかし女は近よっては来ない。無言のまま、じりじりといざり寄ってくるというのではない。ただ田村の方で逃れようとして心であせっている……

そんなら飛び起きて逃げ出すか。そこが自分にもよくわからない。飛び起きて逃げ出す気には田村はなっていない。女そのものは別におそろしくもない。紐を首に捲かれるのなぞは苦もなく防げそうにある。柔道のあれでいい。ただ、殺されるのがこわい。そんならば、女はは り仆せる。縄も紐も防げる、しかし殺されることからは逃れられぬのか……》

さて、田村がまことに痛切なぎりぎりのところでの、かれ自身の核の再確認をおこないつつ、そしてかれの「在る」、そのありようの根元のところを押えている党の病根について哀切な憤りと、時間切れの絶望感みなぎる声を発しつつ、ある決定的な暗闇にのめりこもうとして、ついに小説が終る時、われわれが、決して肩すかしをくったようには感じず、最後のページに置いてけぼりをくったようにすら感じず、あんなこと、死人から聞けたわけじゃあるまいし、と疑いのこもったつぶやきを発したい欲求をもまたみとめないで、充実感のうちにあることができるのはなぜか? それは、すなわちこの小説に津田がいるからである。なかなか電話がつうじず、そしてわずかな伝言のみが向うからつたわってくるところの、すなわち瀕死の田村を救助しにきてくれるべき、もっとも必要な人物でありながら、その到着はついに間にあわぬであろうところの、津田の存在があるからである。

あらためていうまでもなく、僕はここで底深い撞着を露呈したと見えるにちがいない。なぜならここまで読みすすめてきた僕の想像力にとって、津田はすでに死んでしまったか、瀕死の状態で暗闇に沈んでいる人間だったはずだからだ。しかし僕はあらためて、この撞着を意識しておかしつつ、田村の生と死は、津田の死と生によって、裏側から緊張とともに支えられているのであり、もっぱら津田について語られているあいだに、しだいにくっきりとその積極的な全容をあらわしてくるのが田村であり、つぐなわれようのない行きづまりの深淵にはいりこんでしまうかに見える、田村の内部が語られて、小説が終末につきすすむ時、われわれのための妥協案というのではない、ひとつの確かな救済の手がかりとして、陰画のように津田の人格が浮びあがってくるのだ、といいたいのである。

それがすなわち、ふたりでもうひとりの存在を構成しているところの、津田および田村という、特別なあい異なるキャラクターのそなえた意味あいなのだ。そしてそれはまた、このようにして「在る」作家によって、かれが「見る」ところのすべてを、綜合的にとらえて、ひとつの小説たらしめるという、まことに絶望的な困難をひかえた状況のうちにおいて、このみごとな達成を可能にした、根源的な力をかたちづくるものでもあろう。

さてそのように精妙に性格づけられた、津田および田村によりそった作家が、かれの「在る」現実世界に堅固に参加しつつ「見る」ところのものを、細部にわたりながら語りつづける時、そこにあらわれてくる政治的な状況は、そのいちいちについて専門家の検討を必要とするであろう、多様な、また煩瑣ですらある事件、事実の提示としても輻湊をきわめた、長く広いパノラマを構成するのであるが、ひとりの小説読者の想像力への喚起の方向づけということでは、じつに明瞭に、大きい筋みちがいっぽんまっすぐにとおっている。

いわば日本の共産党の歴史の全体を生きてきた人間としての、津田および田村が、かれら(それはむしろ、くどくどとのべてきたとおりに、かれと単数で呼ぶべき、キャラクターなのであり、しかも一箇の人間がかならずしも単純にかれと呼ぶことでは、その裂けめのある有機的な人格の全体をあらわせない、というような意味あいでは、やはりかれらなのであるが）の同時代者たる、共産党の指導部にたいしておこなう観察、発する批評は、もし文学にそのような単純化がもとめられてよいものとしてのことではあるが、まことに単純な、いくつかの言葉に還元できる。その点において、この大きいパノラマ的展開を示す政治小説は、そうした展望を不得手とする（現に僕がそうであるような）一般的な文学の読者に対しても、鋭く深い一撃をうちこむ直截な鉈のように、いやおうなくその全体を把握するほかない、明瞭なモラリティーの具体化である、倫理小説（そういう言葉がありうるとして）にほかならない。それはさきほどの死のイメージにかかわらせていえば、波瀾万丈の生涯を送ってきた政治的人間の、言葉数の少ない倫理的な遺書のごとくですらあるだろう。

《しかしそれがどうしてこんなことになったのだろう。》また、《「ほうほう、お前、そんなこと言うのかい。そこまで、お前、来てしまったのかい……」》、このような暗い憤りと嘆きのかたまりたる短い言葉が、そのまま重い錘りとなってこの政治小説をつらぬき、われわれのモラリティーの感覚までもをつらぬく。それは次のような感慨とからみあって、およそ共産主義の問題から遠いところにいる人間のモラリティーの感覚までもをつらぬきとおすのである。《大局的に見て――長期的に見て――微視的にではなく巨視的に――全くそうなくてはならぬ。田村の弱点は大きくそこにある。しかしまた、愚痴、恨み、そねみ、ちっぽけな被害と損失、またちっぽけな悦び、ちっぽけな祝福の意、ちっぽけな陽気、そんなことが、悪自然主義的にでなく正当に評価されるのでなければ、共産主義の問題は宙

に浮いてしまうだろう。人間はカスになってしまう。》

なぜならモラリティーの感覚とは、人間がカスになってしまうかどうかを、具体的な細部にかかわりつつ、つねに見きわめていようとする、しかもカスになってしまうことをまぬがれえないのかもしれぬ、ぎりぎりのあやういところで、しかしカスになってしまうことを峻拒しつつ見きわめていようとする者の感覚にほかならないからである。

しかしわれわれがこのモラリティーの感覚にかかわって、直截につき刺されながらも、そのわれわれ自身の傷からというのではなく、むしろそこにつき刺さった銛そのものから滲み出るような、苦渋にみちたにがい血に染まるのを認めざるをえないということがあって、そしてこの小説はあらためて政治小説の、というよりも、現実に「在る」ことをやめないで、「在る」現場からひきさがることをしないで、しかも「見る」意志の力を持続する人間の小説の、一筋縄ではゆかぬ厄介な実質をつきつけてくるのだ。

その実質とは、この作家がかれ自身に縛りつけている、たとえようもない重さの鎖の存在につきあたらざるをえない構造に支えられているものだ。それによって提示される鎖そのものは、じつに明瞭な、不変の実体であって、それを躰にまきつけて生きている田村あるいは津田がつきあたらねばならぬ状況のみが、まったく複雑な変転を見せて、そしてほとんどつねに、鎖をつけたまま、その煉獄のごとき場所を、津田あるいは田村のように人間的な人間がどうして生き延びて通過しうるだろうと、われわれに深甚な危惧と嘆きと、そして怒りの溜息をもらさしめる。

その重く苛酷な鎖が、わが国の共産党員として「在る」ことであり、しかも、その同時代者たちによる指導部が懲りずに、この重い鎖を揺さぶり、耐えがたいまでになおも荷重する時、あるいは呆然たる驚きの声を発し、あるいは嘆き、また方向も色あいもさだかにすることのむつかしい憤りをいだき、そしてついにはその怒りを爆発の極点のぎりぎりまでたかめながらも、田村あるいは津田は、決してこの鎖を、わが身から断ちおとす動きはおこすまいと覚悟している人間である。そこにこの鎖の重さの根本的な意味あいがあるであろう。

この作家は、かれの「在る」ことの人間的な原理にかけて、決して再び転向することをしない人間であり、田村および津田もまた、そのような人間としてここに現実化されている。しかし作家は、また田村および津田は、つねに自立した眼でありとあるものを「見る」ことを、決して止めようとしないことをもまた、その人間的な原理としている人間である。鎖の重さはつねに二倍ずつになるかたちで増してゆく。そのようにして「在る」ことをつづけることと、しかもなおなにかもを「見る」のをおそれないことが、ほとんどまっこうから対峙する緊張関係にまでつきつめられて、作家の、また田村および津田の、内部に同時に存在する。この人間はそのようにして「在る」ことを、決して止めぬ。しかしそのように「在る」ことをつづけながら、かれが「見る」ことは、「在る」ところのかれを追いつめる。僕のように軟弱な読者には、小説が終結するためには、田村および津田に自殺にいたる方向性をもたしめるほかにはないのではないかとさえ疑われる。しかしそのような終結の仕方は、それこそ作家自身が、このように「在る」ことをつづける、その現実的な持続の土台を最終的に倒壊せしめるであろう。まったく自殺など考えてみもしない、なんということをいうのかと、この作家の善き読者たちは憤りの声を発するだろう。

しかもなお、そのようなどこにも抜け道のない、不可能犯罪的な密室にむかう隘路を、作家はまっしぐらにつき進むことを止めないのである。田村および津田は、「見る」ことをつづけつつ、かれ自身、かれら自身にも毒汁のしぶきがかからざるをえないような修羅場での、とぎすまされた批判の矢をはなちながら、同時に次のような認識をも持たねばならぬ。ほかならぬかれの党の横槍のいれかたの粗雑さ、踏みこんでくる泥足の意外な矮小さにかかわって、《隠したいというのとはちがう。しかし異人種に知らさせたくない、そこまで恥をさらしたくないという気がする。自分自身の恥をさらしたくないというのに似ているが、そうでもない。》という、それこそ救いがたくにがい認識を。

そしてその隘路のさきのさきのところで、ついにあの《いや、いや、問題はそんなことではない。問題はお前だ。第八大会での、お前の、お前自身の裏切りだ。すくなくとも、手の平をひらりと返したあの問題だ。そこへ来る……》という自己の再確認へと、それこそまさに押しとどめようもない勢いで、現実の作家自身の、「在る」ことの全体をきびしく照明する光の照る所へ、そこへ来ることを惧れないのである。

すなわちこの大きな小説は、およそ力のかぎりをつくしてもねじふせることのできぬ対立、いつまでも抵抗しつづけて小説の終結を妨げる根源的な対立を、なおも尖鋭化させつつ終末にいたる。そこで、いちどめぐられ、再びおこなわれる、この地獄めぐりの果てに、田村のまことに無念な不意の死というものが想定されるような、そうした切実さでの読者の想像力への方向づけがおこなわれるように、われわれは感じとる。それはいわば小説の読者の想像力の、自然な自己運動ともいうべき現象であろう。

しかし田村が瀕死の状態におちいるとすれば、津田はかれを窮地から救い出すべくかけつけることができないまでも、生きつづけていなければならぬ。津田が死のまぎわまでつきすすむとなれば、逆に田村が生き延びなければならぬ。なぜなら、この作家はそのような隘路のぎりぎりのところで、「在る」ことを止めず、「見る」ことを止めない人間として生きつづける、《それでゴムの長靴をはいてびしやびしや歩いて行くと、その泥みちがどこまでも続いているような気がしてきて、おれのほうじや、それならどこまでもびしやびしや歩いて行くぞという気になつて、りんりんとして勇気の生じる》人間であるからである。

そこで、田村および津田という、もうひとりの人間の周到な性格づけがおこなわれたのだ。あるいは田村および津田の性格づけが、この大きな小説の溶鉱炉の、熱気と圧力の世界をくぐりぬけることによって、しだいにそのようなもうひとりの人間として精錬されていったのである。

さきに僕は、波瀾万丈の生涯を送ってきた政治的人間の、言葉少ない倫理的な遺書のごとくですらある、といったが、あらためてその僕自身の言葉を検討すれば、それはやはり不十分な、やわな比喩にすぎない。田村および津田は、『往生要集』の地獄に苦しむ人間さながらに、いったん風が吹いてくれば死の平安からたちまち生きかえって、あらためて地獄の苦しみをになわねばならぬ。津田と田村の、おのおのの地獄めぐりの、たがいにことなりながらあいかさなる、それぞれのひとめぐりは、われわれをあらためてそのイメージに直接みちびくものであろう。

そして、作家は「在る」ことと「見る」ことをつづけるべく、生き延びなければならない。ここに提示されている課題は、まったくのところ、僕自身の発した言葉を、僕にむけて逆手にとるように用いるならば、言葉少ない倫理的な遺書などというもので解決をもたらすことのできるような、なまやさしい課題ではないからである。それはまことに、この作家のような人間が、「在る」ことと「見る」ことを持続しつつ、つねにそれに参加しているよりほかに、人間としての受けとめのさぐりだしようのない課題にほかならないのである。

　僕が自分の持ち場に足をすえながら、この大きい小説についておこなう小さい記述は、右につきる。そこから一歩踏みだしていえば、この小説の進展にしたがって、しだいに満身創痍の全身をあらわす吉野の肖像ほどにも、本質的なところで巨大な共産主義的人間のイメージを、わが国の文学の世界においてかつて誰が具体化しえたろうか。しかもそれはスターリン主義的なものの影を拒みつつ、本質的なところで巨大な人間のイメージであって、教条的にこの小説を批判する者たちの誰が、おなじことをかれらの指導者のためになしとげえようか？

〔一九七〇年〕

林達夫への侏儒の手紙

林達夫先生。ぼくはいま先生の思想をめぐってなにごとかを語る役割をあたえられて、深い惧れをいだきつつ、しかし熱い衝動につきうごかされるようにしては、白い紙のまえに坐り、そして頭をたれてひきさがる、ということを繰りかえしています。ぼくは、先生からいただいた、いくつもの美しく豊かな手紙のことを回想し、このように手紙の文体でもって、先生にむけて、口ごもりつつ語ることを企画したのではありますが、それにしても、およそ蛮勇気とでもいうものを、ふるいおこす必要があります。

ぼく自身の手帳を繰ってみるまでもなく、先生のまことに貴重な時間をさいてくださったお手紙にたいして、ぼくは散漫な時間をついやす日々をおくりながら、返事をさしあげるということがなかったのでした。それは、よそめには奇妙な倒錯でしょうが、ぼくにはまともな理由があったように思います。すなわち、先生にいただいた手紙には、つねにぼくを新しい書物の森にむけてつき放す力が、こめられていたのです。ぼくは先生にむけて返事を書くかわりに、新しく展望のひらけた書物の世界を、なんとか攻略すべく、いくらかなりと、自分の怠惰の沼地から足をひきずりあげようとするのでした。もっとも、先生がイタリア語の書物の世界について語ってくださった時には、ぼくはただ、憐れな嘆息をつくのみだったのです。それからしばらくたって、あの壮麗なソナタのような『ルネサンスの偉大と頽廃』にふれた時、思想の言葉による音楽家の、厖大な努力の沈黙のうちなる集積のことを考えて、もっと憐れな侏儒の嘆息をもらしたものでした。

そこでぼくはこの文章を、先生へのただ一通の手紙として書くことになります。その一通のみの手紙に、ぼくはほとんど怯えていると申すのが、正直なところであろうと思います。準備のための時間は、充分にあったのです。ぼくはこの冬のはじめを、沖縄から印度、そしてアジアの国ぐにを経めぐる旅行のうちにすごしましたが、トランクのなかには、つねに先生の著作があったのでした。

ある新しい国を経験しようとする時、ぼくは互いに矛盾する、ふたつの読書をおこなっている自分に気づきます。それも、旅している自分をはげますために、というひとつの目的に発している読書なのです。まことに心弱い話ですが、ぼくは見知らぬ土地のホテルで、自分がなにか困ったことをやりはじめるのではないかと、しばしば不安をいだくことがあり、そのような不安を飼いならすために、その国、その地方の動物誌、植物記のたぐいを読みます。ぼくにとって、新しい土地を、もっとも少ない恐怖心とともに経験するためには、その土地の動物、植物をなかだちにして、そこへ入ってゆくのが、いっとう確かな形式なのです。

先生がファーブルの著作を、あの《人類は、現在、それを解決しなければ破局におちいる二つの深刻な問題に直面しています。これは古代や中世近世を通じて思ってもみられなかった全く新しい問題であります。一つは申すまでもなく戦争の破滅的危険を前にしての Survival の問題であり、二つは The Rape of the Earth と人口の激増とから来る世界的餓死の凶兆を前にしての Survival の問題であります。我々は前者についてはこれと真剣に取り組んでいる頼もしい多くの人々を持っているが、恵み深き「母なる大地」がいかに回復し難く荒らされてゆきつつあるかについては、実感をもってこれに怖れおののき、その解決に身を挺している人の多くあることを聞きません。》という、今日の「公害」の課題について先生のおすきな言葉ではないにしても予見にみちた文章を書きおくっていられる御友人とともに翻訳された方であることをいうまでもなく、先生に、ぼくが動植物についてなにごとかをいうのは、まさに釈迦に説法です。

しかしともかく、たとえば印度のホテルで暮らすあいだ、ぼくが自分の怯える心をはげますのは、E. P. Gee の“The wild life of India”や、Seshadri の“The twilight of India's wild life”をつうじてなのでした。印度では、ネールのなしとげたところのことは、一種の幻にしかすぎなかった、とか賢しげにいう声をしばしば耳にしながら、かえって今日の印度をつうじて、先生の評価していられる、ガンジー、ネールの偉大を実感することの多かったぼくは、とくにE. P. Gee という英国人の茶園経営主の本に、ネールが序文をよせており、そこにネールの野生動物への想像力が生きいきと示されていることや、本文のうちにネールとガンジー夫人の、若わかしい肖像が、ヒマラヤを望むカジランガ地方を背景に描きだされていることに、特別の喜びをあじわったりもしたのでした。

この動植物の本に頼る、という状態が、すでに旅行のもたらす新しい経験からの逃避ですが、そして「旅行を極度に嫌う」といわれながらも、堂々たる旅行者であろうところの先生に憫笑されるであろうこともはっきりしているのですが、ぼくのもうひとつの、旅行中の読書は、われながらまったく度しがたい心弱さに由来しているのです。

すなわちぼくは、自分は決して見知らぬ地方をひとり旅しているのではないと、不安な自分を瞞着するために、ホテルのベッドに寝そべって、あらためてそれを読みはじめれば、自分の小書斎における日々とかわらぬ状況となる、そのような書物をつねに旅行鞄のなかに携行して、旅先での憂鬱症の発作にそなえているからです。今度の印度旅行でも、ガンジス川流域の、ヒンズー教徒のみならず、仏教徒の聖地でもあるベナレスで、英国の植民地風の小ホテルにみじかい滞在をしていたあいだ、一日をまるまる、カーテンを閉ざした部屋で本を読んでおり、同行の堀田善衛さんにからかわれる始末でした。

しかしぼくは今度の旅行のあいだ、もともとはそのように心弱い動機に発したのであれ、結果としては印度の赤裸の人間的なるものの経験とおなじように、激しく強い内的経験を、たとえばそのベナレスの閉じたカーテンの奥でしていたのです。そのようにしてぼくが読みつづけていたのは、林達夫著作でした。

いうまでもなく思想の実質にあいわたって、先生の著作についてなにごとかをいうには、偏頗な侏儒にすぎぬぼくにとって、困難の壁が厚く、高すぎます。そこでぼくは、自分の職業にかかわる手がかりにたよりつつ、譫言のような感想を申しのべることにいたしましょう。またぼくが、この時代を生きつつ、なにを先生に学ぶかを、ぼくの文章を読んでくれる若い人々にむけて告白するようなかたちで、ここに書きつけることにいたしましょう。

ぼくを印度旅行のあいだ、特別なかたちで先生の著作が激励し、かつ千丈の高みからつきおとすようでもまたあったのには、その根本のところで、文体の問題がありました。それが小説家という職業において生きているぼくの、わずかながら確信をこめていえることです。

先生の文体の本質は、ぼくの意識のなかでは、音楽にもっとも近いように思われます。ぼくは友人に武満徹という音楽家をもっておりますが、かれの音楽には、それがじつに永いあいだ、かれの人間的な総体をかけて熟考されてきたスタイル、実質であることが明瞭でありながら、すなわちその音楽の一章節に、かれの人間的経験のすべてが凝縮され、かつ具体的にあらわれているようでありながら、武満徹が、決して長いとはいえぬひとつの作曲のうちにそれを表現しつくして、あらためて別の作品にそのスタイル、実質をつかうことはない、という印象をあたえるところがあります。

それは人間の生命が、ごくわずかな部分においてすら、一度かぎりのものであり、またそこにその人間の全体が提示されている、ということと、あい重なるのであるかも知れません。ぼくは幾たび、武満徹の演奏会で、時間よ、とどまれ、ここにこの音楽家の全体がある、と内心叫ぶような思いをしたことでしょう。しかし、いうまでもなく、時間がとどまれば、音楽は崩壊します。そのような軟弱な叫び声をあげようとしているぼくを、しりめにかけて、武満徹の音楽はいつも、堂々と、かつ繊細に、進行してゆくのでした。

先生の著作にも、ぼくにはつねにその印象があります。先生が、やはり武満徹の音楽においてのように、ほとんどつねに短い文章によって、それはぼくには自分の精神と感受性の全的な緊張に、もっともよい長さ、と感じられるのであり、その durée というものの計量もまた、音楽家の判断によってなされていると思われるのですが、明瞭に確実に提示していられる、スタイル、実質は、それこそ、ここに先生の全体のみならず、先生の時代の全体がある、という感嘆の叫び声をあげるようなものです。先生の時代、ということが、一般の人間の尺度とことなって、広さ、深さにおいて、特別な、人類の歴史とのかかわりかたをしているところの時代、同時代であることもまた、あらためていう必要があるでしょうか。

それは、この時期に、この人間によって書かれるほかはない、と感じとらせながら、しかも普遍的に、人類一般の最上のものによって、時代をこえて書かれたもの、すなわち古典的なるもの、と認識せしめる文章です。そして、先生、この文章のかたわらにしばらく立ちどまっていて下さい、とぼくのような侏儒が憐れな希求のこもった叫び声をあげている時、いや、人間が立ちどまれば文章は崩壊する、とでもこたえられるかのように、先生は前へ進んでゆかれます。ぼくはいつも、斜めうしろから、先生の毅然たる風貌を眺めて生きてきたように思うほどです。しかも先生が前へ進まれる、というのは変化されるというのでなく、つねに人間的な一貫性をつらぬきとおしながらの前進であり、これも秀れた音楽を聴いている時の感覚を喚起するのです。

それは先生の青年期からの生き方のスタイル、実質でもまたあったでしょう。わが国の言語による、もっとも美しい中篇小説のひとつにもなぞらえたい『三木清の思い出』にはそれが過不足なく表現されています。先生がつねに異様なほど、同時代の核心にむけてつきすすまれながら、おなじくつねに異様なほどまっすぐ、同時代を超えていられるように、先生は三木清がどのようにつとめてもはいりこめぬ青春の深みに生きながら、しかも、ひとつの成熟した晩年を生きている人間のようでもあったのだというのが、ぼくのつねづねいだく、この文章への感慨なのですが、それはやはり、先生の生き方そのものの、文体の問題として、その核心の提示されることどもでは、ないでしょうか?

さて先生はこのような巨大さの課題を、しかもその巨大さのままに包含して、これほど短く、さりげなく（といっても、さりげなさの厭味、というものほど先生の文体から遠いものはありませんが）表現しおえてしまわれていいのか、と繰りかえしぼくに考えさせつつ、しかし、決してそれらの短い文章を忘却するわけにはゆかぬかたちで、それをぼくの人間としての経験のうちの基幹の杙《くい》としてうちこみつつ、前へ進んでゆかれます。いや、すでに十年、二十年以前に、前へ進んでゆかれているのです。それをいまぼくが、息をはずませて追いかけるようにしながら、まったく新しい、現在進行している思想の劇として経験するのです。そこにも秀れた音楽が、傑出した演奏家によって現実化されるのに立ちあう感覚を思わせるものがあるといわないわけにはゆきません。もちろん先生が、ひとりで作曲家であり、演奏家であって、ぼくは侏儒の聴衆のひとりにすぎないのですが。

さてこのように先生の文体について申しのべながら、ぼくはひとつの矛盾したいいかたを、あえておこなわなければなりません。ぼく個人の読書経験にそくしてつづけようとすればどうしても、その矛盾について告白しなければならなくなるのです。

具体的にいえばそれはこういうことです。ぼくはさきに、自分がいつも先生の風貌を斜めうしろから望見するようなかたちで、先生の著作にしたしんできた、ということを申しました。ところが、ぼくは次のようにもまた、いわねばならないのです。すなわちそれは、先生の文章に深く入りこむことができればできるほど、先生の個人的な風貌が、自分の視野から消えてゆくのを体験するということにほかなりません。

《私はこの頃自分の書くものに急に「私」的な調子の出て来たことに気がついている。以前にはあれほど注意して避けていた「私事」や「心境」めいた事ばかり語っているようだ。何故だろう。社会関係を見失ってしまったからだ。私の所属していると思って、あてにしていた集団が失くなってしまったからだ。ほんとうは失くなったのではなくて、変わったのであろう。だが、私にとっては、どっちみち同じことだ。私は変わっていない。安易に変われない自分の頑固さを持て余している。しかし相手の変化から受ける反作用という点では、私の受けた打撃は大きかった。私もそのためには変わってしまったと言うことができる。時代に取り残された人間とは、私の如きものを言うのであろう。だが、それを寂しくも心残りにも思っていない。目前に見るこんな「閉ざされた社会」なんかにもはやこだわっている気持は一向にないからである。》

一九四〇年に書かれた、この『歴史の暮方』の一節を読むたびに、まずぼくが考えますのは、一般に日本人が「私事」や「心境」にこだわる仕方と、この文章がいかにことなる仕方でそうしているかということなのです。「何故だろう……」以下のような文章の展開を、この国のどのような思想家が、かれの「私事」や「心境」にこだわりつつおこなうでしょうか。ここでもぼくには、しだいに先生の個人的な顔は消えて、衰弱し混乱した卑小な時代に、なおかつ Ecce homo！という声を発せしめずにはおかぬ、人間そのものの存在が提示されていると感銘されるといえば、先生は、もうそのように大袈裟なことはいうな、と制止されるでしょうか。

ぼくは西部劇でインディアンが、自分の足あとを消しつつ前へ進んでゆく光景を思いだします。先生をインディアンにたとえるのは、まったく奇態な思いつきですが、ぼくはつねに先生の文章から、個人の痕跡が消えて、普遍的なものが浮びあがるのを経験するたびにあれらのインディアンを思うのです。先生は、個人的な激しい苦闘のあと、人類一般の名しか記されぬ文章のファイルの並ぶ棚に、その文章を置いて、そしてインディアンのように姿を消すところの、言葉の真の意味あいでの歴史家のように思われます。しかもそのような先生に、ぼくは《自由なる反語家は柔軟に屈伸し、しかも抵抗的に頑として自らを持ち耐える。真剣さのもつ融通の利かぬ硬直に陥らず、さりとて臆病な順応主義の示す軟弱にも堕さない》という「反語的精神」を見出すとともに、もっと真正面から、普遍的な人間としての責任をとろうとする、ひとつの魂の存在を見出して、ひそかに、Ecce homo！とつぶやかざるをえないのです。

さてぼくは一九四〇年代の（それは、戦争の前、さなか、後を、一貫してさしうる言葉として、わずかに先生や、あと幾人かの思想家にのみ、正しく使いうる言葉ですが）先生の文章のいちいちに、自分の今日のありようが、激しく撃たれるのを感じているものです。

戦争直前、戦時の日本人、としては、ぼくは一時のみにしても、責任を留保することができるでしょう。そのころぼくは山村のひとりのガキにすぎなかったのですから。しかし、戦後の《その五年間最も驚くべきことの一つは、日本の問題が Occupied Japan 問題であるという一番明瞭な、一番肝腎な点を伏せた政治や文化に関する言動が圧倒的に風靡していたことである》という、先生のもっとも苦い言葉にふれる時、たちまちぼくは、自分の核心まで浸蝕せずにはおかぬ勢いでせまってくる、強い酸をあびせかけられたと自覚するのです。

ぼくはまさに Occupied Japan において、その Occupied ぬきの昂揚感において、戦後民主主義にとびついてゆく、という育ち方をした人間なのですから。

ぼくはこの問題を今後とも考えつづけてゆくでしょう。ぼくは実の所、先生が深い苦渋をもって語られた言葉を、その存在を知っているかどうかもあやしいことながら、黄色い声でなぞってみせるような、当今の

「見出し感覚《ヘッドライン・センス》」派の戦後民主主義批判など、なんとも思っておりません。そうした、弱い毒には免疫になるほどに、先生が提示された毒は強く、ぼくにせまるからです。そしてそれがぼくに、あらためて一九四〇年代の日本人の経験を、新しく今日の経験にかさねあわせることこそをもとめるからです。その時、ぼくがさきに、戦争直前、戦時の日本人としては「一時のみにしても」責任を留保できる、と歯切れの悪いことを申しました意味あいも、はっきりしてくると思います。

すなわち、ほかならぬいま起っていることどもが、一九四〇年代のはじめに起ったことどもと、あまりにもぴったりあいかさなるので、現在の自分の責任を問いつめることが、そのまま一九四〇年代はじめの日本人への、先生の苦い、まことに苦い批判を、自分の頭上に受けとめることにほかならなくなってくるからです。

《えてして、政治にうとい、政治のことに深く思いを致したことのない人間ほど、軽はずみに政治にとびこみ、政治の犠牲になるというのが、わが国知識階級の常套である。政治くらい、人の善意を翻弄し、実践的勇気を悪用するものはない。真のデモクラシーとは、この政治のメカニズムから来る必然悪に対する人民の警戒と抑制とを意味するが、眉唾ものの政治的スローガンに手もなくころりと「だまされる」ところにどうでも人が頼らねばならぬ政治のおぞましい陥穽があるともいえよう。》

右のような先生の言葉を、もっとも硬いヤスリとして自分の精神のかたわらにおき、あらためて「真のデモクラシー」をもとめることを、自分の戦後民主主義的なるものへの批判を超える道だと、ひそかにぼくは考えているのですが、しかもその乗り超えを、ぼくは、再び(みたび?)日本人が「呪術的な政治の命令的言葉」にしたがって「絶壁の上の死の舞踊《ダンス・マカーブル》」をおこなっている時代において、しなければならぬのだと、いまや覚悟せざるをえないのです。もう一、二年たち、ぼくが自分自身への批判としてもまた、先生の一九四〇年の、次のような言葉を受けとめねばならなくなるのではないかと思うたびに、先生はぼくにとってもっとも恐しいところの、普遍的な人間そのものの歴史に立ち、歴史を超えた存在となります。

《生命を捨てるということは人々が想像するほどそんなに苦痛ではないが、生死の苦労を重ねるということは持続的な緊張ゆえに生易しいわざではない。我々は後者の点で未だ深刻な試練を経ていない国民であることを遺憾ながら認めねばならぬ。逆境に入って取り乱すものは、要するにお調子者にほかならない。我々はそのお調子者だったのであろうか。》

ぼくはこの手紙に先生がお返事をくださらないように思います。しかしこの手紙を書くことその行為自体に、もっともぼくを畏怖させるところの先生の返信はふくまれているのです。それはおそらく、《声低く語れ《パルレ・バッソ》》という声にちがいありません。〔一九七一年〕

モラリストとしての伊丹万作

映画監督としての伊丹万作は、われわれが、かれののこしたシナリオやスチール写真を根拠にして想像するより以上の存在であっただろう。フィルム・ライブラリーから、古いプリントの映画をかりだして一九七一年のいま、あらためて映しだしてみることによって、現実的に把握することのできるより以上の存在ですらあっただろう。映画は、そのつくられた時代と場所に、まことに緊密にむすびついているものであって、そこから他の場所に移しうえるたびに、そもそもの位置エネルギーが確実にうしなわれるものであろうから。

伊丹万作は、草創期の日本映画界で、かれ独自の仕事をした。かれの仕事は、およそおそるべき悪条件にさからい、それをのりこえつつの仕事であった。たとえば、われわれはいま、映画音楽という言葉によってただちに武満徹の仕事を喚起される。音楽と映像についての、われわれの想像力は、かれの仕事の位置にまで、おしひろげられ、たかめられている。そのわれわれが、次のように抑制されてはいるが、なぐさめがたい嘆きの声を発する映画監督にたいして、いったいどんな態度をとりうるだろうか。《暗い場面に明るい音楽を持ってきたり、のどかな場面に血わき肉おどるような音楽を持ってこられたんではどうにもしようがないではないか。私は諷刺的に話をしているのではない。私の話はまったくのリアリズムである。画面に桜が出ているからただ機械的に「桜の幻想曲」か何かを持って行けというのではとうてい画面との交歓は望み得ない。》

しかし伊丹万作は、そのような条件のもとの映画界に、その全体において、自分で責任をとろうとする、前むきの感受性、あえていえば生産的な廉恥心の持ち主であった。かれは同時代の映画界において、おそらく人間としての本質にかかわる所で孤独であったと思われるが、しかしひとり孤絶して高みにとじこもるというような人間ではなかった。戦中、戦後への永い病床の生活は、かれを他人たちから隔離したが、映画監督としての伊丹万作は、人間の集団のなかに積極的に身をおいて、創造をすすめ、観察し熟考し、集団のために有効な言葉を発する人間であった。

《多少とも批判の眼を持って我々の仕事場を参観に来る人々に対し、私がいつも汗背《かんはい》の念を禁じ得ないのは、我々の仕事があまりにも無秩序で原始的なことであった。》と伊丹万作は書いているが、かれは決してかれひとりの虚栄のために恥かしさの汗を発したのではない。かれはかれの時代と場所の、映画界の全体を、かれ個人の上にになうようにして、汗背の念を持ったのである。そして現実的にそれをなんとかしようとねがい、ある秩序を自分の仕事にみちびきいれようとして、実際的な順序だてを採用してみもしたのである。

さてそのような伊丹万作について、かれの生きた時代と場所のなかに、その映画作品とともに深く根をおろしている伊丹万作について、かれとそれらを共有するのではない僕が、いまなにを語ろうとするのか。それはかれの遺した文章についてであるが、とくに、僕にとっては、それらのもっとも核心にある特質であるように思われるところの、モラリスト moraliste としての伊丹万作、そして教育家としての伊丹万作についてである。

モラリストとは現実の人間性のたしかな観察にたって、人間一般にかかわる倫理をしっかり把握している人間である。かれははるかな高みからその倫理の名において他人を断罪することはしない。しかし現実の具体的生活のいちいちについて、かれの倫理感を逆なでする事態に出合えば、勝敗はべつにして、いちばん根底の具体的なところから、それに立ちむかわぬわけにはゆかないのである。

伊丹万作は、かれ自身「モラル」という言葉について独自の意味づけをおこなおうとしていた。かれはおよそ広範囲に「アメリカ映画の毒」が宣伝されていた時期に、アメリカ映画が日本の青年にあたえたところの積極的な意味をかぞえあげ、《我々に対して最も強く、最もよき影響を与えたと思われるのは、もちろん最後の骨っぽい処世哲学であるが、これはまた同時に彼らの物語るロマンスの主人公たちが一様に身に備えているモラルでもあり、おそらくは、これがアメリカ魂の真骨頂かと想像される。》と書いた。《しかしこれをモラルと見るのは国情の違う我々の見方であって、彼ら自身は一つの風俗・習慣として、もっと無意識的な、もっと日常的な行為としてそれを身につけているらしい。……すなわちこれで見ると、Aの社会では風俗であることがBの社会では道徳である場合のあることがわかる。またある社会において道徳が一般化し、社会的に固定した場合には、それは既に風俗であると言える。》

僕はこのように「道徳」「風俗」にあいわたりつつ「モラル」について考え、実践的にそれを生かそうとした人間を、言葉の真の意味あいにおけるモラリストと呼ぶことをためらわない。

右にひいた文章は『映画俳優の生活と教養』という特殊な主題によるエッセイの一節であるが、すでにそれ自体がひとつのヒントをなしているように、伊丹万作の文章には、いかなる専門的な特殊性のきわめられたものにも、つねに、普遍性があった。そしてそれは、専門家の文章が、多かれすくなかれ教育的であるように、つねに教育的な資質を示していたと思われるのである。伊丹万作は、かれとおなじく松山に生れ育った正岡子規の仕事を、その病床の日記のはしばしにいたるまで(同様に病床にふすことの永かったかれとしては、とくにそれをこそ)高く評価しているが、われわれは、その子規と伊丹万作が、教育家としての資質において、あいかよいあうところがあることに留意すべきであろう。滋養あるものを豊かにとる、というような、真の体育の考えかたの具体的な一致をとおして考えるまでもなく、かれらの教育構想は、根本においてきわめて相似たものであったろうと想像されるのである。もし、子規が、草創期の映画界において、実践することを必要としたのであったなら、かれもまた次のような、モラリストにして教育家の論理を、社会全体への大きい展望にたってのまとまりとともに、提示したのではなかったろうか。

《しかし、もともと人間には人間としての評価の仕方があり、商品には商品としての評価の仕方があるべきだ。ところが映画俳優の場合はその辺の区別が必ずしも明瞭でなく、観念的にもまた実際生活の上にも、往々にして人間性と商品性との混乱が見られ、いわゆる著名なスター(この愚劣な名称も、もはや清算の時期が来ている。)ほど人間の商品化が露骨に行われている現状にある。しかし、直ちにこれを目して俳優の罪となすことはあたらない。また資本家の罪と称することも妥当でない。しからば映画観客層全般の罪かと言うに、これもいまだ肯綮《こうけい》にあたらない。

結局それは「無条件に放任せられたる自由主義経済の罪」である。

だからたとえ一、二の俳優がせっかく人間性に眼ざめようと努力しても、従来の機構の下ではそれは望み得べきことではなかった。すなわち彼らが商品性を脱却して、真に人間性を回復し得る機会がもしありとすれば、その期待は挙げて今後にかけらるべきであろう。》

さて伊丹万作のモラリストとして、同時に教育家としての特質の、もっとも明瞭にあらわれている文章として、僕が選ぶのは『演技指導論草案』という、具体的に教育の実践に永くたずさわってきた人間の語録のようなおもかげをやどしたエッセイにほかならない。

この映画監督が俳優にたいして演出することを、どのようにひとり論理化していたか、その周到な明快さはすでに感動的である。

《仕事中我々は意識して俳優に何かをつけ加えることもあるが、この仕事の本質的な部分はつけ加えることではなく、抽き出すために費される手続きである。》

この「手続き」というような言葉が、ついにひとりの実践家によって単独に発明されるにいたる、永い孤独な思索に思いをひそめたい。《法則とは自分が発見したら役に立つが、人から教わるとあまり役に立たぬものだ。》というかれの言葉どおりに、伊丹万作の世界は、そのほとんどの構成要素が、自分で発見したところの法則によってなりたっている。しかもその世界が、独学者流に暗く閉じていないのは、かれがつねに、自分で発見した法則を、映画をつくろうとする実践のなかで、実際に、役だててみたからであろう。そのような根本の態度の延長にあって、伊丹万作は永年の病床での精神生活をもまた、暗く閉じたものとはしなかった。

《俳優から彼の内包せる能力を抽き出すためには必ず多少の努力を要するものであるが、抽き出そうとする能力があまりにも深部にかくされており、俳優自身

もその存在を確信しないような場合には我々の仕事は著しく引き伸ばされ、仕事の形式は訓練という言葉に近づいてくる。》

《ある時間内の訓練が失敗に終ったとしてもあきらめてしまうのはまだ早い。その次に我々が試みなければならぬことは、さらに多くの時間と、そしてさらに熱烈な精神的努力をはらうことである。たとえばめんどりのごとき自信と執拗さをもって俳優を温め温めて、ついに彼が孵化するまで待つだけの精神的強靱さを持たなければならぬ。》

このような自分で発見した法則をまもってゆこうとする実践家こそを、生れつき教育家の資質をそなえた人間というべきではあるまいか。むしろそれは、あまりにも教育家的ですらあって、俳優たる生徒からは、一方通行の、手ごたえのなさによってしかむくわれぬところの、不幸な演出家を結果しはしなかったかと、不安に思われるほどである。

しかしこの教育家的な映画監督は、憂い顔の厳格派ではなかったように想像される。なぜなら、かれはいかにも正統的な観察の筋みちをとおって、確実なユーモア、じつに良質なユーモアにゆきあたる人間でもあったことが明瞭であるからである。《演出者は威厳を整えるひまがあったら愛嬌を作ることに腐心せよ》というかれの言葉があるが、仕事中のこの映画監督には、愛嬌といわぬまでも、威厳と対立しない、自然なユーモアがにじみ出ていたことであろう。

《演技指導の実践の大部分を占めるものは、広い意味における「説明」である。しかし一般に百を理解している人が百を説明しきれる場合は稀有に属する。私の場合は四十パーセントがあやしい。これは自分の天性の劣弱なことにもよるが、もっと大きな原因は我々が古色蒼然たる言論蔑視の倫理に締めつけられてきたことにある。いわく「ことあげせず」。いわく「不言実行」。いわく「雄弁は銀沈黙は金」。いわく「巧言令色鮮《すく》ないかな仁」。いわく何。そうしてついに今唖《おし》のごとき演出家ができあがって多くの俳優を苦しめているというわけである。将来の演技指導者たらんとするものはまず何をおいても「説明」の技術を身につけることを資格の第一条件と考えるべきであろう。》

おしのごとき演出家。これはまことに、この当時の映画製作の現場にむけて、できるだけ具体的な想像力をはたらかせてみるものに、愉快な、決して他人を傷つけぬ、しかし辛辣きわまりない、ユーモラスな諷刺を提示する言葉ではなかろうか。それは緊密な粘着力のある、観察にもとづいたユーモアである。次のような文脈におけるユーモアも、常識的な観察の域をこえた、現場での専門家の観察によって、はじめてすくいあげられる、しかも実際的な法則にかみあわされているユーモアである。この映画監督は、たとえユーモラスなものであれ、まったくのむだぐちはたたかぬ人間だったのであろう。すなわちかれは《演出者以外のものが、演技指導に関係のあることを直接俳優に言ってはいけない。》という法則を、まず提示する。しかし、《非常に低度の演技、つまり群衆の動きや背景的演技》については、この原則によらない、としながら、霧のかかったような苦い味のするユーモアを示すのである。

《ただし群衆撮影の場合あまりカメラマン任せにすると、カメラマンの多くは群衆を一人残らず画面内に収めようとしすぎるため、画面外には人間が一人もいないことがわかるような撮り方をする傾向があるから注意を要する。》

そしてそのような、現場における仕事のなかでの観察にもとづくユーモアの提示においてすらも、根本において生真面目であったように、かれの映画の製作は、教室での仕事のように、まっすぐ人間そのものを見つめて真摯におこなわれるものなのであった。そこであらゆる営為の中心に、威厳をこめて位置しているのは、つねに、決して軽蔑されてはならぬ「人間」なのであった。

《俳優のしゃべるせりふが不自然に聞えるとき、そしてその原因がはっきりつかめない時は、ためしにもっと声の調子を下げさせてみるがよい。それでもまだ不自然な場合は、さらにもっと調子を下げさせる。こうすれば大概それで自然になるものである。

一般に、こうして得たせりふの調子がその人の持ちまえの会話の声の高さであり、せりふが不自然に聞える場合のほとんど九十パーセントまでは持ちまえの声より調子を張っているためだといっていい。したがって録音部の注文で無反省に俳優に声を張らせるくらい無謀な破壊はない。

我々はいかなる場合にも機械が人間に奉仕すべきで、人間が機械に服従する理由のないことを信じていてまちがいはない。》

そして伊丹万作はかれの演出の仕事に、次のような純金の夢をたくしていた。ここにいたって、かれを教育家の資質をもったモラリストと呼ぶことが、どうして不自然であろうか。

《……私が心の中に描いている理想的な演出、もしくは完成されつくした演技指導の型といったようなものの特色は、著しく静かでほとんど無為に似た形式をとりながら、その実、当事者間には激しい精神の交渉、切瑳琢磨がつづけられ、無言のうちに指導効果が刻々上昇して行くといった形において想像される。

このことは一見わらうべき精神主義的迷妄のごとくに誤解されるおそれがないでもないが、たとえば我々が実生活における幾多の経験を想い出してみても、我々が真に深い理解に到達したり、新しい真実を発見したりするのは、言葉のある瞬間よりも言葉のない瞬間におけるほうが比較にならぬくらい多くはなかったか。あるいはまた、最もすぐれた説明は、何も説明しないことであるような例が決して少なくない事実に気がつくならば、私の意図している方向が、まんざら荒唐無稽でないことだけはわかるはずである。

こうはいっても、私はそのために別項で強調した説明技術の重要性に関する主張をいささかでも緩和する気持ちはない。むしろそこを通らずして一躍私の意図する方向に進む方法はないといってもまちがいではない。

しかしいずれにしてもよき演技指導の最初の出発点は指導者に対する「信頼」であることを銘記すべきである。》

伊丹万作は、一九三八年に病床につき、そして一九四六年に死亡するまで、病臥したままであった。実践のなかでひとりかたちづくった法則をのみ、かれは語ったが、右にひいた文章も、じつは病床において書かれたのである。伊丹万作の、映画監督としての専門家の深い洞察と、後進への実際的な援助と、そして繰りかえせば、教育家としての資質をそなえたモラリストの面目が、具体的に周到に発揮されている『シナリオ時評』も、病臥している人間の仕事なのであった。

僕は伊丹万作の遺したすべての文章の、原則ともすべき中心に『演技指導論草案』をおき、(農民のなかで実践しつつ、その経験からうまれたところの法則を『農民芸術概論綱要』として書きしるした、宮沢賢治を考えながら、そうしたいのであるが)、一翼に『シナリオ時評』を、そしてもう一翼に、病床の日記、ノート風の文章を置くことによって、伊丹万作の経験と思考のたどりついたところを、そのあまりにも早すぎた晩年の全体を、把握したいと思うのである。

したがって、病臥中の伊丹万作の日記、ノート風の文章もまた、それがごく一般的な病者の心おぼえのようなものとして受けとられることには、さからわずにいられない。それらの日記、ノート風の文章にもまた、『シナリオ時評』にあきらかなような、実践的な意志にみちた専門家の声がひびきつづけて、ついにおとろえることがないのに注意を喚起したいのである。

《「病的な美しさ」——そんなものがあるものか。ふざけるなといいたい。》という言葉は、単に病床にあって苛だった人間の怒りの声ではなかった。それはより着実な、実際的な展望へとつながってゆく言葉であった。すなわち「病的な美しさ」などと、甘ったれてぐにゃぐにゃしたことをいう人間の域をこえて、現実の確固たる世界で新たにものをはじめようとしている人間の言葉であった。かれは「病的な美しさ」などということがいわれるような人間社会で、ひとりの病者であることの屈辱にもっとも憤ったのだ。そしてかれは自分が、次のような言葉を書きつける人間とともにある現実社会へ、健康な躰と強靭な魂をもって、かえってゆくことを希望したのである。

《中野重治氏ノ随筆ノ中ニ「アル種ノ論文ノ目的ハ、ソノヨウナ論文ヲ書ク必要ヲナクスルコトニアル」トイウ意味ノ言葉ガアル。コノヨウニ的確ニ目的ヲ見スエルコトハ困難デハアルガ美シイコトダ。物事ヲコノヨウニ見ルコトノデキル人ノ書イタモノハ、純粋デ、ワタクシガナク、論理ノ混乱モナク、正確ニ問題ノ中心ニ迫ッテ行クカラ、表現ノ難易ニカカワラズ読ミヤスクワカリヤスイ。……中野氏ノ場合ハ、途中ノ思考ヲイジクッテイルヨウナコトハナク、タダ問題ノ対象ヲドウスルカトイウコトニ専心シテイルヨウニミエ、

ソレサエ片ヅケバ自分ノ考エヤ文章ハドウナッテモカマワヌトイウ覚悟ガウカガワレル。……》

病床にあって戦争の末期を見つめつつ、伊丹万作は、《現在ノママデ戦争ヲツヅケルカギリスベテハ絶望デアル。唯一ノ道ハイカナル条件ニモセヨ一旦戦争ヲ終結サセテ、科学ニ基礎ヲ置イタ国力ノ充実ヲ計リ、三十年五十年後ノ機会ヲ覘《ウカガ》ウコト以外ニハアルマイト思ウ。》と書いた。そして敗戦後すぐに、自分たちはだまされていた、という大合唱がおこると、そのような声をはりあげる日本人の根底をつくようにして次のように書いた。

《……だまされたものの罪は、ただ単にだまされたという事実そのものの中にあるのではなく、あんなにも雑作なくだまされるほど批判力を失い、思考力を失い、信念を失い、家畜的な盲従に自己のいっさいをゆだねるようになってしまっていた国民全体の文化的無気力、無自覚、無反省、無責任などが悪の本体なのである。……

それは少なくとも個人の尊厳の冒瀆、すなわち自我の放棄であり人間性への裏切りである。また、悪を憤る精神の欠如であり、道徳的無感覚である。ひいては国民大衆、すなわち被支配階級全体に対する不忠である。》

このように激しく鋭い言葉を発しつつ、病床の伊丹万作は、もうほとんど死に瀕していた。しかしこれらの、遺書ともみなすべき文章をふまえて、ほかならぬ中野重治氏が次の言葉をおくりかえした時、教育家の資質をもったモラリストの魂は、もっともよく鎮まったと思われるのである。《伊丹万作は実行の人であった。》

〔一九七一年〕

田村隆一と垂直的人間の声

この夏のさかり、深瀬基寛博士が亡くなられた。僕は博士によって米・英現代詩の読み方を教えられた者であるが、ついに博士におめにかかることはなかった。僕は、オーデン自身が『W・B・イェーツを弔ふ』他の自作を朗唱しているレコードを聴いて、博士の死を悼んだ。

He disappeared in the dead of winter:

とオーデンの力強く暗い声が朗唱する。夏のさかりでは in the dead of という形容を summer に附加することは妥当でないであろうが、あまりの暑気に、ものみなの死にたえたような気分のする、その夏の午後に、僕はオーデンがイェーツを弔った詩句にそのままならって、深瀬基寛氏を悼む詩をつぶやいたりもした。

オーデンの朗唱は、かれの詩を活字で読みながらひそかに音に翻訳して空想する、声になった詩の、その最上の空想に匹敵しよう。いったん、その朗唱を聞くと、かれの詩を読むたびにその声が胸のうちに響いてくる。たとえば『W・B・イェーツを弔ふ』は二部にわかれていて、活字で読んでいても、そこにおいて、音楽でいう転調がおこなわれているのがあきらかに見てとれるが、オーデン自身の朗唱はまことに声の楽器による明瞭な転調そのものを演奏しわけている。そのように、活字と声とが有機的にむすびついている詩こそが、その形式において僕の愛する詩である。

日本語の詩についていう場合に、それは直截に、中原中也の詩のようなタイプのもののみをいうのではない。いかなる定型を踏んでいることがなくても、活字を眼で追ってゆくにつれて、詩人の声が耳に湧きおこってくるようであれば、それはすなわち僕にとって充分に音楽的な詩である。むしろ定型という構造が、かえって反・音楽的な障碍でありうることは、定型の呪縛から自分自身をときはなつために苦闘した現代詩の歴史そのものが、端的に示している。明治期の定型の詩においても、才能の独自なものは、定型のリズムとは別に、それ自体の(すなわち詩人自身の精神の声の、というべき)リズムを内蔵することによって、凡庸な弛緩からまぬがれているのである。岩野泡鳴の詩を僕はほとんど偏愛しているが、定型と、定型をこえたリズムとの転換期を激しく移行しつつあるその詩のリズムは、現在もなお、生きた人間の声の重みにおいて復活する力をそなえている。誇り高い詩人が《僕がおのづからに活躍させた日本語の無形の音律に添ってこれを読んで呉れる》ことを、読者にもとめている詩にいたってはことさらである。

何の　為めに、僕、
樺太へ　来たのか　分らない。
蟹の　鑵詰、何だ　それが?
酒と　女、これも　何だ?

東京を　去り、友輩に　遠ざかり、
愛婦と　離れ、文学的　努力　を　忘れ、
握り得たのは　金でも　ない。
ただ　僕　自身の　力、
これが　思ふ　様に　動いて　ゐない　夕べには、
単調子な　樺太の　海へ
僕の　身も　腹わたも　投げて　しまひたく　なる。

さて、その形式において、僕がこうした詩を愛するとすれば、その内容において僕が愛する詩は、詩人が生涯をひとつの危機に集中させ、そのもっとも緊張した瞬間において、みずからを救助すべく想像力を働かせて詩を生み出す、そのような詩である。いうまでもなく、形式と内容とは、詩人の声において切実に統一されるのであるが。たとえば、オーデンの『W・B・イェーツを弔ふ』はそのような詩であり、泡鳴の『樺太の雑感』は、そのような一連の詩である。

日本の戦後詩の世界に、こうした詩をもとめるとすれば、それはまず、田村隆一氏の詩であろう。最近、思潮社から刊行された『田村隆一詩集』全三巻は、われわれ戦後の散文作家すべてが畏怖すべき書物である。第二巻の『言葉のない世界』の、いわゆる難解ではあるが、同時に愛誦するに充分な詩の数かず、(それは、僕の感じ方にそくしていえば、難解であるからこそ愛誦することが必要であり、愛誦は自然に、しだいに深まる理解をみちびくから、絶対に骨折り損ではない、そのような詩の数かずであるが)その内から、ここに『帰途』という、本質的な深みで哀切きわまりない感慨をひきおこす作品をひこう。

言葉なんかおぼえるんじゃなかった
言葉のない世界
意味が意味にならない世界に生きてたら
どんなによかったか

あなたが美しい言葉に復讐されても
そいつは　ぼくとは無関係だ
きみが静かな意味に血を流したところで
そいつも無関係だ

あなたのやさしい眼のなかにある涙
きみの沈黙の舌からおちてくる痛苦

ぼくたちの世界にもし言葉がなかったら
ぼくはただそれを眺めて立ち去るだろう

あなたの涙に　果実の核ほどの意味があるか
きみの一滴の血に　この世界の夕暮れの
ふるえるような夕焼けのひびきがあるか

言葉なんかおぼえるんじゃなかった
日本語とほんのすこしの外国語をおぼえたおかげで
ぼくはあなたの涙のなかに立ちどまる
ぼくはきみの血のなかにたったひとりで帰ってくる

この詩をいま書きうつしながら、僕は田村隆一氏の風貌が眼のまえの空間に浮びあがってくるのを見るように感じる。田村隆一氏が、どのような姿勢において、「世界」に立ちむかっているかという、そのひとりの人間としての外と内の全体が、見えてくるように感じる。そして、田村隆一氏の声。僕は、現実の田村隆一氏に幾度か会ったことがある。この個人的な小事件については、詩人がすでにひとつの散文を書いたが、真夜中の(オーデンの詩句に即していえば、in the dead of night の)日暮里駅前で、おたがいに乱酔して、ちょっとした殴り合いを演じたこともあった。駅の周辺にたむろしていた愚連隊が大急ぎで駈けよってきて、われわれを引きはなすと、

――暴力はやめろ、暴力はやめろ！　と説教したものである。しかし、そういうことが僕に、田村隆一氏の詩を読むにあたって、詩人の風貌姿勢、声を喚起するすべての理由であるかといえば、それはそうではないであろう。もし、僕が、この詩人を具体的に知ることがなかったとしても、結局は、おなじことがおこるにちがいない。ことは詩の根元的な性格に由来するか

らである。現に、僕は、田村隆一氏が自身の詩を朗唱する現場に接したことはないが、それでいて僕は、氏の詩を読むたびに、あたかも氏が僕の頭のなかの椅子に腰をかけて、朗唱しているように、かれの声を明らかに聞くのである。そして僕は、近い将来詩人の朗唱を現実に聴くことがあっても、とくに読書体験が僕にもたらした、氏の詩をめぐるリズム感覚に新しいものがつけくわえられるだろうとは思わないのである。それは、田村隆一氏の詩に、詩人自身が、活字で読むものにも厳重なリズムの戒厳令をしいていて、読者が逸脱することを許さないところがあるからでもあろう。

『帰途』が僕にもたらすものを、散文で再現すべく試みよう。

言葉なんかおぼえるんじゃなかった
言葉のない世界
意味が意味にならない世界に生きてたら
どんなによかったか

この冒頭の一行は、明瞭に、詩全体のリズムを決定している。ここに採用された、日常生活のなかの言葉としての、すなわち純正の口語は、読み手の恣意によって多種多様のリズムをあたえられる性格のものではない。誰にとってもほとんどおなじ耳なれた口語の響きがそこにある。それは泡鳴が、《僕がおのづからに活躍させた日本語の無形の音律》とみずから呼ぶ、リズムの表示のために、特殊な分ち書きや、句読点の頻用をせざるをえなかったのにくらべて、いかにもすっきりと詩人独自のリズムの提示に成功している。

ここで「言葉」とは、関係づけ、ということ、あるいは、参加とか加担とかいう日本語に訳されてきた engagement ということとして理解することができる。なぜなら、言葉と、その意味とが、人間を、事物に、ほかの人間に、世界に、関係づけ、参加させ、加担させるからである。われわれが、生れたての赤んぼうのように言葉を持たず、外界にも、内部にも、いささかの意味を発見することもなかったとしたら、そしてただ、一箇の充実体として存在しているのみであったとしたら、サルトルのいわゆる être-en-soi であったとしたら、すくなくともわれわれは、不幸ではないであろう。

しかも詩人の、言葉を持たない存在へのイメージは、鳥か獣かのように、ただ眼をひらいて対象を見つめ、そしてそこにいかなる意味をも見出さない傍観者、したがって対象と自分自身を関係づけることなく、絶対に独立している観察者のイメージである。『言葉のない世界』というタイトルの詩で、次のように歌われる鳥のごときものである。

鳥の目は邪悪そのもの
彼は観察し批評しない
鳥の舌は邪悪そのもの
彼は嚥下し批評しない

あるいはまた、おなじ詩における次のような鳥のごときものである。

鳥は飛ぶ
鳥は鳥のなかで飛ぶ

そのようなイメージにおいて、言葉のない世界に住む存在にとっては、確かに、

あなたが美しい言葉に復讐されても
そいつは　ぼくとは無関係だ
きみが静かな意味に血を流したところで
そいつも無関係だ

かれは涙や痛苦を、たとえば鳥の眼において、しげしげと眺めてみるだけで、他人の涙にも、痛苦にも、加担することなく立ち去るのみであろう。そのような、かいかい物そのものよりほかのなにものでもない存在にとって、涙や痛苦のにじむ血など、すなわち人間の意識に関わる蜃気楼など、《果実の核》が、物自体として持っている存在感にかないはしない。《この世界の夕暮れの／ふるえるような夕焼けのひびき》の、存在としての重さに匹敵しはしない。

しかし、詩人は、そのような存在ではなかった。かれは《日本語とほんのすこしの外国語をおぼえた》人間であった。かれは観察するとき、意味を見出し、言葉をあたえないではいられない。かれは鳥や獣のように自由ではない。望むと望まないとにかかわらず、かれは自分が見るものすべてに、自分自身を、関係づけざるをえない。加担し、参加せざるをえない。engagement がかれの資質である。涙とか血とかいう、一瞬のカゲロウのために、がんじがらめに縛られてしまう意識的存在である。もろい être-pour-soi にほかならないのである。これは、語のみっともない側面と立派な側面とをふくめた意味で(渡辺一夫教授に、ユマニストの卑しさ、という言葉があるが)ヒューマニスティックな詩だ。

言葉なんかおぼえるんじゃなかった
日本語とほんのすこしの外国語をおぼえたおかげで

ぼくはあなたの涙のなかに立ちどまる
ぼくはきみの血のなかにたったひとりで帰ってくる

さて僕は、右のようにこの詩を散文化するのであるが、こうした仕方とは別に、いわば僕の精神が赤裸な状態で、この詩とつながっているというような具合に、詩との一種の交感がおこなわれるのが普通だ。それが、詩の読み方として、より正常であることも疑いをいれない。ここにおこなったような散文化は、実際は、詩の理解と本質的な関係をもつものではないであろう。田村隆一氏の苦い顔が見えてくる。いったん散文の木材を彫りぬいてつくりあげた作品に、再び散文の木屑をかぶせてみることはない。詩人はつとに宣言していた。

ウイスキーを水でわるように
言葉を意味でわるわけにはいかない

僕がこの詩を、詩自体として愛誦するうちに、それが触媒作用をおこして内部に喚起する様ざまの想像がある。それはほとんど田村隆一氏とは関係のない、僕単独の想像力の発露といってもよいたぐいのものである。化学変化においてとおなじく、触媒の役割とは、まことに独特な孤独なものだ。

たとえば『帰途』というタイトルは、確かに詩の最後の行に関わっている訳ではあるが、詩のヒーローたる「ぼく」は、いったいどこから帰ってくるのだろう、どんな用事で出かけての帰途なんだろう、という風に、僕は空想しはじめる。おそらく「ぼく」は、自殺するためにどこかへ出かけていったのであろう。言葉をおぼえていない人間なら、鳥のように獣のように、まさしく直截に、この世界に別れることができるだろうではないか。しかし言葉がかれをひきとめ、言葉がかれを帰ってこさせる。いったん言葉をおぼえ、意味のクモの巣にとらえられた人間には、世界から黙ったまま無造作に立ち去ることなどできはしない。それゆえにこそ、われわれは生きつづけ、言葉を浪費しつづけているのだろうではないか。

すくなくとも酔っていないときの、詩人田村隆一氏の緊張感にはまことに雄々しいところがある。詩人は埋葬される時にすら、直立したまま棺に入ることを希望する。

おれは垂直的人間
おれは水平的人間にとどまるわけにはいかない

〔一九六六年〕

高橋和巳と想像力の枷

『人間として』の人間たちよ。小田実よ、柴田翔よ、開高健よ、また初めて会った真継伸彦よ。僕は、高橋和巳の死にあたっての、きみたちの努力の仕方に、あの、まことに巨大な埴谷雄高の愛する弟子への献身ぶりへの感銘にかさなるところの、いかにも人間らしい感動を受けとったものであることを、まず記さねばならない。きみたちの努力は、義務的なものでなく、また感傷的なものでなく、いかなる計算に発したものでもなかった。僕にとってそれは、ほかならぬ「同じく死すべき者」ということの深い自覚にたった努力であるように、観察されたのである。僕が『人間として』の外側から、いま高橋和巳にかかわる文章を書きおくろうとするのも、僕自身、かれと、またきみたちと「同じく死すべき者」の意識からのがれることができず、しかも、のがれることを希望してもいないからにほかならない。

　僕は、高橋和巳の死を悼む文章をすでにひとつ書いて、新聞に発表した。したがってここに追悼の言葉を繰りかえすことはしない。僕はあすこにおざなりの悼文を書いたつもりはないが、いま自分の長篇小説の草稿をしまいこみ、仕事机の上でこれからあらためておこなおうとするのは、高橋和巳の死以後、いかにもくっきりと浮びあがってくるひとつの命題に発して、自分にも緊急に必要な文学論的整理を試みることにほかならないからである。それは、つづめていえば、現代日本の作家として生きているわれわれは(このようないいかたをするより、端的に僕自身は)はたして自由なのかどうか、とあらためて自分に問うことになるであろう。したがって『人間として』の人間たちよ。まず、きみたちの真の仲間、高橋和巳を、僕もまた悼もうとした文章を、思いおこしてはくれまいか？　それはあの永く記憶されるべき死者の遺体を、きみたちの葬列にしたがって鎌倉に送った夜、われわれの足もとに小さな花ざかりであった草が、シロバナサギゴケであったことを、真継伸彦に教えたことよりほかに、実効性はない文章であったかもしれぬのではあるが……

　さて僕は高橋和巳の死の直後、あらためて『悲の器』を読んだ。そしてそこに、あまりにも多くの、高橋和巳の全体、ひいてはその死、かれをその死へとむかわしめたところのものが書き記されているのに、感銘と苦痛をあじわったのである。そして僕は、いったい高橋和巳は『悲の器』の想像力の枷から自由な人間として、その多産ではあるが、きわめて短い、作家としての生涯を生きおえたのか、という深い疑いのうちに沈んだのである。その疑いの錘りはすぐさま、僕自身の課題への内省と転じて、僕は作家として自由だろうかという、まことにやっかいな重荷としてこれからの自分にまといつきつづけるであろう、問いかけの声にかわった。『人間として』の人間たちよ。きみたちひとり、ひとりもまた、やはり、自分は作家として自由だろうか、と疑う時を持つだろうか？　お互いに癌年齢にたっしている、いつ激しく苦しみつつ不条理な死にとらえられるかもしれぬ人間として。

いつものことながら、問題は幾重にもまがりくねったかたちにおいて、想像力にかかわっている。われわれはみな、作家として、自由に想像力を発揮しているつもりで生きているのであろう。しかし、まず第一に、われわれは、想像力を発揮する人間、として自由か？第二に、われわれは、われわれの発揮する想像力のなかで、充分に、自由であるか？　われわれもまた、癌のモンスターにとりつかれて死ぬまぎわに、自分は想像力を発揮する人間として、自由でなかった、また自分の発揮した想像力のなかで充分に自由でなかったとして、暗く、もの狂おしい絶望感におちいってしまうのではあるまいか？　それはすなわち、われわれが、作家としてのみならず、人間として、充分に自由に生きぬかなかった、ということの自覚にほかならぬのであるが。思えば、われわれは、作家などという、まったく厄介な、奇妙な生きようを、選びとってしまったものではないか。

いま死んだ高橋和巳の影のもとからぬけ出ることのできぬ僕は、とくに意識して、この文章を『人間として』の作家たちに、同じ職業において同時代を生きている者の内部をなりふりかまわずうちあけるスタイルで書いている。僕はいま、われわれの秀れた死者が、その死の背後にのこした微光のなかに、きみたちとともに立ち、あるいはうずくまっているという、根幹の信頼感にもとづいて、この文章を書いていることに、ある切実な安らぎと昂揚を感じるのである。

実際、僕は高橋和巳の死の直後、ぶりかえした不眠の夜をすごすうちに、もっとも素直に告白すれば、自分は行方不明になる必要がある、死ぬまえに！という悲鳴のような想念にとりつかれて、明け方まで部屋のなかを、ぐるぐる歩きまわっていたのだ。いつなんどき、僕も、癌の大きな指に、首根っこをつかまれるやもしれぬ、急がねばならないぞ、と考えて。奇妙な話ではあるが、作家の習性にしたがって僕はすぐさま、ありとある係累から自分を切りはなして、行方不明になった自分の生きようを、たちまち明瞭に、思いえがいていたのである。僕は、南方を、たとえばバンコックの郊外を、シャツの袖に花粉をくっつけて歩きまわっている自分を考えた。そして、僕は、そのような自分に、禁欲的であってはならないぞ、と助言したりすらもまた、してみるのだった。そんなことでは、結局のところ、自分で抑圧している欲望に、かえりうちにあって、かえってつまらぬ娼婦を追いもとめ、足を棒にして汗みずくで、見知らぬ裏通りを歩きつづける、というようなことになってしまうからだ。自由をうしなってはならない、自分の欲望からさえも自由でなくてはならない、自由こそが行方不明になる目的なのだから！

僕は高橋和巳を、この秀れた魂の苦しみのうちに奪取した癌について考え、自分もまた癌によって動けなくなり、家族の善意や医師の義務感によって、無意味なベッドに縛りつけられてしまわぬよう、なによりも早く、行方不明の渦巻きに跳びこむような旅に出なくてはならぬ、と自分の内部からせきたてられたのだった。僕は、この年齢にかぎっていうかぎり、一般よりは多くの土地をしばしば旅行した人間であろう。しかし僕は、いわば襲いかかる癌という発想の支えによって、自分はこれまでの旅をすべて否定する、なぜならば、自分がパスポートをつかんでいるあいだすらも、いっこうに自由ではなかったゆえに、と決定したのであった。翌朝、家族と顔をあわせた時、僕はそれこそじつに辛く永い旅を終えたあとのようにも、やつれてしまっていたほどである。そしてこの不眠の夜の着想の、後遺症状はいまなお残っている……

それをあらためて作家として生きる人間の、真昼の意識の問題として整理すれば、やはりそれはさきにあげた、二重構造の命題に、あいかさなって実在しているように思われる。第一に、われわれは、想像力を発揮する人間、として自由か？　第二に、われわれは、われわれの発揮する想像力のなかで、充分に、自由であるか？『人間として』の人間たちよ。これらの命題を考えつつ、高橋和巳の『悲の器』の想像力のかたちを自分の内部に提起しなおし、僕自身の考えかたはなおあいまいな、薄暗がりをもふくむものながら、この際、高橋和巳の想像力の枷については、できるかぎり実体を明らかにしてゆきたいと思う。それがきみたち自身の関心の集中するところにあいまじわり、また、繰りかえし惜しんでもあまりある、あの新しい死者の死そのものに、ひとつの照明の光をなげかけることを、心貧しくねがいながら……

『悲の器』は三十歳の作家によって書かれたが、それは五十五歳の法学博士を主人公として描いたものであり、しかも充分に意識的に、初老の法律家の文体によって、法律家が自身の全体を語る一人称において、書かれている小説であった。若い高橋和巳は、独自の強靱な誇りとともに、なぜそのような形式と内容の作品を書いたのであったかを、日本のすでにあるすべての作家たちを、まっすぐ見すえるようにして明らかにしてもいた。《わが国における文学の創作と享受の関係は体験の抒情的表白と、没入による追体験という図式を主軸としていたように思われる。それはあり得てよい美しい一つの図式であって、それをことさらに否《なみ》すべき理由はなにもない。だが、いまこの作品の意図を説明したい欲求を抑える代償に一言の希望をのべることを許されるなら、一つの作品、その作中人物、そしてその思想を、各人の弁証のための対立的素材として角逐的によむ読み方もあるのだということを注意したい。》

確かに高橋和巳が若わかしい自恃をこめていっているように、三十歳の人間が、かれの実際に体験したところのことを、抒情的に表白するために、あるいはその思い出に没入して、追体験するために、五十五歳の法律家の、魂と肉体と声をかりる、ということは、およそありうるはずがない条件であった。しかも高橋和巳は、よくその文体を一貫して、すなわち、この初老の法学者が、老けづくりの化粧をこらした、青年俳優に見えてくる不手ぎわは、ほとんどおかすことがなかった。それはこの中国文学の若い学究が、作家としてもまた、なみなみならぬ奥行きのある、技術と、永い準備の時とにたって、『悲の器』を書きあげたことを示すだろう。そこにこそ、かれの自恃の、そもそもの根拠もまた横たわっていたにちがいないのである。

そしてそのように自立した法律家たる作中人物の肖像と、法学の終生の研究がかれ自身につくりあげた思想とを、小説のかたちにおいて提示しおわると、ちょうど黒板に試験問題を書いて、わきにひきさがり、解答用紙にむかって角逐する生徒たちを眺める教師のように、高橋和巳は、さあ、きみたちおのおのが、この選りすぐられた対立物にたちむかえ、と呼びかけたわけであった。

この形式にかかわっていうかぎり、作家の想像力は、現実世界に、肉体と魂と声とをもって、幾重にも束縛されながら実在しているところの、かれの、かれ自身から自由だといわねばならない。それはおよそ作家にとって理想的な自由である。作家は、ひとつの作品を書き終え、次の作品にいたるまで「本質的には目立たぬ沈黙者にすぎない」と高橋和巳は書いたが、この形式がとどこおりなくみたされるかぎり、かれはほかならぬ作品のなか、作品の背後においてもまた、目立たぬ沈黙者でありえたであろう。そのようなかれは、ここで自由にひとりの法律家を選びだしえたように、挫折した革命運動家を、もと右翼を、テレヴィの解説者を、ますます自由に選択することができ、そして読者たちが、つぎつぎに新しくあらわれる対立物にむかって、なんとか新規な角逐を試みはじめるのを、目立たぬ沈黙者として、裕然と見まもることができたはずであった。

もっとも、そのようにも現実のかれの、かれ自身から自由である想像力の発揮が、現実にありうるとして、その場合、かれはなぜ、その自由な想像力の発揮につとめるのであろうか？ かれにとって、その自由に発揮された想像力の結実とは、いったいなんであろうか？ かれは状況から一歩、薄暗がりにしりぞいて、読者と作中人物の角逐を見まもることを楽しむ、教師、審判員、実験科学者の楽しみを楽しむのみの人間なのか？ いったい、とくに選ばれた人間というのではない(といっても僕が、選ばれた人間に興味をいだいているわけでは毛頭ないが)作家という、その本質において凡庸な人間が、かれ自身のつくりだした作中人物と、見知らぬ他人の角逐を、高みの見物している資格などあるのか？　むしろ現実のかれの、かれ自身から、まったく自由な想像力の発揮がありうるとして、そのような想像力の発揮とは、想像する人間の消去、かれみずからの手によるかれ自身の抹殺をすら意味するのではないか？

　もし学問のユートピア、と呼ぶにたる場所が現実にあるとして、そこに学者高橋和巳がとじこもりえたとしたら、（かれの死をひとつの壮絶な戦死とした、大学改革運動とかれの思想の根源的かかわりについては、僕はなにごとかを語る任ではない。それは、高橋和巳の、もうひとつの想像力の課題として『人間として』の、おなじく教師でもあるかれの同志たちが論をたてるべきであろう）かれはその楽園から、そのような透明人間のごとき者からの、小説の形式をとった長文の通信を送りつけてよこす、幸福なアマチュア作家でありえたかもしれない。しかし、かれはいかにも教室の講義としての文学の読みかたを楽しみえた時分に、はやくも作家としての「文学の苦しみ」を語り、ほかならぬそのようなものとしての、作家たることを、自他に意識せしめていたのであった。

《昨日も詩を読み、今日も詩を読み、明日も詩を読む。それがいかに美しかろうと、そんなことでどうなるか。こんなことでは生きていけない。文学をするということは、おそらく荒涼たる心を抱いて、その荒涼感を埋めるべくもなく彷徨うことであろう。》

　いったいなにがそのようにも荒涼としていたのか？　なぜその荒涼感を埋めるべくもなく、彷徨わねばならなかったのか？　高橋和巳の「荒涼」には、それこそ想像力の問題に根ざす契機があり、それはサルトルの想像力論と、直接に、ひびきあうものをそなえていると感じられるが、それはひとまずおいて、実際に『悲の器』における、かれの想像力の実質をみてゆこう。

《私は文学者ではない。事実性と論理性のほかに文章を不必要に飾る刻鏤に対してはあまり好意的ではない。私は事実の証拠とそれを構成する部分としての人的動機――心理ではない――にしか十全の興味をおぼええぬ性格である。長年の職業的訓練が私をそのように鍛えたのであり、みずから作りなしたその性向に対して私に不満はない。》

あえて率直にいうならば、実際、僕は生前の高橋和巳と新宿の酒場で出くわすということがあり、当の課題にかかわって口論することになったのであるが、主人公の法学者の、文体宣言であるこの一節は、それ自体が「事実性と論理性」にのみ立った文章とは、うけとりがたいように思われる。「不必要に飾る」というような批評は、事実性において、意図的に語られるのでなければ漠然とした評語である。それは文章という、およそ「飾り」と独自の実質とのあいだのボーダーラインの存在しないものを、現実にそくして、よく見ている者のいうことではないであろう。しかもそのようなあいまいさをふくんだ句を「あまり好意的でない」という複雑な否定で、やはり漠然と受けるのは、問題の論理性において、厳密でない。そしてこのような文脈における「刻鏤」という種類の言葉の使用は、それこそ不必要に文章を飾ることであろう。すなわち、この文章は、初老の法学者の文体などというものがあるとして、それであるというより、やはり高橋和巳という三十歳の作家の文体である。そしてその結節点にいったん眼をそそぐ時、かえってわれわれには、自分の想像力の世界に、ひとりの初老の法学者を構築しようとしている若い作家の肉体、現実のかれの、かれ自身がまことにくっきりと透視されてくると思われる。

ひとりの若い作家がいる。かれは自分が経験してきたところの実際にそくしてこまごまと語ることを望まない。しかしかれは、自分に小説を書かせようとするところの、内部からの衝迫の強さ、激しさを自覚するがゆえに、前もって小説の登場人物を、可能なかぎり、かれ自身から遠いものにして予防線をはる。かれはひとりの作家として「体験の抒情的表白と、没入による追体験」をまず厳格に拒むのである。したがってそこには、いわば初等力学の関係のようにも、明瞭正確に、ひとりの初老の法学者を選んで、自分の体験の抒情的表白をみずからに禁じ、また、なまなかではそこに没入しえぬ対象を設定して、自然な追体験をみずからに禁じている、ストイックな若い作家の顔が、まっすぐ裏から照明をあたえられて、浮びあがるしくみである。

そして小説の末尾にいたるまで、ついにこの逆光をあびた作家の、若い真摯な顔がわれわれの視野から消えてしまうということはないのである。

もっとも端的に図式化すれば、ここには、ひとりの若い魂が、これからはじまろうとする生涯の選択に、大きい確率をしめているところの、アカデミズムの権力構造のなかでの、学者としての人生像を、あらかじめ、そのすみずみまで予見しとおしておきたい、というねがいに発した想像力がある。想像力の局面にかかわっていう時、初老の魂がかれの生涯を想像力的に復元するのと、若い魂がかれの生涯を想像力的にあらかじめ組みたてるのと、どこに本質的なちがいがありえよう？　かれらふたつの魂は、出発点こそ、前後の両極であるが、おなじひとつの時間線分内に、同一の想像力にかかわって実在するのである。それが『悲の器』を、裏がえされた（しかも素直に裏がえされた）青春小説としてなりたたしめている想像力の自然な構造である。

『悲の器』のあと、なお十年たたぬうちに高橋和巳は、かれがかつて初老の法学者をつうじて想像力的に予見した、アカデミズムの権力構造のうちへ助教授として戻って行った。僕がこのようにむきだしに書くのは、高橋和巳の次のような自己表白をはっきりしたかたちで受けとめたいからである。

《私の場合ですと、非常に個人的なことになりますけれども、自分がこの具体的な局面で、志を貫こうとすることと、自分を京都大学へ赴任するように促した恩師との関係性なども非常に困りました。私自身が、この大学の闘争の中で自己批判しなければならないと思った最大のことは、つまり私が文学、あるいは思想の領域で、論理的に追究してきた論理の局面と、私自身が、日常的な人間関係で処理していた処理の仕方というのは、平和共存的に共存していたんですが、これは、完全に同一原理じゃなかったんですね。非常につらいことですけれども、自覚せざるをえない一つの矛盾であったということに、この闘争を通じて気づくわけであります。》

想像力において生きている人間の心魂をそそいだ局面と、現実世界のかれの、かれ自身の局面との関係のしかたは、奇妙なものだ。『悲の器』の結末の初老の法学者の決意は、アカデミズムの権力構造にありうるありとある生き方、選択のすべての形態をくるみこんで、その極点にあって発せられた声であり、若い作家は、まず、そのようなすべての形態とのかれ自身の角逐によって、当の小説を書いたのであるが、あらためて現実のかれの、かれ自身は、あの初老の法学者の眼にはやすやすと見えていた「矛盾」に、はじめて大学闘争をつうじて気づいたのであった。しかしそのような、奇妙な現実経験のありようそのもののうちに、若い作家が、ついにかれ自身入って行かねばならなかったことを重ねあわせて、あらためて『悲の器』を見るとき、この小説は、むしろひとつの全体小説への指向をすらやどしたものとして、重おもしく広く、再現されるのではあるまいか？
《私は死んでも、私には闘いの修羅場が待っているだろう。私を踏みつけにせんとする悪魔どもがつぎつぎとあらわれ、現われつづける。我が待望の地獄が、私は慈愛よりも酷烈を、奴隷の同情よりも猛獣の孤独を欲する。私は権力である。私は権力でありたい。》

　『悲の器』における高橋和巳は、想像力を発揮する人間として、きわめて広範囲に、自由であることをめざした。かれは、現実のかれの、かれ自身からまったく遠くはなれた、初老の法学者に、小説を一人称によって語らしめるということをして、作家たる現実のかれ自身を、背後の暗闇にひそませた。しかし、そのような法学者の設定自体に、いわば未来の時の方向から、逆に視線をなげもどすかたちで、ひとりの若い学者・作家の、かれの生涯についての微妙な不安にいろどられた展望をうつしだす構造があった。それは、作中人物がついに、「私は権力である。私は権力でありたい。」と主張する小説の極点にいたって、あらためて、そのような存在に、はっきり自分を対置する、若い作家の実体を浮びあがらせた。それは、作家が、作中人物を否定的媒介として提示して終る、という単純なしくみの課題ではなかった。それは具体的に、それまでつねにその横顔をあらわしながらも、なお小説の背後の暗闇にひそんでいようとした作家が、かれの想像力の光の総量を、「私は権力である。私は権力でありたい。」と主張する初老の法学者になげかけ、その照りかえしによって、ついにかれ自身を、光のなかにあらわしてしまうことであった。

　そしていったん高橋和巳が、アカデミズムの構造のうちに戻って行くと、大学でのかれの実在そのものが、さきの、ふたつの顔のあいだを照射しあう、想像力の光にこもごも照らされた。僕はしばしば、『悲の器』の全体が重みをくわえつつ、いまあらためて立体化されてゆく光景を思いつつ、大学でのかれの動静をつたえる噂を聞いていたものだ。かれ自身にとってはなおさらのことに、『悲の器』にしこまれた想像力のダイナミズムは、大学の構内を歩むかれの頭脳に、つねに動きつつ生きていたことであろう。しかもかれの大学は、改革闘争のさなかの大学であった。かれはそのような大学を、想像力の解放されている大学、として把握していた。かれの眼にうつり、かれの意識にとらえられる大学は、いったん『悲の器』をとおりぬけてきた、そしていまなお『悲の器』の緊張関係を背おっているかれの想像力において、おそらくかれと同時に大学の構内にある、いかなる人間においてよりも、全体的な構造をそなえたものとしてとらえられたのである。かれは『悲の器』で自分が綯《な》った想像力の縄によって、いま現実の大学にかれ自身かたく縛りつけられていた。かれは自由をうしなっていたのか？　それはそうでなかっただろう。かれは新たな想像力の世界に、その現実の大学をまるごと躰に縛りつけたまま、あらためて跳躍してゆくことができたのだから。高橋和巳が「生爪をはがすようにつらいことでありましたけれども、やはり正しいことのためには、恩師であろうと対立せざるをえない」というようなかたちで、大学への別れを語ったにしても、その時かれのおこなった選択は、もっと複雑な層をなしている想像力の行為として見えてこないではいない。かれは『悲の器』の、初老の法学者と若い作家の緊張した想像力のダイナミズムを、あらためて一挙に超えるかたちで、その選択をおこなっているのだから。

高橋和巳はこのようにして、想像力を発揮する人間としての自由を十全に発揮し、そして、現実にむけてその自由をなげうつ逆転をおこない、しかもなお、あらためて現実の選択によって想像力の世界の自由をも、ともに回復してしまうところの、一瞬の劇を現実化したのであった。そしてこの一瞬の劇はすでに消滅する性質のものではない。

さて『人間として』の人間たちよ。僕はいま高橋和巳の遺稿『遙かなる美の国』の序章を読んで、そこに、あらゆる秀れた作家が、ついには行きあたる(あるいは、真の作家としてそこから出発する)、小説としての真の美しさが、重おもしく、豊かにあらわれようとしているのを見た。高橋和巳が、より長い生命の時をかちえて、この美しさを完結せしめるという、すばらしい夢を、それは痛恨の思いとともに、夢みさせる。しかし、おなじく作家として僕は、ここで試みられようとした美しさとは、ついに、それこそ遙かなる美の国なのであって、たとえ高橋和巳が生き延びても、それを幸福な完結にみちびくことは、不可能であったのではないか、とも思うのである。われわれ作家は、いつか、このような真の美しさの手がかりをつかみとる。ところが、その手がかりを、散文の世界に、その全容においてかこいこむことはじつにむつかしい仕事である。われわれは、詩の断片かアフォリズム、小さなスケッチのようなかたちで、そのきっかけをノオトに書き記したりするだろう。ところが、それに立って散文の営為をつづけるうちに、小説そのものがもとめる整合性の要求にせまられて、ついに、その真の美しさのきっかけを、作家自身、修正したり、削除してしまったりしてしまうのだ。『人間として』の人間たちよ。きみたちはそのような、なんとも惨憺たる体験をもたないだろうか？　僕はといえば、じつにしばしばその体験をし、自分にとっての、真の美しさとは(このようにいえば、僕は、およそ古典派でないきみもなお美しさを探しもとめているのかと、揶揄されるのではないかと思われるが、ここで僕のいう真の美しさとは、ひとりの人間が作家として人生を費消するとき、それでもあの男には、これだけの実質が貸借対照表にのこったと、もっとも客観的なるものがいうであろうところの、その実質すべてという意味なのである)、あの幾たびも破棄しなければならなかった草稿の、あれらの皺くちゃの紙片に記されていたのではなかったか、というもの狂おしい思いにとらえられる。そしてまたぞろ性懲りもなく、それを回復しようとして新しい草稿をつくりはじめる、というわけなのだ。

高橋和巳の『遙かなる美の国』の序章には、かれの作家としてのすべての生涯がかけられているような、真の美しさがあると感じられる。かれが早すぎる死を予知して、いま発表されたかたちでの数ページを遺したのではありえぬであろう。このような序章は、かれが新しい小説にむかおうとするたびに、つねにかれをとらえ、かれを揺さぶったものなのであろう。高橋和巳に、より永い時があれば、かれはあらためて、かれの小説全体の完成のために、この、なまなかの散文の世界にはうめこみえない、硬すぎる宝石、純粋すぎる酒精を、ふたたびかれの存在と、想像力を虹のように懸けている深部へとしずめてしまったのであるかもしれない。しかし、最後の小説の、未定稿としてのこる部分に、見まがいがたく、そのような、かれ固有の真の美しさを提示して、思いがけぬ死にめぐりあう、という作家こそは、根本において真の作家である確証を示す者というべきではあるまいか? かれは遺稿の冒頭に書いている。

《私は遠い西方の果てからこの〈地上の国〉へ、はるばると旅してきた。もう二十余年も以前になる。》

僕は、ほとんど同じようなリズムと、それこそ人間がついに、真の美しさにめぐりあおうとしている重い予感の印象から、この文章にあいつうじると思われる、アメリカ人の小説の冒頭を想起した。

《In the cactus wild of Southern California, a distance of two hundred miles from the capital of cinema as I choose to call it, is the town of Desert D'or. There I went from the Air Force to look for a good time. Some time ago.》

このアメリカの小説家は、かれの小説を、最後まで書きおえるに充分なだけ生き、なお生きつづけているが、その小説全体を計量しても、この最初の文節にあらわれているような、真の美しさの予感を十全にみたしえはしなかった。しかしこのアメリカ人が、この小説でなにをめざしたか、小説を書きはじめるにあたってかれの眼にどのような、幻のうちなる真実が見えていたか、それを読者は決して見うしなうことはないであろう。

高橋和巳に、より永い生命の時があれば、かれはついにこの冒頭の文章の予感させるすべての豊かさを、達成したのであったかもしれない。そのように、深い淵にのぞんで息をのむように考え、また同じく、重い緊迫感とともに、それはもしかしたらやはり不可能であったかもしれない、と考えの輪をくるくる廻りつつ時をすごす、同時代の作家としての僕の眼の前に、この真の美しさの実質は、生きて増殖するものとして確実にある。そのように思う時あらためていま、有機体として活動する、高橋和巳の想像力の全容の、一瞬の大跳躍に立ちあうのを経験する、と僕がいえば、『人間として』の人間たちよ。きみたちは、なんとおおげさな、あいまいなことをいうのか、と微笑するであろうか?

しかしついに『遙かなる美の国』の序章において、幻のように、現実よりもなおくっきりと立ちあらわれる、想像力発揮の現場の眺めは、ついにかれが、想像力を発揮する人間として自由であり、かれの発揮する想像力のなかで充分に跳躍する力をかちえて死んでいったことを、しのばせるように僕には思えるのである。

あらためて『悲の器』にもどれば、法学者の妻が結婚直後から発しつづけた、睡眠中の「人間の叫び」には、そこだけが、いわば法学者の手記のしるされているノオトの黒いしみのようにも、およそ異質な吸引力があって、小説全体の均衡をうちくずすかのようであった。それは初老の法学者の意識をこえているのみならず、若い作家の意識をすらこえているものを感じとらせる数行であった。想像力の発揮の究極にあるものの、それは作家の意識をこえるものの実現にほかならない。『悲の器』の、不安に苦しげな「人間の叫び」にかわって、『遙かなる美の国』において、自由に想像力の世界を飛翔しようとした高橋和巳の意識をこえたものとは、おそらく真の美しさこそに根ざしていたのではなかったであろうか？　僕がいま、『人間として』の外部にある者として、『人間として』の人間たちよ。きみたちにおくりうる、唯一の慰めの言葉は、『文心雕龍《ちょうりょう》』の美の分析者として出発したきみたちの同志が、癌によって肉体と魂を潰滅させられようとしながら、ついにかれの意識をこえたものとして現実化される、真の美しさという、もっとも人間的な実質に面とむかっていたように思える、ということのみである。個人的な感慨をつけくわえるならば、僕のねがいは、たとえ癌で死ぬのであれ、事故か敵意による出来事かによって殺されるのであれ、苦しい息をひきとるそのまぎわに、想像力ノ世界ニ関ワルカギリ、見ルベキホドノコトハ見ツ、と地球上のすべての他人たちにむけて、ひとこと申しのべることである。

〔一九七一年〕

未来へ向けて回想する
——自己解釈㈥

大江健三郎

1

敗戦時に十歳の少年であった僕が、戦後文学を読むことで、つまり戦前・戦中に危機的な青年期をすごし、戦後に文学者として出発した作家たちの仕事を読むことで、はじめて同時代の日本文学を発見して行った。その戦後文学者との出会いについて、僕は一九六三年に「戦後文学をどう受けとめたか」を書いた。十年後に刊行した『同時代としての戦後』は、そのような僕として、綜合的に戦後文学をとらえようとしたものであった。そしてあらためてその五年後に書いた「今日の文学は戦後的批判を越えているか」が、現在までの僕の、戦後文学についての、ひとつのしめくくりをなす。それは作家としての自分の今後について、次のように決意をあらわして終る点で、明日に向けて開いているものだが……

《……後退、転向の後、あらたに「尊王攘夷」的「ナショナリズム」が居丈高に押し出され、それが実際に大多数の日本人の心をとらえる先行きが見られるところに、竹内好のいう、本当の近代を通過せぬ日本人の封建的な特質が、まことにあからさまに露出していよう。それゆえにこそ竹内好は、日本文学、戦後文学を、根の深い「絶望」の思いとともに批判した。もとより竹内好の「絶望」は力にも転化して、日本文学、戦後文学を決して後退のおこらぬ、後退しえぬ一点にまで、はっきり押し進める契機ともなりえるものであった。内部にその力を感じつつでなければ、竹内好が無用な批判の言葉を発するはずはなかった。やはりすでに死者である竹内好の、その批判の言葉を僕がここに書きうつす勇気をえるのは、次のように考えるからのことだ。日本文学、戦後文学は竹内好のもっとも根本的な批判によく応えなかったが、その批判がまさに根本的であるゆえに、われわれはあらためてこの課題をひきうけることができるはずのものである。それはひきうけねばならぬのでもある。》

繰りかえしここにその名を出した竹内好を、僕は秀れた学者としてのみならず、戦後文学者の重要なひとりとして受けとめてきた。しかも『同時代としての戦後』には、この中国文学者・文学理論家・政治思想家を、その巨大さのわずかな部分にかかわってであれ、とりあつかうことができなかったから、さらにも自分としての戦後文学者についてのしめくくり、あるいは中仕切りとしての文章に、竹内好の仕事を引用することをねがったのである。当の文章は、講談社刊『方法を読む――大江健三郎文芸時評』におさめてある。

さて僕が一九七三年に『同時代としての戦後』を刊行したについては、現実的な動機があった。それは一方では、自衛隊に闖入して割腹自殺した三島由紀夫の事件を契機に、戦後的なるものと、その最良の文学的実体である戦後文学への否定の、いわば社会的風潮がさかんにおこってきたからである。僕はそれに抵抗したいと考えた。この動機づけについては、『同時代としての戦後』の最後の文章が直接に語っている。

もうひとつの動機は、戦後文学者たちが一九七〇年前後にそれぞれ発表した新しい仕事に、生きいきした関心をひかれていたことである。僕はそれら戦後文学者の新作を中心にして、あらためてかれらの仕事の総体を読みとってゆくことを、これらの文章の方法としした。さらに具体的な方法としては、僕は戦後文学者たちのひとりひとりを訪ねて、あの疾風怒濤の時代の戦後すぐから、四半世紀の後、かれらがどのように生きているのかを、表層をかいなでることになるにしても、スケッチとして示すことにした。その機会に戦後文学者との対話を、録音カセットに残すこともしたのである。もっとも僕は、自分の引用についての考え方から、戦後文学者たち自身の書いた文章をしか(語った言葉の記録の場合は、実際にその語り手の加筆訂正がおこなわれたと見さだめられる文章をしか)引用することはしなかったのであるが……

各章を書きすすめてゆくに際しては、僕は小さな仕掛けもつくった。それは全体のしめくくりとして書いた最終章をのぞいて(ここではみな、すでに死去した戦後文学者たちをあつかったから、訪問と録音カセットによる対話の記録ということもできなかったが)、すべての章に仕掛けられている。先行する文章の結論部分の、キー・ワードをなす言葉を、次の文章の書きはじめに置く仕方。そうすることによって、僕はここに語った戦後文学者たちが、各人みなつらなった存在であり、本質的なつながりの輪はこのように明瞭だと、浮びあがらせることを望んだのである。それらの部分を抜き書きすれば次のとおりとなる。

野間宏と水。そして水と大岡昇平。(さらにこの水は原民喜とつながるし、梅崎春生における酒とも僕としては直接につなげたいのであった。)大岡昇平とcontemplation。contemplation と埴谷雄高。埴谷雄高とデモクラット。デモクラットと武田泰淳。武田泰淳とユーモアの微光。ユーモアの微光と堀田善衞。堀田善衞と見るべき程の事は見つ。見るべき程の事は見つと木下順二。木下順二と神さまに突っかかって行ってやる。神さまに突っかかって行ってやると椎名麟三。椎名麟三と懲役人。懲役人と長谷川四郎。長谷川四郎と極限状況を生き延びる。極限状況を生き延びると島尾敏雄。島尾敏雄と「崩れ」。「崩れ」と森有正。

そして僕の意図では、水のように一般的な言葉はさておき、右に傍線したいかなる言葉とも、三島由紀夫は無縁に、さらには対立的にすら感じられる点で、戦後文学者たちと活動年代においてはあいかさなったが、かれらと異質の存在であったかれの本質を照し出す手がかりともしたかったのであった。

僕が戦後文学者たちと三島由紀夫とを、おなじ時期に、おなじ文学状況で活動し、たがいに交渉すらを持った作家同士でありながら、しかしはっきりと異質であったとする理由。それは『同時代としての戦後』のなかでのべたことであり、かつここでも一種の要約としてそれを表現したのであるが、そのどちらにも属さぬこととして、僕にはもうひとつ考えていることがある。

戦後文学者たちは、戦前・戦中、その自由な表現のバネをたわめていた人びとであった。確かに武田泰淳は司馬遷についての著作をあらわしたし、大岡昇平にはスタンダールの翻訳があった。しかし武田泰淳はほかならぬ日中戦争のさなかに、鬱屈した心をいだいて『史記』論を書いたのであったし、大岡昇平は検閲の課題に制約されることがなかったにしても、しかしこれは自分本来の仕事を代表するものではないという思いがあっただろう。野間宏の、軍隊経験にかさねる沈黙が典型するように、戦後文学者の戦前・戦中は、国家権力の圧力のもとに、表現をもとめる鬱屈にみちたバネがたわめられている時期であった。国内での圧力の重さを逃れての、武田泰淳、堀田善衛の外国行きであったとさえいいうる側面があるだろう。戦後、たわめられていたバネが、それだけに強い力をあらわして、かれらを自己表現に、それもっとも全的にかれら自身の人間を表現することのできる小説へとむかわしめたのである。

それに対して三島由紀夫は、戦中すでに、年少ながら小説を発表しえていたのであった。そして戦後文学者たちがみな、青春の時期を終えようとして、あるいはすっかりそこを通過した後で戦後をむかえたのに対して、三島由紀夫は、まだ青春のただなかにある人間として戦後に入りこんだ。かれには戦後文学者たちにおけるような、表現をもとめてやまぬ憂悶のかたまりは抱懐されていなかったであろう。

したがって戦後文学者たちが、その戦争体験を軸に、表現をもとめるなにものかを持っており、なにはともあれそれを表現することに励んだのに対して、三島由紀夫は、どのように表現するかを、もっぱら創作の課題としたのであった。戦後文学者の文体が、それによって表現すべきなにものかのためにつくりだされたものであったのに（武田泰淳をその典型とするが、当初から完成された文体の持主だった大岡昇平も、その使用する言葉についてはストイックで、かりにも言葉に淫することはなかった）、三島由紀夫は言葉をきらびやかなものとして選びだし、かざりたてる文体づくりにのみ腐心して、その文体はどの作品でも同じであった。

戦後文学者たちは、戦前・戦中にかれらが抱懐した、表現をもとめるなにものかをいったん表現してしまうと、それぞれ重い緊迫感のある沈黙のうちに入った。そしていったんその沈黙の時期をくぐりぬけて後、かれらはその生涯の文学的完成をきざみ出すところの、大きな仕事に歩み出たのである。僕が『同時代としての戦後』を書いたのは、戦後文学者たちのそのような時期を見とどけてのことであった。

三島由紀夫は、その作家としての生涯の全域を、陽のあたる場所で書きつづけ、沈黙することはなかったが、むしろそれゆえに、かれの生涯の文学的完成とみなしうる、決定的な作品を書くにはいたらなかった。三島由紀夫が、その自決計画のなんらかの齟齬によって今日に生き延びていたとしたら、――『豊饒の海』の輪廻転生の主題？　そんなものがどうしておれの、この世に生を受けて作家となった、究極の表現目標であっただろう？　おれ自身がそれを信じず、またきみたちにそれを信じせしめうるとも信じぬのに？　と笑ったのではないであろうか……

2

あらためて僕自身の、戦後文学者とのつながりをふりかえってみよう。それはもとより、かれらの文学を読む者として、僕が一方的につくりだしてきた関係である。単に年齢の点からいっても、戦後文学者は、僕にとって威厳ある教師という間隔を置く存在であった。また戦前・戦中にかれらの体験したところは、戦後育ちの僕にとって、おなじものをおなじかたちで体験することは決してありえぬと感じられた。いわばかれらは、はっきりと成年に達した知識人の頭と肉体とで、ふたつのことなった世界を生きた（そしてそのふたつのうちの、後半の世界に、僕がかれらと共生している）、そのような人間だと感じられたのである。しかも僕がひそかに感じとっていたところをいえば、そのふたつの世界の間で、かれらのひとりひとりが、死と再生を経験してきた者らであるようなのでもあった……

僕よりもはるかに若い新世代にとって、こうした僕の感じとり方が、いかにもおおげさな、大時代なものとされることはありうるだろう。しかし戦後文学者は僕にとって事実そのような存在であったのだし、その特別さの思いを一般化して語ることもできると思えるのである。太平洋戦争は、日本人の経験した、明治維新の近代化以来もっとも重要な、大きい出来事であった。もとよりここでいう太平洋戦争には、日中戦争もわかちがたくからみついているのであるから、その総体を十五年戦争として把握する仕方に僕は賛成する。

その太平洋戦争(十五年戦争)を、明治維新以来の近代化の自覚的な展望を持ちつつ(ということは、この近代化の過程で大きい意味をそなえてきた、中国との関係へもよく眼くばりをしつつ)、そのような知識人として見つめ、かつ兵士としてそこに参加せざるもえなかったのが、戦後文学者である。近代化の全体へのはっきりした意識をもちつつ、その近代化の歪み、ひずみのひとつの帰結である太平洋戦争を、知識人として経験したのが、戦後文学者なのである。

しかもかれらは、敗戦後の日本について、それぞれの問題意識において、積極的な関心をよせていた。それは戦後すぐの活字文化において見慣れた言葉であった、新生日本、新日本の建設に知識人として参加する、そのような意志をそなえている文学者たちであった。かれらは戦後日本の、瓦礫の上に築かれる新しい文化の全体像を、構想してゆく者らであった。戦後、様ざまな文化会議が組織されて、文学者は社会科学、自然科学の同年代の学者たちと、横のつながりの緊密な活動もした。これら戦後の知識人たちが、総ぐるみ、新しい日本の文化的、また社会的、政治的あるいは国際的未来像を構想しようとした、ということでそれはあった。

そして戦後文学者たちの文学は、直接にその勢いを反映するものであったのである。しかもかれらはかならずしも「政治小説」を書くようにして、社会全体についてのかれらの関心の表明をおこなったのではなかった。エッセイ・評論においても、たとえば武田泰淳の批評的な文章が代表するように、それはかつて小説家がとらえてきた範囲を大幅にこえる、広さと深さの表現であったが、しかしその文体は、まさに小説家のものであったのである。しかも武田泰淳らのエッセイ・評論は多様な異領域の専門家たちの、まともな関心をひくものであった。

加えて外国文学の本質的な影響、つまり影響をあたえる者とその影響を受ける者との、正面からの対立と乗り越えをへた影響関係が、戦後文学者たちのつくり出した日本文学には見られた。たとえば魯迅、ドストエフスキーを介して、戦後文学者は、閉鎖的な国内性を突破する要素を日本文学にしこんだのであった。あえて若い読み手に呼びかけるようにいうならば、このような戦後文学者の日本文学と、時をほぼ同じくして翻訳紹介されたアメリカ、フランスの戦後文学者の仕事とを、僕はおなじ同時代の文学として読み、それらの間に差異を大きく見出すことはなかったのである。

そして僕自身が作家としての仕事を始める過程で、すぐ年上の、いわば兄の世代の文学者たちを跳び越えるようにして、戦後文学者たちに敬意のこもった親近の思いをいだいたこと、それがまた僕とほぼ同年輩といっていい、高橋和巳や小田実の態度でもあったこと、それを思いかえす時、僕には次のように感じられる。すなわち戦後十五年近くたって、戦後的な諸契機が閉じられようとしていた時、僕らの年代の者らは、その閉じる扉に支えをこじいれるようにして、戦後文学者に直接呼びかけたかったのだと。つまり、あなた方の達成した、また達成しようと志した文学こそが、自分らには真の文学だと思えるのだと、したがってそちらからもこの閉じる扉を押しひらいて、われわれにとって師匠《パトロン》たるあなた方自身を、さらによく見せてくださいと、呼びかけたかったのだと……

3

僕が小説を書きはじめてすぐ考えるようになった、これもいわば固定観念のような命題の、もうひとつはこうであった。さらに一度、戦前の暗い圧制があり、戦争がある。そしてその戦争とは、おおいに核戦争ですらありうるものなのであるが、その瓦礫のなかに生き延びえたとして、自分は新たなる戦後文学者たりうるだろうか？　そのもう一度の敗戦の後、あらためての新生日本、新日本の建設に向けて、新しい文化の全体像の構築に、文学の側から参加する創造的気力を持ちこたえうるだろうか？

　そのように考えてあきらかになるのは、二つの側面に関してであった。ひとつは、そのように問題をたてなおすことで、あらためて戦後文学者たちの努力のかけがえのなさが再認識されたことである。かれらはまことに悪条件のなかでよくがんばったと、僕は思わずにはいられなかった。僕と同年輩の者らはもとより、もっと若い者らのなかにも、すでに数年前から、戦後文学者の仕事を、全面的に否定する者らがあらわれている。連合軍の占領政策とからみあわせて、その検閲制度は真の創造性のある文学を圧殺するものであったから、そのなかでのかれらの文学を評価はできぬ、というような粗大ないい方すらあらわれた。もっともこの種の論客は、風見鶏さながらに、その論点、論調をクルクル移動させるので、まともな応援もむつかしいのではあるが。そこで、――ここでいわれていることは本当だろうか？　とあらためて戦後文学者たちの仕事、生き方を見なおす者には、充分に価値のある発見があろう。

　すなわち、戦後文学者たちは敗戦後の連合軍占領下に仕事をはじめたが、かれらこそは占領軍の支配にたいしてまさにインデペンデントな資性の持主であったのである。戦前・戦中の、鬱屈を強いられる時代を生きたかれらは、不屈の自立性をそなえた精神の持主として、きたえあげられていたのである。それは日本の近代・現代文学者の名において誇るべきであろう。そしていったんそれを評価した上で、さらに根本的な問題として、僕はさきの竹内好の批判をとらえなおしたのであった。

もうひとつあきらかになる側面とは、こういうことだ。敗戦後三十五年、アジアの状況に限っていうにしても、われわれは新しい戦前の緊迫のうちに生きているといわねばならぬだろう。そのなかで、自分はかつて戦後文学者たちが内部に抵抗のバネをよくたわめたようにして、しかも時代の全体像を見きわめえているか？　そしてこれから来るところのものにつき、さらにそれ以後につき、そこに主体的に自分の表現世界をつくりあげるべく準備しえているか？　そのように考えてみると、僕は自分がある大きなペシミズムのみを、未来についていだいているのではないかという疑いをいだく。もうひとつの新しい戦後。そこでかつての戦後文学者たちがおこなったような、時代の新生に向けて全体的に責任をとってゆこうとする、そのような文学の営為はついにおこなわれぬのではないか？　もともと、その新しい戦後に生き延びた人びとが、あらためてその戦後文学を読みとろうとする気力を持たぬのではないか？

それは僕が『同時代としての戦後』において、戦後文学者たちが存在の核心に置いていると感じられると、しばしば繰りかえした、終末観的ヴィジョン・黙示録的認識という言葉を介していえば、あらためてわれわれは、次の戦争をつうじてとらえる終末観的ヴィジョン・黙示録的認識については、それを想像するだけでもその重みに耐ええなくて、未来へ向けてそれを思い描くことすら放棄している、ということではないであろうか？

　しかしすくなくとも作家は(それを僕は、やはり無力感をいだく自分を励ますようにしていうのでもあるが)、想像力的に可能なかぎり全体的に、次の戦争、次の戦後へと準備すべく、自分をきたえねばならぬだろう。戦後文学者たちが、さきの戦前、沈黙してひとり鬱屈に耐えるようにしてそれをおこなったように。そしてそのように考えれば、今日の新しい戦前において、われわれにとってもっとも具体的に眼の前にいる、信頼にたる師匠《パトロン》たちこそは、やはり戦後文学者たちにほかならぬのである。

4

戦後文学者たちの誰もが、特別な思いでその仕事と生き方を見つめつづけた、わが国びととしての先行者。それは中野重治である。僕はその一周忌の記念集会に「楽しさということ」という講演をすることになっていた。現に演壇に立ちもしたが、そこでは自分が準備したものに充分な時間をあたえられることはなかったので、以下にカードに書いて行った要旨を書きうつしておくことにしたい。

　中野重治の生涯とその仕事は、戦前・戦中の、軍部、特高警察との関係、協力派の文学者との関係を見ても、あるいはまた戦後の、占領軍による弾圧や『甲乙丙丁』に書かれた、日本共産党との関係を見ても、じつに暗鬱な苦しみにみちたものだった。しかもその生涯をつらぬいて、中野重治は楽しさという言葉が好きであった。それを仕事に表現しもした。そしてその楽しさという言葉は、いかにも中野重治にふさわしい。しっくりするものに感じられもする。われわれ自身、中野重治の仕事を読んで楽しさを感じる。『梨の花』など、農村育ちの人間である僕は、いかにも楽しいものとしてそれを読んできたのであった。そこで僕はここにあらためて、中野重治における楽しさということを見てゆきたい。

いいい楽しさという言葉が、直接タイトルとなっている小説として、戦後の作品『ある楽しさ』があった。それはこう書き出されている。《ほんのちょっとしたことを、意味があったにしろ、あまり大袈裟にいってはよくないだろう。それでもそれは、ちょっとした楽しさだった。》

梅蘭芳来日を歓迎する会に、呉清源が来ているのを見て、中野重治はその感じるところをのべてゆく。《まれな運命をたどってきた天才と、日本軍の侵略・占領の時期には髭を立てて女形《おんながた》の仕事をボイコットしたという話のあった芸術家とのこの出会いは、それがこの出会いという形を全く取らなかっただけに、人目につかず幸福なものだった。事実は片すみのものだった。ほんの片すみにこれが事実としてあった。それが私には楽しさだった。》またやはり中国からの人びとを迎えての会で、比較していえば若い劇作家の曹禺に、魯迅の妻であった老年の許広平が、なにか耳うちして教えながら、顔に血をのぼらせる。《見ていてそれは言葉どおり楽しかった。》あるいはロシアからの亡命者ブブノワが、これはソヴィエトの作家たちを迎えての会で、日本人の通訳になにごとかを教えてはにかむ。《いいこと、よくないこと、——それよりも、ああやって、白髪《しらが》の肥えた許広平が顔をあかくして曹禺に耳打ちしたこと、白髪で瘦せたブブノワが、ひどくはにかんで土方《ひじかた》にヒントをあたえたこと、事がらもそうだったが、その姿、恰好が私には楽しかった。楽しさといって許されるかどうか知らなかったがそれは楽しさ

だった。》

ここには中野重治の感じとる楽しさの特質が、端的に示されている。それは中野重治が、人間のもっともすばらしい美質と感じとっているものと、かれ自身ふれあって呼びおこされる感情である。そしてこの楽しさと、それをさまたげるものとの関係は、戦後の『楽しき雑談』におさめられた、太平洋戦争が始った年に書かれた文章に表現されている。中野重治が中学生の頃、松茸狩りに行った。そこでかれらは沢山の松茸をとり、山の上でそれを食った。ひとつだけ枝にさして、肩にかついで帰る少年を、人はあわれなものとして見る。山上の饗宴の豪華さをいってやりたいが、しかし少年中野重治に、それはいかんともしがたい。

また小学生のかれは、金沢市内から転校して来た生徒の、その言葉づかいのちがいゆえに、上級生から迫害される苦しみを救ってやることができなかった。その不当な思い、無念さ。《さて、わが人生においてかくのごときことは実にしばしばあった。僕自身の上にもあったが、もっと堪えがたいこととして他人の上にあった。かくのごときことが或る一人の上に行なわれて、僕自身は空《むな》しくそれを見送らねばならぬということがしばしばあったのである。そこで考えるに、かくのごときことはなくなるほうがよい。絶滅は望めぬにしても、絶滅にむかって人が共同して進み行くことの楽しさを共同に考えるのがよい。或ることの楽しさを考えるのがよい。或ることの楽しさを考えることによってそのこととの実行に進むことができるのだから。楽しいことをほんとうに楽しく考えることがことさら今は大事ではないかと思う。》

この時期、中野重治は日本を、つまりは大日本帝国を、戦争へ向けて押し進める勢力の、文壇、論壇における同調者らと、苦しい闘いをつづけていた。具体的にこの時期の中野重治が、検閲、執筆禁止の網の目をくぐるようにして、こちらは国家権力の暴力とまっすぐ結びついている林房雄や、横光利一の日本主義、反論理主義と闘うありさまを、われわれはかれの文章に見ることができる。おなじ時期の中野重治の文章の一節は、次のようにも語っているが、それを僕は、さきの楽しさについての文章とも、かれが林らと闘った文章ともかさねて読む。《がんらい文学を書き読むということは、そのことで生活仕方を学びとるということだ。このことと無縁な読み書きは、ほんとうの制作でもなければほんとうの読み方でもない。》

つまり中野重治にとって、文学を書き読むということと、すなわち生活仕方を学びとるということは、子供の魂に関わっての楽しさをとらえることであり、かつそれを妨げるものと闘うことであり、同時に林らの日本主義、反論理主義と闘うことで、国家の進みゆきに、その暴力的権力にがんじがらめにされながらも、異議を申し立てつづけることであった。日常生活の細部というごく小さいものから、国家の進みゆき、国際関係という極大の規模にまで一貫して、その楽しさをそこなうものの絶滅をめざすことであったのである。

今日のわが国の日常生活の、サブ・カルチュアの花ざかりのなかで、なおも生きているはずの真の楽しさを、生活仕方の問題としてとらえようとする若い人びと。かれらが、直接、中野重治の戦前、戦中の苦闘を思わせる韓国の今日の民主主義状況のなかでの、金大中氏らの政治的自由に向けて運動する。それを見て僕は、中野重治が、極微から極大までの楽しさをそこなうものを絶滅しようとした、そのような生活仕方の原理の、いまに生きているものを見るように思う。すくなくとも僕は、自分自身、そのような生活仕方を、文学を書き読むことにかさねて、中野重治の志に、つらなりうるものならばつらなりたいのである。

5

右の講演要旨に引いた中野重治の、文学を書き読むということが、生活仕方を学ぶということだとする根本の考え方。それは僕にとって戦後文学者を読む、あるいは戦後文学者について書く、当のその仕方であった。さきの巻におさめた文章における渡辺一夫、この巻での林達夫、伊丹万作について、やはりおなじことを僕がいわねばならぬのである以上、戦後文学者に、これらの学者たちと映画作家とをあわせ、僕がひとつながりの表現をする説明はつくだろう。そして田村隆一は、僕が戦後文学者の列に加わらせたいとねがう第一の詩人であり、そして僕のほぼ同年代の者ら、つまりは僕が戦後世代と呼ぶ者らのうち、もっとも意識的に戦後文学者の思想を継承すると、自他ともに認めた文学者が、高橋和巳だったのである。

いま僕はここにあげたすべての名のうち、もっとも若く、しかも堀田善衛への埴谷雄高の言葉を用いれば、すでに先行して行った出発者のひとりである高橋和巳について、かれの全体像をとらえるためには、自分の文章がいかにも不充分であるのを認める。そしてその不充分さということを考える時、僕は自分が戦後文学者たちについて書いた文章は、そのどれもが不充分であり、中野重治について書いた文章も、やはり不充分だと認めぬわけにはゆかぬのである。そしてそれはただ情緒に由来する連鎖反応が僕のうちにおこっているというのではないであろう。

それは、戦後文学者たちがわが国の文学にもたらした新しいありよう、同時代の全体をとらえること、それを社会科学や自然科学の異領域の思想家たちの、全人間的な営為とも積極的にむすびつく、開いた輪とすること、その根本的な態度について、僕がよくそれらを綜合してとらええてはいないからにちがいない。そしてその仕事を、われわれの世代の者がなしとげるために、おそらくはもっともふさわしい能力と資質を持っており、かつその作業に実際とりかかってもいた高橋和巳が、戦後世代の文学者の、最初の出発者として、彼岸へ先行してしまったのである。僕は『同時代としての戦後』を、ともかくも自分のための橋頭堡として、戦後文学者がなしとげたこと、なしとげようとしてなおなしとげていないものの、確実な構造体を見きわめるべくつとめたい。

――〔一九八一年一月〕――

初出一覧

I 同時代としての戦後

・本書は一九八〇―八一年に小社より刊行された「大江健三郎同時代論集」（全十巻）を底本とし、誤植や収録作品の重版・改版時の修正等に関してのみ若干の訂正をほどこした。

・今日からすると不適切と見なされうる表現があるが、作品が書かれた当時の時代背景や文脈、および著者が差別助長の意図で用いてはいないことを考慮し、そのままとした。

ブックデザイン　鈴木成一デザイン室
装画　渡辺一夫

新装版 大江健三郎同時代論集 6
戦後文学者　（全 10 巻）

2023 年 9 月 22 日　第 1 刷発行

著　者　大江《おおえ》健三郎《けんざぶろう》

発行者　坂本政謙

発行所　株式会社 岩波書店
〒101-8002 東京都千代田区一ツ橋 2-5-5
電話案内 03-5210-4000
https://www.iwanami.co.jp/

印刷・三陽社　カバー・半七印刷　製本・松岳社
カバー加熱型押し・コスモテック

ISBN 978-4-00-028826-2　Printed in Japan

新装版 大江健三郎同時代論集 全10巻

（＊は既刊、二〇二三年九月現在）

著者自身による編集。解説「未来に向けて回想する――自己解釈」を全巻に附する

1＊ 出発点

Ⅰ 戦後世代のイメージ　Ⅱ 強権に確執をかもす志／戦後世代と憲法／憲法についての個人的な体験／他　Ⅲ 私小説について／戦後文学をどう受けとめたか／飢えて死ぬ子供の前で文学は有効か？／他　Ⅳ われらの性の世界／『われらの時代』とぼく自身／現代文学と性　Ⅴ 今日の軍港――横須賀／プラットフォームの娘たち／少年たちの非行のエネルギーは抹殺されるべきものか？／他　Ⅵ ここにヘンリー・ミラーがいる／危険の感覚／日本に愛想づかしする権利／他

2＊ ヒロシマの光

Ⅰ ヒロシマ・ノート　Ⅱ 被爆者の自己救済行動／原民喜を記念する／原爆後の日本人の自己確認／他　Ⅲ 核基地に生きる日本人／一九四五年夏に「明日」を見る／敗戦経験と状況七一／他　Ⅳ 核時代の『三酔人経綸問答』／核時代のエラスムス

3＊ 想像力と状況

Ⅰ 記憶と想像力／持続する志／死んだ学生への想像力／他　Ⅱ「期待される人間像」を批判する／アメリカの百日／政治的想像力と殺人者の想像力／他　Ⅲ〝記憶して下さい。私はこんな風にして生きて来たのです〟／戦後の人間として「明治」を読むこと／ほんとうの教育者としての子規／他　Ⅳ 誰を方舟に残すか？／多様性コソ力デアル／テロは美しく倫理的か？／他　Ⅴ おもてを伏せてふりかえる／死滅する鯨とともに